D1086336

FIGURES I

DU MÊME AUTEUR

aux mêmes éditions

Figures I
repris dans la coll. Points

Figures II
coll. Tel Quel
repris dans la coll. Points

Figure III
coll. Poétique

Mimologiques
coll. Poétique

Introduction à l'architexte
coll. Poétique

GÉRARD GENETTE

FIGURES I

ÉDITIONS DU SEUIL
27, rue Jacob, Paris VIe

CE LIVRE
EST PUBLIÉ DANS LA COLLECTION
TEL QUEL
DIRIGÉE PAR PHILIPPE SOLLERS

ISBN 2-02-001933-7

Figure porte absence et présence,
plaisir et déplaisir. (PASCAL)

L'UNIVERS RÉVERSIBLE

Le bestiaire de Saint-Amant se compose presque exclusivement d'oiseaux et de poissons : prédilection conforme aux tendances les plus manifestes de l'âme baroque, qui se cherche et se projette dans le fugace et l'insaisissable, dans les jeux de l'eau, de l'air et du feu. Si ce dernier n'entretient qu'une faune mythique (phénix, salamandre), les espèces de la plume et de l'écaille peuvent apparaître comme de prodigieuses mais réelles concrétions élémentaires, comme des produits naturels de l'onde et du vent.

A ce parti pris s'en ajoute un autre : chez Saint-Amant, les deux faunes sont à peu près inséparables, et (comme il arrive en mer) lorsque l'une apparaît, l'autre ne tarde guère : ici, la chasse au cormoran annonce une pêche à la daurade [1], là, le salut d'un cygne à l'aurore précède l'émergence argentée d'un saumon [2]; ailleurs, cygnes, poissons et rossignols communient dans l'hommage à une princesse d'Egypte : les *nageurs blancs et doux* se tiennent à distance de peur de troubler l'eau du bassin où se reflète son image, les poissons s'immobilisent de respect et d'amour, les rossignols perdent leur voix [3]; mais les voici réunis plus loin, dans une émulation inverse, pour ce duo nocturne :

> *Déjà les rossignols chantaient dans les buissons,*
> *On oyait dans le Nil retomber les poissons* [4].

1. *Le Contemplateur*. — 2. *Le Soleil levant*. — 3. *Moyse sauvé*, 10e Partie. — 4. *Ibid.*, 12e Partie.

Cette proximité constante suggère évidemment de plus étroites affinités. Tout d'abord, vol et natation proposent à l'homme le même idéal de propulsion facile, d'un bonheur onirique et en quelque sorte miraculeux. Sur les bords de la mer Rouge, les Juifs adressent à Moïse ce reproche nostalgique :

Sommes-nous des poissons, sommes-nous des oiseaux
Pour franchir aisément ou ces monts ou ces eaux [1] *?*

C'est par cette *homothétie mécanique* entre le vol et la nage que Bachelard explique la contamination fréquente des deux classes dans l'imagination naïve : « L'oiseau et le poisson vivent dans un volume, alors que nous ne vivons que sur une surface [2] ». L'homme est tristement assujetti aux moindres accidents de l'écorce terrestre, l'oiseau et le poisson parcourent l'espace et le traversent dans ses trois dimensions; comme l'exprime bien la plainte des Hébreux, la nage et le vol font un milieu *aisé* de ce qui est pour l'homme obstacle infranchissable ou espace inaccessible, et cette aisance commune justifie leur confusion. La marche est servitude, le vol et la nage sont tous deux liberté et possession.

Mais la contamination ne s'arrête pas, chez Saint-Amant, à cette analogie toute relative. La parenté entre oiseaux et poissons est en quelque sorte inscrite dans la nature, qui en fournit d'elle-même deux figures symétriques. La première est l'*oiseau aquatique,* qui apparaît dès le premier poème, *la Solitude*, où nous le voyons éteindre

1. *Moyse sauvé*, 5ᵉ Partie.

2. *Lautréamont*, p. 51. Bachelard rappelle ici les exemples donnés par Rolland de Renéville : confusion entre oiseau et poisson chez l'enfant, rapprochements des deux faunes dans certaines classifications occultistes, poissons dans les arbres chez des peintres primitifs, « enfin et surtout, on ne saurait oublier que cette confusion singulière est amorcée dans les premières lignes de la Bible, où l'on peut lire que Dieu créa le même jour les poissons et les oiseaux » (*L'Expérience poétique*, p. 150).

le feu d'amour
Qui dans l'eau même se consume

et que nous retrouvons un peu partout sous diverses espèces, tel ce goéland

qui sur quelque rocher
Fait ses petits au bord de la marine [1]

tel le cygne, ce *beau vogueur aux voiles emplumées,* qui, opérant à lui seul une sorte d'union personnelle des espèces,

Nage et vole d'un même temps [2].

Le poète évoque encore avec complaisance le spectacle paradoxal aperçu du haut d'une falaise

Où pour voir voler les oiseaux
Il faut que je baisse les yeux [3].

De ces oiseaux vus d'en haut, la figure inverse et complémentaire sera naturellement le poisson vu d'en bas, ou *poisson volant.* La pêche à la ligne offre un prétexte facile à cette nouvelle inversion :

Le nageur étant pris vole comme un éclair...
Mais enfin de poisson on le change en oiseau,
Il forme un arc en l'air...
...on dirait à les voir
Qu'un miracle nouveau du ciel les fait pleuvoir.

Métamorphose d'autant plus troublante qu'elle éveille chez le poète le souvenir de lointaines traversées, vers cette fabuleuse Ligne où commence l'envers du monde et où s'accomplissent tous les prodiges :

Ainsi, non sans plaisir, sur le vaste Neptune
Où j'ai tant éprouvé l'une et l'autre fortune,

1. Sonnet : *Quand je la vois, cette gorge ivoirine...* — 2. *Le Passage de Gibraltar.* — 3. *Le Contemplateur.*

Ai-je vu mille fois, sous les cercles brûlants,
Tomber comme des cieux de vrais poissons volants
Qui, courus dans les flots par des monstres avides,
Et mettant leur refuge en leurs ailes timides,
Au sein du pin vogueur pleuvaient de tous côtés
Et jonchaient le tillac de leurs corps argentés [1].

Toutes ces ébauches partielles se fondent enfin dans la métaphore attendue, où les deux faunes échangent leurs attributs; l'aile fend les ondes, la nageoire plane au vent, l'écaille se fait plume et la plume écaille :

Les nageurs écaillés, ces sagettes vivantes
Que Nature empenna d'ailes sous l'eau mouvante
Montrent avec plaisir en ce clair appareil
L'argent de leur échine à l'or du beau soleil...
Et les hôtes de l'air, aux plumages divers,
Volant d'un bord à l'autre, y nagent à l'envers [2].

Cette image, en elle-même, n'est pas originale pour l'époque : elle appartient au trésor commun de la rhétorique mariniste, qui nomme presque systématiquement les poissons *oiseaux de l'onde* et les oiseaux *poissons du ciel.* Urbain Chevreau, baroque repenti, la cite parmi d'autres exemples d'extravagances condamnables, sous cette forme italienne :

Pennuti pesci dell'aereo mare

qu'il traduit ainsi :

De l'océan des airs les poissons emplumés [3].

Mais on a vu que Saint-Amant ne se borne pas à l'utiliser comme un ornement à la mode; il y revient sans cesse, la prolonge et la justifie de toutes parts, l'anime de ses propres souvenirs, et plus encore peut-être de ses rêveries

1. *Moyse sauvé,* 7e Partie.
2. *Ibid.,* 6e Partie.
3. Jean Rousset, *la Littérature de l'Age baroque en France,* p. 188.

les plus audacieuses. Car un passé de navigateur peut expliquer sa familiarité avec les oiseaux de mer et les poissons volants, mais non cette insistance à identifier les deux faunes et à les intervertir, qui trahit en somme une étrange interprétation de la Nature.

Une autre image, elle aussi fréquente dans la poésie du début du XVIIe siècle, nous permettra de cerner de plus près cette interprétation. On la rencontre dans l'épisode de *Moyse sauvé* précédemment cité, et qu'il faut maintenant compléter ainsi :

Le fleuve est un étang qui dort au pied des palmes
De qui l'ombre, plongée au fond des ondes calmes,
Sans agitation semble se rafraîchir
Et de fruits naturels le cristal enrichir.
Le firmament s'y voit, l'astre du jour y roule,
Il s'admire, il éclate en ce miroir qui coule,
Et les hôtes de l'air, aux plumages divers
Volant d'un bord à l'autre, y nagent à l'envers.

Voilà bien le *narcissisme cosmique* dont parle Bachelard dans *l'Eau et les Rêves,* et l'on reconnaîtra peut-être dans cette ombre de palmier qui se rafraîchit au fond du Nil et enrichit de ses fruits le cristal des eaux une vision dont la perversité ne déparerait pas trop les *Solitudes* de Gongora. Voici une version moins sophistiquée de la même image, qui laisse le firmament en tête-à-tête avec son reflet :

Tantôt, la plus claire du monde,
(La mer) *semble un miroir flottant*
Et nous représente à l'instant
Encore d'autres cieux sous l'onde.

Cet effet de miroir pose à l'imagination baroque une question propre à la captiver : l'image spéculaire est-elle illusoire ou réelle? Est-elle un reflet ou un double? Quand il s'agit d'un vrai miroir, l'épreuve est facile, mais le reflet dans l'eau, avec les profondeurs qu'il recouvre, contient un peu plus de mystère :

Le soleil s'y fait si bien voir
Y contemplant son beau visage
Qu'on est quelque temps à savoir
Si c'est lui-même ou son image,
Et d'abord il semble à nos yeux
Qu'il s'est laissé tomber des cieux [1].

Qui peut assurer en effet qu'il n'y a pas au fond de l'eau un autre soleil aussi réel que le nôtre, et qui en serait comme la réplique? Il se pourrait ainsi que l'étendue marine ne fût qu'un vertigineux principe de symétrie, et de la vérité de cette hypothèse, l'équivalence du poisson et de l'oiseau offre une confirmation précieuse : à première vue, dans le couple qu'ils forment de part et d'autre de la surface des eaux, le poisson semble n'être que l'ombre ou le reflet de l'oiseau, qu'il accompagne avec une fidélité suspecte; que ce reflet vienne à prouver sa réalité tangible, et voici la duplicité du monde (presque) établie : si le poisson existe, si le reflet se révèle un double, le soleil des eaux peut bien exister aussi, l'envers vaut l'endroit, le monde est réversible [2].

Qu'il existe au fond des mers un monde semblable au nôtre, et semblablement habité, c'est une conjecture familière à la poésie de Saint-Amant. Dans *le Contemplateur*, un de ses poèmes où il montre la curiosité la plus accueillante aux visions, nous apparaît un *grand homme marin* à l'œil vert, au teint blanc, à la chevelure azurée, au bras couvert

1. *La Solitude.*
2. Bachelard a bien montré (*l'Eau et les Rêves*, p. 72) la liaison entre le « concept ambigu oiseau-poisson » et la « réversibilité des grands spectacles de l'eau ».

d'écailles, portant écharpe de perles et panache de corail, dont le portrait s'achève sur ce trait inattendu :

Bref, à nous si fort il ressemble
Que j'ai pensé parler à lui.

A nous si fort il ressemble... Cet habitant des profondeurs ne serait-il pas notre double, et n'aurions-nous pas nous-mêmes de l'abîme une connaissance plus intime que nous ne le pensons? L'épreuve décisive se trouve dans *Moyse sauvé,* qui est essentiellement un poème de l'eau [1]. Il est évident que Saint-Amant, malgré sa piété tardive, a été moins sensible à la signification religieuse de son sujet qu'à ses ressources aquatiques. Du berceau flottant confié aux eaux du Nil jusqu'au passage de la mer Rouge, Moïse y semble voué à un destin amphibie, d'ailleurs enrichi d'*excursus* comme la scène de pêche, le combat avec un crocodile, le bain de la princesse, et même, grâce à une tapisserie opportunément placée, une description du Déluge : adorable cataclysme à quoi nous devons ce spectacle fascinant : la mer tombant du ciel et noyant les oiseaux [2]. Mais le moment capital est évidemment celui du passage de la mer Rouge : occasion unique de parcourir à pied sec le paysage de l'abîme et de le contempler à loisir. Monde vierge plutôt qu'étranger, monde réplique du nôtre, mais plus riche, plus coloré, dont l'air et le temps n'ont pu ternir la fraîcheur originelle. Monde à tout prendre singulièrement proche, lieu *profond* par excellence, paysage maternel,

1. Un de ses plus sévères critiques (parmi ceux qui ont fait l'effort de le lire) recourt, pour exprimer sa fatigue, à cette métaphore révélatrice : « Il faut au lecteur le mieux prévenu l'héroïsme d'un scaphandrier pour aller, à travers d'immenses végétations sous-marines, à la pêche de quelque perles dissimulées dans ces milliers d'huîtres » (Léon Vérane, Préface à l'édition des *Œuvres poétiques* de Saint-Amant, Garnier, 1930). On connaît le mot de Furetière : *Moïse noyé.*

2. *Les abîmes du ciel, versant toutes leurs eaux,*
Interdisaient le vol aux plus vites oiseaux.

(3e Partie).

plus troublant par sa familiarité que par son étrangeté, qui s'offre au peuple juif à la fois comme un souvenir de l'Eden et une anticipation de la Terre Promise, momentanément dévoilés par la vague en reflux, décor de rêve abandonné par le sommeil :

L'abîme au coup donné, s'ouvre jusqu'aux entrailles.
De liquides rubis il se fait deux murailles
Dont l'espace nouveau se remplit à l'instant
Par le peuple qui suit le pilier éclatant.
D'un et d'autre côté ravi d'aise il se mire.
De ce fond découvert le sentier il admire,
Sentier que la Nature a d'un soin libéral
Paré de sablon d'or et d'arbres de coral
Qui, plantés tout de rang, forment comme une allée
Étendue au travers d'une riche vallée,
Et d'où l'ambre découle ainsi qu'on vit le miel
Distiller des sapins sous l'heur du jeune ciel...
Là le noble cheval bondit et prend haleine
Où venait de souffler une lourde baleine.
Là passent à pied sec les bœufs et les moutons
Où naguère flottaient les dauphins et les thons.
Là l'enfant éveillé courant sous la licence
Que permet à son âge une libre innocence
Va, revient, tourne, saute, et, par maint cri joyeux
Témoignant le plaisir que reçoivent ses yeux,
D'un étrange caillou qu'à ses pieds il rencontre
Fait au premier venu la précieuse montre,
Ramasse une coquille et, d'aise transporté,
La présente à sa mère avec naïveté.
Là, quelque juste effroi qui ses pas sollicite,
S'oublie à chaque objet le fidèle exercite,
Et là, près des remparts que l'œil peut transpercer,
Les poissons ébahis le regardent passer [1].

1. 5e Partie. On excusera peut-être cette longue citation en faveur de la richesse poétique du texte. Boileau s'est un peu lourdement gaussé, dans

A travers la métaphore oiseau-poisson, c'est donc un thème beaucoup plus vaste qui se propose, celui de la réversibilité de l'univers et de l'existence. Thème familier à l'imagination baroque, qui s'est ingéniée à transposer dans sa littérature les jeux de perspective et les mirages en trompe-l'œil chers à l'architecture et à la peinture de cette époque. On connaît bien, au théâtre, par *Hamlet*, par l'*Illusion comique*, par le *Saint Genest* de Rotrou, ce pirandellisme avant la lettre qui cherche à dérouter le public en introduisant une seconde scène sur la scène, en faisant jouer aux acteurs le rôle de comédiens ou de spectateurs, en multipliant les décrochements d'une pièce-gigogne qui à la limite se reflèterait indéfiniment elle-même. On a souvent remarqué la parenté de cet effet de composition avec celui que l'héraldique appelle *en abyme*, et qui provoque une sorte de vertige de l'infini. Borges explique ainsi le trouble qui nous saisit devant ces formes perverses du rapport entre le réel et la fiction : « Pourquoi sommes-nous inquiets que la carte soit incluse dans la carte et les mille et une nuits dans le livre des *Mille et une Nuits* ? Que Don Quichotte soit lecteur du *Quichotte* et Hamlet spectateur d'*Hamlet*? Je crois en avoir trouvé la cause : de telles inversions suggèrent que si les personnages d'une fiction peuvent être lecteurs ou spectateurs, nous, leurs lecteurs ou leurs spectateurs, pouvons être des personnages fictifs [1] ». Mais ce commentaire lui-même n'est-il pas l'écho fidèle des plus obsédantes spéculations de la pensée baroque, de Montaigne à Gracian? Le monde baroque est une scène où l'homme joue sans le savoir, devant des spectateurs invisibles, une comédie dont il ne connaît pas l'auteur,

---

l'Art poétique, de cet enfant au caillou et de ces poissons aux fenêtres. L'auteur de ce passage est pour lui un *fou*. Hommage involontaire de la « raison » à la folie. Le classicisme est bien ici ce *grand renfermement* dont parle Michel Foucault; mais c'est lui qui s'enferme, laissant dehors, avec la « folie », les grandes vérités de l'Imaginaire.

1. *Enquêtes,* p. 85.

et dont le sens lui échappe. Et la surface de la mer (nous dit l'œuvre de Saint-Amant), limite équivoque, à la fois transparente et réfléchissante, pourrait être quelque chose comme l'un des rideaux de cette scène.

Le monde est un théâtre : cette proposition en appelle inévitablement une autre, qui la transpose sur une autre frontière de l'existence, et dont Calderon fait le titre d'une de ses « comédies » : la vie est un songe. Une dialectique perplexe de la veille et du rêve, du réel et de l'imaginaire, de la sagesse et de la folie, traverse toute la pensée baroque. Au vertige cosmologique provoqué par la découverte du Nouveau Monde (« Notre monde, dit Montaigne, vient d'en trouver un autre, et qui nous répond si c'est le dernier de ses frères? »), vient s'ajouter un vertige métaphysique qui est comme le double intérieur. Ce que nous prenons pour réalité n'est peut-être qu'illusion, mais qui sait si ce que nous prenons pour illusion n'est pas aussi souvent réalité? Si la folie n'est pas un *autre tour de sagesse*, et le songe une vie *un peu plus inconstante*? Le moi vigile apparaît non moins fantasque et monstrueux que le sujet du rêve, et l'existence est affectée tout entière de cette ambiguïté réversible que la poésie d'un Saint-Amant, d'un Théophile ou d'un Tristan exprime à travers le thème de l'hallucination. Dans ses *Visions*, Saint-Amant présente de ce thème une variante caractéristique de son penchant pour l'inversion métaphorique. La première partie du poème, consacrée à des cauchemars proprement dits, est froide et laborieuse comme les fantômes de Grand Guignol qu'elle met en scène; mais la seconde, toute en hallucinations diurnes, est beaucoup plus saisissante, et finalement plus onirique. Or l'essentiel de ces visions consiste en un renversement symétrique des objets rencontrés, ou du moins de leurs significations, en leurs contraires : les Tuileries en été deviennent un cimetière glacé, les cygnes de leurs bassins des corbeaux nageant dans du sang, et leurs allées riantes

Sont autant de chemins à ma tristesse offerts
Pour sortir de la vie et descendre aux Enfers.

De même, Théophile, dans une ode célèbre, nous présente ces spectacles paradoxaux :

Ce ruisseau remonte en sa source,
Un bœuf gravit sur un clocher...
Un serpent déchire un vautour,
Le feu brûle dedans la glace,
Le soleil est devenu noir.

Le monde du rêve ou de la folie apparaît ainsi volontiers comme le reflet ou le double symétrique du monde « réel » : le même à l'envers. Jean Rousset a recensé les nombreuses apparitions de ce motif du *monde renversé* dans les ballets de cour de cette époque [1], et il cite cette phrase de Gracian qui pourrait en être la devise : « On ne saurait bien voir les choses de ce monde qu'en les regardant à rebours. »

Il y aurait donc entre l'*autre monde* intérieur et les divers autres mondes extérieurs, celui que découvre Colomb, ceux qu'imagine Cyrano, celui dont rêve Saint-Amant [2],

1. *Op. cit.*, p. 26-28.

2. Mais aussi Charles Sorel, par personnage interposé : au Onzième Livre (1626) de *Francion*, le pédant extravagant Hortensius imagine plusieurs sujets de romans, dont un voyage dans la Lune qui inspirera sans doute Cyrano, une exploration de l'infiniment petit qui nous conduit en pleine science-fiction moderne, et cette anticipation de *Vingt-mille lieues sous les mers* : « Je veux faire un roman sous les eaux. Je veux bâtir des villes plus superbes que les nôtres dans la mer Méditerranée et dans les fleuves qui s'y rendent, où les Tritons et les Néréides feront leur demeure. Toutes leurs maisons seront bâties de coquilles et de nacre de perles. Il y aura là aussi des paysages et des forêts de corail où ils iront à la chasse aux morues, aux harengs et aux autres poissons. La plupart des arbres seront de joncs, d'algues et d'éponges : et s'il s'y fait des tournois et des batailles, les lances ne seront que de roseaux ». C'est le même fou qui invente quelques pages plus loin l'idée du roman balzacien : « On n'a vu encore des romans que de guerre et d'amour, mais on en peut faire aussi qui ne parlent que de procès, de finance ou de marchandise. Il y a de belles aventures dans ce tracas d'affaires... »

une correspondance manifeste, qui se désigne en un mythe d'une singulière portée : tous inverses du même, ils sont nécessairement identiques : tous les abîmes n'en font qu'un.

Mais peut-être aussi ne faut-il lire à travers cet ingénieux système d'antithèses, de renversements et d'analogies qu'un conflit entre la conscience aiguë de l'altérité, qui obsède cette époque, et son impuissance à la concevoir autrement que sous les espèces d'une identité pervertie, ou masquée. Infirmité peut-être congénitale de l'imagination, qu'on retrouverait aussi bien ailleurs, mais qui fournit au Baroque le principe même de sa poétique : toute différence est une ressemblance par surprise, l'Autre est un état paradoxal du Même, disons plus brutalement, avec la locution familière : l'Autre *revient au Même*. L'univers baroque est ce sophisme pathétique où le tourment de la vision se résout — et s'achève — en bonheur d'expression [1].

1. Il va de soi que Saint-Amant n'est pris ici que comme un *exemple*, particulièrement caractéristique, de la sensibilité baroque. Mais on trouverait chez d'autres poètes, moins connus, de la même époque, des effets aussi révélateurs. Ainsi, cette rivière chantée par Habert de Cérisy (Jean Rousset, *Anthologie de la Poésie baroque française*, I, p. 245) :

C'est là, par un chaos agréable, et nouveau,
Que la terre et le ciel se rencontrent dans l'eau;
C'est là que l'œil souffrant de douces impostures,
Confond tous les objets avecque leurs figures,
C'est là que sur un arbre il croit voir les poissons,
Qu'il trouve les oiseaux auprès des ameçons,
Et que le sens charmé d'une trompeuse idole
Doute si l'oiseau nage, ou si le poisson vole.

COMPLEXE DE NARCISSE

Dans la poétique baroque, le thème de Narcisse n'est pas simple : il constitue au contraire ce que de nos jours Gaston Bachelard nommera un *complexe de culture*, où se marient deux motifs déjà ambigus : celui de la Fuite et celui du Reflet. Cette image de lui-même sur laquelle il se penche, Narcisse ne trouve pas dans sa ressemblance une sécurité suffisante. Ce n'est pas l'ombre stable du miroir d'Hérodiade, fontaine hivernale et stérile,

Eau froide par l'ennui dans ton cadre gelée,

c'est une image fuyante, une image *en fuite*, car l'élément qui la porte et la constitue est voué par essence à l'évanouissement. L'eau est le lieu de toutes les traîtrises et de toutes les inconstances : dans le reflet qu'elle lui propose, Narcisse ne peut se reconnaître sans inquiétude, ni s'aimer sans danger.

En lui-même, le reflet est un thème équivoque : le reflet est un *double*, c'est-à-dire à la fois un *autre* et un *même*. Cette ambivalence joue dans la pensée baroque comme un inverseur de significations qui rend l'identité fantastique *(Je est un autre)* et l'altérité rassurante *(il y a un autre monde, mais il est semblable à celui-ci)*. La reconnaissance devient ici motif d'égarement, comme lorsque l'Amphitryon de Rotrou « se rencontre » en Jupiter :

A peine me connais-je en ce désordre extrême :
Me rencontrant en lui, je me cherche en moi-même [1]...

Le soleil de Tristan l'Hermite ne manifeste pas moins de surprise à se trouver dans le miroir des eaux :

Tous les matins l'astre du monde
Lorsqu'il se lève en se mirant dans l'onde
Pense tout étonné voir un autre Soleil [2].

Chez Saint-Amant l'illusion est contagieuse, et Phébus-Narcisse n'en est pas la seule dupe :

On est quelque temps à savoir
Si c'est lui-même ou son image,
Et d'abord il semble à nos yeux
Qu'il s'est laissé tomber des cieux.

C'est que le reflet est à la fois une identité confirmée (par la reconnaissance) et une identité volée, donc contestée (par l'image même) : il suffira d'une légère interprétation pour glisser de la contemplation narcissique proprement dite à une sorte de fascination où le modèle, cédant à son portrait tous les signes de l'existence, se vide progressivement de lui-même. L'incertitude du contemplateur rejoint alors celle de Sosie « désosié », celle aussi qui fait dire à Amphitryon :

Je doute qui je suis, je me perds, je m'ignore,
Moi-même je m'oublie et ne me connais plus [3].

Le Moi se confirme, mais sous les espèces de l'Autre : l'image spéculaire est un parfait symbole de l'aliénation.

Prisonnier de son image, Narcisse se fige dans une immo-

1. *Les Sosies,* Acte V, Scène 4.
2. *Le Miroir enchanté.*
3. *Les Sosies,* Acte IV, Scène 4.

bilité inquiète, car il se sait à la merci du moindre *écart*, qui, en supprimant son reflet dont il n'est plus qu'une pâle dépendance, le *détruirait* lui-même :

> *O Dieux ! que de charmants appas,*
> *Que d'œillets, de lys et de roses,*
> *Que de clartés et que d'aimables choses*
> *Amarylle détruit en s'écartant d'un pas* [1] *!*

Encore le miroir est-il lui-même immobile : il ne dépend que d'Amarylle de se conserver à l'être en se gardant de tout mouvement. Mais la fontaine de Narcisse est moins sûre, toujours prête à reprendre, sur un imprévisible caprice, l'image qu'elle semble offrir. Ici intervient le thème de la fuite, sous trois espèces matérielles distinctes et complémentaires.

La première est purement formelle, et, si l'on peut dire, statique : si calme, si dormante soit-elle, la surface de l'eau se ressent au moins de la chute d'une fleur, du passage d'un oiseau, des agitations de la brise : même stagnante, elle ondule, et l'image de Narcisse ondule avec elle, anime ses formes dans une mimique sans objet, les distend, les contracte, et se découvre une inquiétante plasticité. Pourtant cette image frissonnante reste une image, et sa liberté mouvante peut être plus révélatrice que l'immobilité figée du miroir. Mais que l'agitation s'accentue, et l'ondulation devient clignotement, fractionnement, dispersion; l'élasticité continue de l'onde se décompose en une infinité de facettes juxtaposées, où Narcisse disparaît dans une décevante intermittence. :

> *Les flots de vert émaillés*
> *Qui semblent de jaspe taillés*
> *S'entre-dérobent son visage*
> *Et par de petits tremblements*

1. Tristan, *Le Miroir enchanté.*

Font voir au lieu de son image
Mille pointes de diamant [1].

Mais l'eau *courante*, eau baroque de prédilection, offre un autre thème de fuite, moins apparent, mais plus troublant peut-être, car le reflet s'en pénètre sans s'y dissoudre : il ne s'agit plus d'une altération ou d'une dispersion formelles, mais d'une véritable *évanescence substantielle*; quelle que soit la stabilité relative de ses traits, l'image de Narcisse s'inscrit sur une matière en fuite; c'est l'étoffe même de son visage qui s'échappe et s'évanouit sans trêve, dans un glissement continu, presque imperceptible. Si le reflet s'écoulait avec l'eau qui le porte, il se reposerait au moins sur elle et tirerait de cette position une existence mobile mais saisissable, comme une feuille emportée par le courant; mais quel plus clair symbole de l'inconstance, de l'inconsistance, que ce visage immobile tissé dans la fluidité même?

La dernière fuite est métaphorique, mais pour l'imagination poétique elle est sans doute la plus redoutable, et à coup sûr elle exprime les virtualités les plus profondes de l'élément liquide : c'est, précisément, la fuite verticale, la fuite *en profondeur*. La surface aquatique la plus innocente recouvre un abîme : transparente, elle le laisse voir, opaque, elle le suggère d'autant plus dangereux qu'elle le cache. Être en surface, c'est braver une profondeur; flotter, c'est risquer un naufrage. La fin qui menace le reflet dans l'eau, et qui exprime son existence paradoxale, c'est la mort par engloutissement, où l'image imprudente s'abîme dans sa propre profondeur : danger galamment invoqué par Tristan dans le *Promenoir des Deux Amants* :

Je tremble en voyant ton visage
Flotter avecque mes désirs
Tant j'ai de peur que mes soupirs
Ne lui fassent faire naufrage.

1. Tristan, *la Mer*.

De crainte de cette aventure
Ne commets pas si librement
A cet infidèle élément
Tous les trésors de la Nature.

Ainsi se dessine le complexe baroque de Narcisse : Narcisse se projette et s'aliène dans un reflet qui lui révèle, mais en la lui dérobant (dans les deux sens du mot), son illusoire et fugace existence : toute sa vérité dans un fantôme, une ombre, un rêve.

L'ombre de cette fleur vermeille
Et celle de ces joncs pendants
Paraissent être là dedans
Les songes de l'eau qui sommeille.

Dans les pastorales, le sorcier à qui l'on s'adresse pour connaître la vérité sur son amour, c'est dans un miroir qu'il la montre, intrument d'élection du savoir magique. Dans l'*Astrée*, le miroir est devenu fontaine, la Fontaine de la Vérité d'Amour, où se reflète le visage de la bien-aimée absente : le miroir aquatique révèle les présences invisibles, les sentiments cachés, le secret des âmes. Aussi sa proximité incite-t-elle, par une vertu paradoxale de recueillement, à la méditation baroque par excellence, sur la fuite du temps et l'instabilité humaine. Au IVe livre de l'Astrée, la bergère Diane, qui se croit abandonnée par Silvandre, vient sur les bords du Lignon s'exhorter à la sagesse : « Ainsi, dit-elle, vont coulant dans le sein de l'oubli toutes les choses mortelles. » Devant cette rivière en continuel devenir, Diane prend conscience de ses propres métamorphoses : « Moi-même, je ne suis pas la même Diane que j'étais quand je suis venue ici... Considère ton humeur quand Silvandre commença malheureusement à te regarder, quelle tu t'es rendue par sa dissimulée affection, et quelle tu te trouves maintenant par la connaissance de sa trahison, et avoue par force que si les autres, comme on dit, changent d'humeur et de complexion de sept ans en sept ans, les années en toi sont changées non seulement en des mois, mais en des heures, voire même en des moments. » Comment alors en vouloir à l'amant volage ou présumé tel? « Tu es bien déraisonnable, de l'observer toi-même (la loi du changement) et ne vouloir qu'un autre en fasse autant! » C'est l'inconstant Hylas qui est selon la Nature, et l'Amant Parfait ne se conçoit qu'en vertu d'une mystique, c'est-à-dire d'un arrachement surnaturel à l'ordre humain. La constance est à la lettre un *miracle*, et c'est ainsi déjà que Sponde qualifiait son amour, semblable à l'étoile du Nord, seul point fixe au sein du branle universel, et qui trouve, héroïquement,

Sa constance au milieu de ces légèretés [1].

L'infidélité amoureuse, l'infidélité à autrui, n'est qu'un effet. Le principe de la « légèreté » baroque est une infidélité à soi-même. Avant d'être vécue comme une conduite, elle est subie comme un destin. Comme l'existence est un écoulement d'années, d'heures, d'instants, le moi est une sucession d'états instables où (paradoxe inévitable de la rhétorique baroque) rien n'est constant que l'instabilité même. L'extase, amoureuse ou mystique, est une divine syncope, un pur oubli. L'existence au contraire ne s'éprouve que dans la fuite, dans ce que Montaigne nommait le *passage*. L'homme qui se connaît, c'est l'homme qui se cherche et ne se trouve pas, et qui s'épuise et s'accomplit dans cette incessante poursuite.

Telle est la leçon que le Lignon murmure à Diane, et à bien d'autres. Et Céladon lui-même ne remplira son destin d'Amant Parfait qu'au terme d'une épreuve aquatique dont la signification mystique est transparente : plongeon expiatoire, mort symbolique, baptême et résurrection. Le lieu de l'Être est toujours l'Autre Rive, un au-delà. Ici et main-

1. *Sonnets d'Amour*, I.

tenant, le miroir liquide n'offre à qui s'y recueille que l'image fuyante d'une existence transitoire.

Ainsi, ce que Narcisse découvre au bord de sa fontaine ne met pas en jeu de simples apparences : le lieu de son image lui donne le mot de son être. De la formule : *je me vois dans une eau qui s'écoule,* il passe insensiblement à : *je suis une eau qui s'écoule.* Thème substantiel qui, depuis Montaigne (« Si, de fortune, vous fichez votre pensée à vouloir empoigner son être, ce ne sera ni plus ni moins que qui voudrait empoigner l'eau ») jusqu'à Fénelon (« Que suis-je? Un je ne sais quoi qui ne peut s'arrêter en soi, qui n'a aucune consistance, qui s'écoule rapidement comme l'eau »), traverse le siècle comme un emblème de la sensibilité baroque.

L'attitude du Narcisse baroque n'est pas nécessairement solitaire : souvent, au contraire, comme dans le *Promenoir des deux Amants*, elle semble partagée, et compliquée encore d'une sorte de jeu croisé des regards réflexifs. Mais surtout, elle n'est pas propre à l'homme, elle s'étend aux autres êtres, moins par contagion que par universalité. Ainsi le cerf de Théophile de Viau

Penchant ses yeux dans un ruisseau
S'amuse à regarder son ombre [1].

On a déjà surpris dans la même attitude le Soleil de Saint-Amant [2] et de Tristan. Voici, chez Tristan encore, des divinités mineures en conversation dans un miroir :

En ce lieu deux hôtes des Cieux
Se content un secret mystère,

1. *La Solitude.*
2. Rappelons ces vers de *Moyse Sauvé* :

Le firmament s'y voit, l'astre du jour s'y roule,
Il s'admire, il éclate en ce miroir qui coule.

Si, revêtus des robes de Cythère,
Ce ne sont deux Amours qui se font les doux yeux [1].

C'est finalement l'univers tout entier qui se dédouble et se contemple dans ce que Bachelard appelle un *narcissisme cosmique*. Jean Rousset écrit à juste titre [2] qu'une façade baroque est le reflet aquatique d'une façade renaissance. On peut sans doute étendre plus loin cette proposition : l'homme baroque, le monde baroque ne sont peut-être rien d'autre que leur propre reflet dans l'eau. L'image de Narcisse est le lieu privilégié où l'existence universelle vient prendre, perdre, et finalement reprendre conscience : Narcisse contemple dans sa fontaine un autre Narcisse qui est plus Narcisse que lui-même et cet autre lui-même est un abîme. Sa fascination est d'ordre intellectuel, non érotique, et, tout compte fait, il n'y succombe jamais. Il ne vit pas son abîme, il le *parle*, et triomphe en esprit de tous ses beaux naufrages. Son attitude symbolise assez bien ce qu'on pourrait nommer le sentiment, ou plutôt *l'idée baroque de l'existence*, qui n'est rien d'autre que le Vertige, mais un vertige conscient et, si j'ose dire, *organisé*.

1. *Le Miroir enchanté.*
2. *La Littérature de l'Age baroque en France*, p. 157.

« L'OR TOMBE SOUS LE FER »

Si l'on en croit une idée courante chez les historiens de l'art et plus encore chez les esthéticiens qui se sont attachés à élaborer une philosophie de l'art baroque, les formes nouvelles qui apparaissent à la fin du XVIe siècle exprimeraient une découverte du mouvement, une libération des structures, une animation de l'espace dont le message rejoindrait celui de la Nature pour substituer aux normes classiques d'ordre et de nombre des valeurs vitales, celles de la fluidité, de l'expansion, de la profusion : courbes et contre-courbes, façades creusées, perspectives fuyantes, prolifération du décor, éclosion des volutes, bourgeonnement des stucs, radiance des transparents, ruissellement des tentures et des torsades, tous ces traits caractéristiques semblent en effet poursuivre l'idéal d'un espace mouvant et expressif dont les modèles se trouvent dans la Nature « vivante » : eaux courantes, cascades, élan végétal, entassements et éboulis, architectures nébuleuses. Et sans même invoquer l'exemple trop explicite du décor manuélin, les fontaines du Bernin, telle façade de Borromini, certaines compositions de Rubens peuvent accréditer cette interprétation vitaliste, la seule à coup sûr que retienne, à l'usage du public, le mythe de l'Éternel Baroque.

Si l'on aborde dans cet esprit la poésie française de cette époque, la découverte des textes ménage une singulière surprise, et peut-être une déception. Rien de moins fluide, de moins fondu, de plus abrupt que la vision qui s'y exprime. Certes l'univers y offre d'abord une profusion de couleurs, de substances, de qualités sensibles, et c'est par sa richesse qu'il étonne au premier contact; mais bientôt les qualités s'organisent en différences, les différences en contrastes, et le monde sensible se polarise selon les lois strictes d'une sorte de géométrie matérielle. Les éléments s'opposent par couples : l'Air et la Terre, la Terre et l'Eau, l'Eau et le Feu. Le Froid et le Chaud, le Clair et le Sombre, le Solide et le Liquide se partagent avec une raideur protocolaire la diversité des tons et des matières.

On pourrait se livrer à une comparaison instructive entre le célèbre sonnet de Ronsard sur la mort de Marie : *Comme on voit sur la branche...* et n'importe quelle poésie galante de l'époque suivante. Chez Ronsard, le poème est doucement emporté vers un état de fusion qui ne traduit pas seulement la métamorphose en fleur de la jeune morte, mais aussi, par le jeu des sonorités, des rimes en -eur (à *fleur*) et en -ose (à *rose*), par la fluidité du rythme, par la contagion des images, l'embaumement du langage même dans l'unité substantielle. A travers la tendre magie d'une offrande funèbre onctueuse et consolatrice,

Pour obsèques reçois mes larmes et mes pleurs,
Ce vase plein de lait, ce panier plein de fleurs...

le poème à son tour se fait rose, chair odorante, fraîcheur miraculeusement préservée de la dissociation et de la mort. C'est sans doute à de tels effets que pensait Marcel Proust en parlant du « Vernis des Maîtres », lorsqu'il écrivait que la « beauté absolue » de certaines œuvres leur vient d' « une espèce de fondu, d'unité transparente, où toutes les choses, perdant leur aspect premier de choses, sont venues se ranger les unes à côté des autres dans une espèce d'ordre, pénétrées de la même lumière, vues les unes dans les autres, sans un seul mot qui soit resté en dehors, qui soit resté réfractaire à cette assimilation [1]. »

1. Lettre à la Comtesse de Noailles. *Corr.* II, p. 86.

La poétique baroque semble au contraire, et par vocation, *réfractaire* à toute *assimilation* de cet ordre. Nous retrouvons bien sur les joues de ses Phyllis et de ses Amarylles les roses de Ronsard, mais elles ont perdu tout leur parfum, et avec lui tout leur pouvoir d'irradiation : Roses et Lys, Roses et Œillets, Œillets et Lys disposent sur le visage de ces Belles un système de contrastes réglés et sans nuances. Ces fleurs pimpantes qu'aucune sève n'habite, qu'aucune corruption ne menace,

On ne voit point tomber ni tes Lys ni tes Roses [1],

ce ne sont plus des fleurs, à peine des couleurs : ce sont des Emblèmes qui s'attirent et se repoussent sans se pénétrer, comme les pièces d'un jeu rituel ou les figures d'une Allégorie.

Au reste, les fleurs ne composent plus l'essentiel du répertoire métaphorique de la galanterie, ou plutôt elles n'y figurent plus qu'à titre de matières précieuses parmi d'autres, dans un système à dominante minérale, et plus précisément *lapidaire,* dont elles imitent les effets. Ainsi, lorsque Tristan l'Hermite écrit :

Ses yeux sont de Saphirs et sa bouche de Roses
De qui le vif éclat dure en toute saison [2]

la relative est apparemment ambiguë, non seulement par sa construction (*De qui* a-t-il deux antécédents ou un seul?), mais aussi parce que le *vif éclat*, qui se rapporte logiquement aux roses puisqu'on s'émerveille de sa persistance, conviendrait mieux aux saphirs; en fait il s'agit bien de l'éclat des roses, mais cet éclat est *vif* comme celui d'une pierre : la rose a troqué ses pétales contre une corolle de facettes, elle ne s'épanouit plus, elle est *sertie,* et brille d'un *éclat emprunté*. Ce dont s'enchante Tristan :

1. Mainard, *la Belle Vieille.*
2. Tristan, *les Agréables Pensées.*

Oh ! que ce réconfort flatte mes rêveries,
De voir comme les Cieux pour faire ma prison
Mirent des fleurs en œuvre avec des pierreries !

Un degré de plus et la bouche n'est plus de Roses, mais de Rubis :

Entrouvrant pour parler ses Rubis gracieux [1]...

Avec Saint-Amant, nous sommes au cœur de la thématique matérielle du baroque : son aube est *argentée*, son matin *d'or, de pourpre et d'azur* se lève sur des prairies d'*émail tremblant*, les poissons y montrent

L'argent de leur échine à l'or du beau soleil.

Le bain de la Princesse Termuth, dans *Moyse Sauvé*, présente une extraordinaire débauche de pierreries et de métaux précieux. Dans une piscine d'or, de porphyre, de jaspe et d'albâtre, de nacre et d'agathe, l'eau du Nil devenue cristal reçoit un corps d'*ivoire souple* et de *marbre flottant;* la chevelure y répand

un noble ruisseau d'or
Dans le fluide argent des flamboyantes ondes.

Au même Saint-Amant la neige des Alpes fait voir des *étincelles d'or, d'azur et de cristal* [2], elle est le *beau coton du ciel*, un *pavé transparent fait du second métal* (l'argent); et le spectacle de la moisson se résume dans ce raccourci :

L'or tombe sous le fer [3]...

où s'allient de façon caractéristique une métaphore visuelle « spontanée » (l'or des blés mûrs) et une métonymie toute conventionnelle : le *fer* pour la faucille, la matière pour l'objet.

1. Saint-Amant, *Moyse Sauvé.*
2. *Id., l'Hiver des Alpes.*
3. *Id., Sonnet sur la Moisson.*

Dans cette dissonance de figures réside toute la subtilité de la « pointe ». Rien n'illustre mieux le mouvement subreptice par lequel l'écriture baroque introduit un ordre factice dans la contingence des choses : « le blé tombe sous la faucille », c'est une rencontre banale, un simple accident; « l'or tombe sous le fer », c'est un conflit de métaux nobles, une sorte de duel. On sait quel commentaire sévère de tels artifices inspireront à Pascal, qui en usait mieux que personne : « Ceux qui font des antithèses en forçant les mots sont comme ceux qui font de fausses fenêtres pour la symétrie : leur règle n'est pas de parler juste, mais de faire des figures justes ». Mais la sensibilité baroque est toute dans la figure : qu'importe si l'épi n'est pas d'or *comme* la lame est de fer, il ne s'agit que de *sauver les apparences,* en commençant par les plus précieuses : celles du discours.

En effet, la prédilection du poète baroque pour les termes d'orfèvrerie ou de joaillerie ne traduit pas essentiellement un goût « profond » pour les matières qu'ils désignent. Il ne faut pas chercher ici une de ces rêveries dont parle Bachelard, où l'imagination explore les couches secrètes d'une substance. Ces éléments, ces métaux, ces pierreries ne sont retenus, bien au contraire, que pour leur fonction la plus superficielle et la plus abstraite : une sorte de *valence* définie par un système d'oppositions discontinues, qui évoque davantage les combinaisons de notre chimie atomique que les transmutations de l'ancienne alchimie. Ainsi, Or s'oppose tantôt à Fer, tantôt à Argent, tantôt à Ivoire, tantôt à Ébène. Ivoire et Ébène s'attirent, comme Albâtre attire Charbon ou Jais, qui s'oppose à Neige, qui craint l'Eau (et le Feu), qui évoque d'un côté Terre (d'où Ciel), de l'autre Feu ou Flamme, qui appelle ici Fumée, là Cendre, etc. Les valeurs symboliques de l'Eau (larmes), de Fer (chaînes de l'amour), de Flamme (de l'amour encore), de Cendre (la mort) viennent enrichir le système, qu'on pourrait approximativement et partiellement schématiser ainsi, pour éviter vingt citations inutiles :

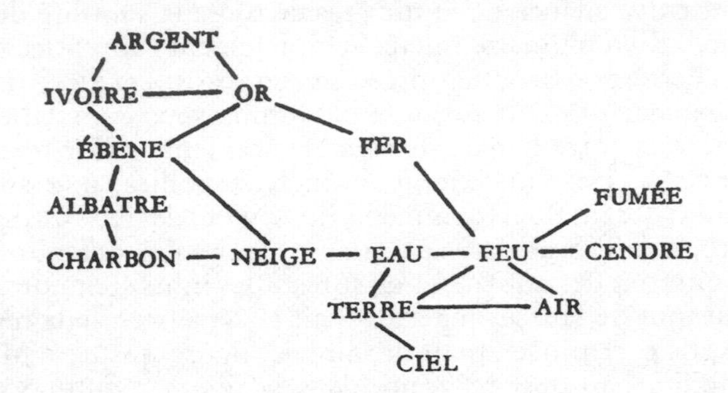

L'amateur de statistiques pourrait aisément vérifier la fréquence des termes les plus polyvalents, tels qu'Or ou Feu, et celle des associations les plus riches, donc les plus stables (Eau des larmes — Feux de l'amour), qu'on trouve encore chez Racine :

J'ai langui, j'ai séché, dans les feux, dans les larmes...

Bien entendu, comme le Ciel et la Terre, la Nuit et le Jour, l'Ame et le Corps, le Rêve et la Vie, la Vie et la Mort, la Mort et l'Amour fournissent les contrastes majeurs qu'il s'agit de rapporter aux autres pour les valoriser en un chiasme saisissant. Ainsi cette belle chute de Tristan :

La Parque n'a coupé notre fil qu'à moitié
Car je meurs en ta cendre et tu vis en ma flamme [1].

L'anthologie d'A.-M. Schmidt, l'*Amour Noir*, a montré quelle inépuisable source d'antithèses offrait le thème de la Belle More à la peau sombre et aux yeux clairs, en qui la Nature entretient sans cesse

Un accord merveilleux de la Nuit et du Jour [2]

1. Tristan, *l'Amour durable*.
2. *L'Amour Noir*, p. 92 (Anonyme).

ou celui de la Belle en deuil, chez qui

L'Amour s'est déguisé sous l'habit de la Mort[1].

Ainsi se constitue un curieux langage cristallin, où chaque mot reçoit sa valeur du contraste qui l'oppose à tous les autres, et qui ne s'anime et ne progresse que par une suite de variations brusques dont l'effet se répercute, plutôt qu'il ne se communique, d'un mot à l'autre, comme lors du déplacement d'une pièce sur un échiquier.

On peut donc voir dans l'antithèse la figure majeure de la poétique baroque. Elle s'investit dans l'idéologie forcenée d'un Sponde, d'un d'Aubigné, d'un Donne ou d'un Gryphius, qui écartèlent leurs protestations amoureuses ou leurs élancements religieux dans une dialectique sans issue dont les termes sont Espoir et Désespoir, Constance et Légèreté, Chair et Esprit, Dieu et Monde, Enfer et Salut. Elle se déploie dans l'éloquence cornélienne et, à travers un dialogue tout en répliques et en rétorquations, elle anime une véritable dramaturgie de l'opposition, dont le mouvement est un chassé-croisé de défis et d'affrontements, oscillant entre la mécanique du ballet de cour et celle du duel, et qui traite les Sentiments, les Intérêts, les Gloires, les Volontés comme autant de figures d'un hiératique tournoi. Tout cela est bien connu; mais il est peut-être plus saisissant et plus révélateur de voir cette rhétorique agir au niveau même de la description et de la vision des choses. Ces oppositions forcées, ces « contre-batteries », ces fenêtres, vraies ou fausses, disposées pour la symétrie, nous les avons trouvées jusque dans la perception du monde sensible, qu'elles fractionnent et cristallisent au point de le faire disparaître dans son propre miroitement, par la vertu d'un langage à facettes dont le symbole exact nous est donné par la surface de la mer telle que l'a vue Tristan :

1. *L'Amour Noir*, p. 76 (Tristan).

Le Soleil à longs traits ardents
Y donne encore de la grâce
Et tâche à se mirer dedans
Comme on ferait dans une glace
Mais les flots de vert émaillés
Qui semblent des Jaspes taillés
S'entredérobent son visage
Et par de petits tremblements
Font voir au lieu de son image
Mille pointes de diamants [1].

Ainsi le Baroque nous offre l'exemple rare d'une poétique fondée sur une rhétorique. Certes, il n'est pas de poésie qui n'implique une confiance, et même un abandon aux pouvoirs du langage, tacitement chargé d'exorciser les difficultés de l'être; mais ce recours magique exploite ordinairement des ressources d'un autre ordre. L'exemple du poème de Ronsard cité plus haut montre assez bien par quel moyen le poète s'efforce de congédier la mort : celui d'une Alchimie au sens propre du terme, c'est-à-dire d'un accès en profondeur à l'unité matérielle du monde, qui permet ensuite toutes les transmutations, et par exemple celle qui reconstitue une fleur à partir de ses cendres [2]. Cette alchimie, comme le fera plus tard celle de la poésie symboliste, mobilise les correspondances verticales du Verbe, directement apparenté au « cœur des choses ». Ce qui distingue au contraire la poésie baroque, c'est le crédit qu'elle fait aux rapports latéraux qui unissent, c'est-à-dire opposent, en figures parallèles, les mots aux mots et à travers eux les choses aux choses, la relation des mots aux choses ne s'établissant ou du moins n'agissant que par homologie, de figure à figure : le mot saphir ne répond pas à l'objet saphir, non plus que le mot rose à l'objet

1. Tristan, *la Mer*.
2. Cf. S. Hutin, *l'Alchimie*, P.U.F., p. 74.

rose, mais l'opposition des mots restitue le contraste des choses, et l'antithèse verbale suggère une synthèse matérielle.

On sait qu'au XVIIe siècle certains alchimistes prétendirent réaliser le Grand Œuvre dix fois plus vite que leurs prédécesseurs, grâce à une nouvelle technique qu'ils appelèrent la « voie courte », ou (par opposition à la « voie humide » traditionnelle) « *voie sèche* ». Toutes choses égales d'ailleurs, et si toute poésie est au sens large une recherche du Grand Œuvre, la voie baroque est une voie sèche : si elle poursuit à sa manière l'unité du monde, ce n'est pas à travers le continu de la substance, mais par les brusques réductions d'une heureuse mise en forme. Il y aurait là quelque chose comme une *poétique structurale*, assez étrangère au vitalisme traditionnellement attribué à la plastique baroque, et effectivement peu conforme aux tendances apparentes d'une sensibilité tournée vers le fugace et le fluide, mais qui répondrait assez bien à ce dessein latent de la pensée baroque : maîtriser un univers démesurément élargi, décentré, et à la lettre *désorienté* en recourant aux mirages d'une symétrie rassurante qui fait de l'inconnu le reflet inversé du connu (« Du nouveau encore un coup, mais qui soit exactement semblable à l'ancien ! »). La poétique baroque se garde bien de combler les distances ou d'atténuer les contrastes par la magie unifiante d'une tendresse : elle préfère les accuser pour mieux les réduire à la faveur d'une dialectique foudroyante. Devant elle, toute différence porte opposition, toute opposition fait symétrie, toute symétrie vaut identité. *L'or tombe sous le fer :* l'antithèse spécieuse dispose et prépare les choses en vue d'une réconciliation factice, l'*oxymore* ou alliance de mots. Comme le paradoxe, chez un Sponde ou un Donne, surmonte les discordances de l'âme en en faisant des « contraires » secrètement unis par une attirance réciproque, l'antithèse matérielle introduit dans l'espace un jeu de miroirs capable, à chaque opération, de le réduire de moitié et de l'organiser en « partie double ». Le monde ainsi biseauté devient à la fois vertigineux et maniable, puisque l'homme y trouve dans son vertige même un principe de cohérence. *Diviser* (partager) *pour unir*, c'est la formule de l'ordre baroque. N'est-ce pas celle du langage même?

PROUST PALIMPSESTE

Il y a dans la théorie proustienne du style, qui est d'abord une théorie du style proustien, une difficulté, peut-être une impossibilité dont l'examen pourrait éclairer toutes les autres. Cette difficulté porte sur le point essentiel, qui est le rôle de la métaphore.

On sait bien qu'aux yeux de Proust il n'est pas de « beau style » sans métaphore, et que « seule la métaphore peut donner au style une sorte d'éternité [1] ». Il ne s'agit pas là, pour lui, d'une simple exigence formelle, d'un point d'honneur esthétique comme en cultivaient les tenants du « style artiste » et plus généralement les amateurs naïfs pour qui la « beauté des images » fait la valeur suprême de l'écriture littéraire. Selon Proust, le style est « une question non de technique, mais de vision [2] », et la métaphore est l'expression privilégiée d'une vision profonde : celle qui dépasse les apparences pour accéder à l'« essence » des choses. S'il répudie l'art « prétendu réaliste », la « littérature de notations », qui se contente « de donner des choses un misérable relevé de lignes et de surfaces [3] », c'est parce qu'à ses yeux cette littérature ignore la vraie réalité, qui est celle des essences : « On peut faire se succéder indéfiniment dans une description les objets qui figuraient dans le lieu décrit, la vérité

1. *Essais et articles,* Pléiade, p. 586.
2. *A la Recherche du Temps perdu,* éd. Pléiade, t. III, p. 895.
3. *Ibid.*, p. 885.

ne commencera qu'au moment où l'écrivain prendra deux objets différents, posera leur rapport... et les enfermera dans les anneaux nécessaires d'un beau style; même, ainsi que la vie, quand, en rapprochant une qualité commune à deux sensations, il dégagera leur essence commune en les réunissant l'une et l'autre pour les soustraire aux contingences du temps, dans une métaphore [1] ». Ainsi la métaphore n'est pas un ornement, mais l'instrument nécessaire à une restitution, par le style, de la vision des essences, parce qu'elle est l'équivalent stylistique de l'expérience psychologique de la mémoire involontaire, qui seule permet, en rapprochant deux sensations séparées dans le temps, de dégager leur *essence commune* par le *miracle d'une analogie* — avec cet avantage de la métaphore sur la réminiscence, que celle-ci est une contemplation *fugitive* de l'éternité, tandis que celle-là jouit de la pérennité de l'œuvre d'art. « Cette contemplation de l'essence des choses, j'étais maintenant décidé à m'attacher à elle, à la fixer, mais comment? par quel moyen [2]? » La réponse vient, sans équivoque, trois pages plus loin : « Le moyen qui me paraissait le seul, qu'était-ce autre chose que faire une œuvre d'art [3]? »

Il faut rappeler ici quelle est aux yeux de Proust l'importance de cette vision des essences, et quelle est sa nature. Il s'agit pour lui d'une expérience capitale : la recherche des essences oriente aussi fortement la démarche de son œuvre que la recherche du *temps perdu* [4], qui n'en est en fait que le moyen, et le monde des essences est son véritable Paradis Perdu : si le « vrai moi » ne peut vivre qu' « en dehors du temps », c'est que l'éternité est le seul « milieu » où il puisse « jouir de l'essence des choses [5] ». En elle seulement

1. III, p. 889. — 2. *Ibid.*, p. 876. — 3. *Ibid.*, p. 879.

4. Le temps perdu n'est pas chez Proust, comme le veut un contresens fort répandu, le « passé », mais le *temps à l'état pur*, c'est-à-dire en fait, par la fusion d'un instant présent et d'un instant passé, le contraire du temps qui passe : l'*extra-temporel*, l'*éternité*.

5. III, p. 871. « Comme si, dit plus nettement encore un passage de *Jean*

il trouve « sa subsistance, ses délices », il « s'éveille, s'anime en recevant la céleste nourriture qui lui est apportée [1] ». Ces expressions, dont l'accent mystique est caractéristique, suffisent à montrer l'importance de ce qui est en jeu; elles montrent aussi sous quelles espèces Proust se représente l'essence des choses : il s'en délecte, il s'en nourrit, il se l'incorpore ; ce n'est pas une abstraction, mais une matière profonde, une substance. Privées de cette bénéfique consistance, livrées à l'intermittence, à l'évanescence, les choses se dessèchent et s'étiolent, et, près d'elles, mais séparé d'elles, le moi languit, perd le goût du monde et s'oublie soi-même.

C'est bien ainsi déjà, comme des unités substantielles, que le jeune narrateur imagine les villes, les monuments, les paysages qu'il désire connaître : la magie de leurs Noms lui présente de chacun d'eux une image *essentiellement différente*, « une image confuse qui tire d'eux, de leur sonorité éclatante ou sombre, la couleur dont elle est peinte uniformément comme une de ces affiches entièrement bleues ou entièrement rouges, dans lesquelles... sont bleus ou rouges, non seulement le ciel et la mer, mais les barques, l'église, les passants [2] ». Ainsi Parme tout entière est-elle nécessairement « compacte, lisse, mauve et douce », Florence « miraculeusement embaumée et semblable à une corolle », et Balbec comme une « vieille poterie normande qui garde la couleur de la terre d'où elle fut tirée ». C'est seulement plus tard que le contact avec la « réalité » désintégrera ces images uniques et simplifiées, montrant par exemple que Balbec-ville et Balbec-plage n'ont aucune substance commune et que la mer ne peut s'y « déchaîner devant l'église » distante de plusieurs kilomètres, enseignant au Narrateur que le réel est toujours et fatalement décevant parce que « des

Santeuil (Pléiade, p. 401-402), notre vraie nature était hors du temps, faite pour goûter l'éternel ».

1. III, p. 873. — 2. I, p. 388.

impressions telles que celles qu'(il) cherchait à fixer ne peuvent que s'évanouir au contact d'une jouissance directe qui a été impuissante à les faire naître [1] ». Dès lors est consommé le divorce avec une réalité infidèle à sa propre essence, dont elle n'offre qu'un reflet pâle et morne comme les ombres de la Caverne platonicienne. Dès lors aussi, « il n'y avait plus guère que dans mes rêves, en dormant, qu'un lieu s'étendait devant moi fait de la pure matière entièrement distincte... qui avait été la leur quand je me les représentais [2] ». L'œuvre projetée comme un équivalent artificiel du rêve sera donc une tentative pour restituer aux objets, aux lieux, aux monuments leur essence ou leur substance perdue : « J'en devrais exécuter les parties successives... dans une matière distincte, nouvelle, d'une transparence, d'une sonorité spéciales... [3] »

Cette idée d'un style-substance, restituant par la seule vertu de son haut degré de fusion l'unité matérielle des choses, Proust l'a souvent exprimée en des termes presque identiques. Dans une lettre à Lucien Daudet, il parle de ces quelques phrases merveilleuses « où s'est accompli le miracle suprême, la transsubstantiation des qualités irrationnelles de la matière et de la vie dans des mots humains [4] ». Dans *Contre Sainte-Beuve*, il dit avoir trouvé cette qualité chez Flaubert : « Toutes les parties de la réalité sont converties en une même substance aux vastes surfaces, d'un miroitement monotone. Aucune impureté n'est restée. Les surfaces sont devenues réfléchissantes. Toutes les choses s'y peignent, mais par reflet, sans en altérer la substance homogène. Tout ce qui était différent a été converti et absorbé [5]. »

1. III, p. 877. — 2. *Ibid.*, p. 876. — 3. *Ibid.*, p. 871.
4. Lettre du 27 novembre 1913, *Choix de lettres* présentées par Philip Kolb, Plon 1965, p. 195. Ailleurs (et à propos de Flaubert), il parle de ces pages où « l'intelligence... cherche à se faire trépidation d'un bateau à vapeur, couleurs des mousses, îlot dans une baie... C'est de l'intelligence transformée, qui s'est incorporée à la matière » (*Essais et articles*, p. 612).
5. Pléiade, p. 269.

Dans une lettre à la Comtesse de Noailles il accorde le même mérite aux Fables de La Fontaine et aux Comédies de Molière, et cette diversité d'attribution montre bien qu'il cherche à définir à travers les « grands auteurs » un idéal de style qui est le sien : « une espèce de fondu, d'unité transparente... sans un seul mot qui reste en dehors, qui soit resté réfractaire à cette assimilation... Je suppose que c'est ce qu'on appelle le Vernis des Maîtres [1]. » Ce « vernis » qui n'est pas un glacis superficiel mais une profondeur diaphane de la couleur elle-même, c'est celui de Vermeer, c'est la « précieuse matière du petit pan de mur jaune » que contemple Bergotte mourant, et qui lui donne sa dernière leçon de style : « C'est ainsi que j'aurais dû écrire, disait-il. Mes derniers livres sont trop secs, il aurait fallu passer plusieurs couches de couleur, rendre ma phrase en elle-même précieuse [2]. » Encore une fois cette phrase précieuse, ce beau style ne sont pas pour Proust un idéal en soi : mais il faut donner à la phrase un poids égal à celui des objets représentés, une épaisseur où puisse résider cette « essence cachée » qui se dérobe à la perception, mais dont on doit sentir la présence enfouie dans la pâte transparente du texte.

Mais en quoi ces effets de *transsusbstantiation* exigent-ils le recours à la métaphore? Quoi de moins analogique, quoi de plus enfermé dans l'immanence que l'art de Vermeer, cité ici, ou celui de Chardin, dont parle un article posthume qui n'ont d'autre mérite, semble-t-il (mais ce mérite est capital), que de savoir « trouver beau à voir » et partant « beau à peindre [3] » ces objets simples, ces scènes familières, « ces moments paisibles où les choses sont comme environnées de la beauté qu'il y a à être [4] »? Et si l'on veut considérer le style descriptif de Flaubert (ce qui est, semble-t-il, la pensée même de Proust) comme l'équivalent en

1. *Correspondance générale,* Plon, II, p. 86.
2. III, p. 187. — 3. *Essais et articles,* p. 373.
4. *Jean Santeuil,* Pléiade, p. 320.

littérature des grandes réussites de la nature morte picturale, quoi de moins métaphorique (au sens proustien) que cette œuvre dont Proust affirme précisément qu'il ne s'y trouve peut-être pas « une seule belle métaphore [1] »?

Il semble en réalité que l'idéal du *beau style* selon Proust contienne en quelque sorte deux degrés, dont le « miracle » du style substantiel (malgré le qualificatif de « suprême » employé dans la lettre à Lucien Daudet) ne serait que le premier, et dont le second serait cet autre miracle dont parle le *Temps retrouvé*, celui de l'analogie. A la beauté qu'il y a à être vient alors s'ajouter une autre beauté, plus mystérieuse, plus transcendante, dont l'apparition se marque très précisément dans le passage de Chardin à Rembrandt : le premier « avait proclamé la divine égalité de toutes les choses devant l'esprit qui les considère, devant la lumière qui les embellit... Avec Rembrandt la réalité même sera dépassée. Nous comprendrons que la beauté n'est pas dans les objets, car sans doute alors elle ne serait pas si profonde et si mystérieuse [2] ». Ce passage de Chardin à Rembrandt, ou si l'on veut, celui de Chardin à Elstir (que Proust suggère en disant que, « comme Elstir Chardin, on ne peut refaire ce qu'on aime qu'en le renonçant [3] », c'est-à-dire ici en le dépassant) — c'est aussi, bien sûr, le passage de Flaubert à Proust lui-même. Sans doute, cette nouvelle beauté, au second degré, qu'il y a non plus simplement à être mais à suggérer autre chose que ce que l'on est, ou à être à la fois ce que l'on est et autre chose, pavé de la cour de Guermantes et pavé du baptistère de Saint Marc, n'est-elle réellement pour Proust qu'une façon détournée, mais nécessaire, d'atteindre la beauté (ou la vérité, ces deux termes étant équivalents chez lui) première, la beauté de l'être. La découverte de ce détour inévitable se confondrait alors avec l'expérience fondamentale

1. *Essais et articles*, p. 586.
2. *Ibid.*, p. 380.
3. III, p. 1043.

du caractère inaccessible du réel, de son évanescence au contact de la jouissance directe, de l'impuissance (révélée par les déceptions jumelles, ou synonymes, de l'amour et du voyage) « que nous avons à nous réaliser dans la jouissance matérielle, dans l'action effective [1] », et de la nécessité où nous sommes, pour atteindre la réalité dans son essence, de renoncer à l'usage direct de nos sens et d'emprunter le relais de l'imagination, « qui était mon seul organe pour jouir de la beauté [2] ». Le passage de l'ontologique à l'analogique, du style substantiel au style métaphorique, marquerait ainsi un progrès moins dans la qualité de l'accomplissement esthétique que dans la conscience des difficultés, ou pour le moins des conditions de cet accomplissement. La réussite de Chardin ou de Flaubert (atteindre l'essence par une perception ou une représentation directe) apparaîtrait ainsi non plus comme inférieure à celle d'Elstir ou de Proust, mais plutôt comme trop *miraculeuse*, trop facile pour n'être pas improbable, illusoire, et à tout le moins inaccessible à Proust lui-même en raison de quelque infirmité qui lui serait propre. La métaphore ne serait donc — comme la réminiscence — qu'un expédient indispensable.

Pis-aller ou miracle suprême, il reste en toute hypothèse que l'emploi de la métaphore reçoit chez Proust une justification profonde. Mais c'est précisément dans cette justification que réside la difficulté. Comment concevoir en effet qu'une métaphore, c'est-à-dire un déplacement, un transfert de sensations d'un objet sur un autre puisse nous conduire à l'essence de cet objet? Comment admettre que la « vérité profonde » d'une chose, cette vérité particulière et « distincte » que cherche Proust puisse se révéler dans une figure qui n'en dégage les propriétés qu'en les transposant, c'est-à-dire en les aliénant? Ce que révèle la réminiscence, c'est une « essence commune » aux sensations et, à travers elles, aux objets qui les éveillent en nous, et dont l'écrivain

1. III., p. 877. — 2. *Ibid.*, p. 872.

doit « poser le rapport » dans une métaphore. Mais qu'est-ce qu'une essence *commune*, sinon une abstraction, c'est-à-dire ce que Proust veut éviter à tout prix, et comment une description fondée sur le « rapport » de deux objets ne risquerait-elle pas plutôt de faire s'évanouir l'essence de chacun d'eux? S'il y a dans toute métaphore à la fois la mise en œuvre d'une ressemblance et celle d'une différence, une tentative d' « assimilation » et une résistance à cette assimilation, faute de quoi il n'y aurait qu'une stérile tautologie, l'essence n'est-elle pas davantage du côté qui diffère et qui résiste, du côté irréductible et *réfractaire* des choses?[1]

C'est bien ce que montre Proust lui-même, sans le vouloir peut-être, dans cette page de *la Fugitive* où il compare Venise à Combray, et où l'essence singulière de Venise se révèle, précisément, par l'opposition qu'elle manifeste à l'intérieur même de la ressemblance : « J'y goûtais des impressions analogues à celles que j'avais si souvent ressenties autrefois à Combray, mais transposées selon un mode entièrement différent et plus riche. » Comme à Combray, les fenêtres de sa chambre s'ouvrent sur un clocher, mais au lieu des ardoises de Saint-Hilaire, c'est l'ange d'or du campanile de Saint-Marc. Comme à Combray le dimanche matin, des rues en fête, mais ces rues sont des canaux. Comme à Combray, des maisons alignées, mais ces maisons sont des palais gothiques ou Renaissance, etc. Venise est un autre Combray, mais un Combray *autre* : aquatique, précieux, exotique, et c'est cette différence, évidemment, qui lui est essentielle.

Il est vrai que le « rapport » visé par Proust dans le *Temps retrouvé* est l'analogie entre une sensation présente et une sensation passée et que l'abstraction opérée ici consiste en l'effacement des distances temporelles nécessaire à l'éclosion d'une « minute affranchie de l'ordre du temps ». L'objet présent n'est alors qu'un prétexte, qu'une occasion : il

1. Cf. I, p. 387 : « ... plus particuliers, par conséquent plus réels ».

s'évanouit aussitôt qu'il a rempli sa fonction mnémonique. Aussi bien n'y-a-t-il pas ici de véritable métaphore, puisqu'un des termes en serait purement accessoire. L' « essence commune » se réduit en fait à la sensation ancienne dont l'autre n'est que le véhicule : « Un azur profond enivrait mes yeux, des impressions de fraîcheur, d'éblouissante lumière tournoyaient près de moi... » : cela se passe « dans » la cour de Guermantes, mais la cour de Guermantes a totalement disparu, comme disparaît la madeleine présente dès que surgit le souvenir de la madeleine passée avec, autour d'elle, Combray, ses maisons et ses jardins.

Mais bien souvent Proust s'attarde à des transpositions purement spatiales, qui n'entraînent aucun « affranchissement de l'ordre du temps » et qui n'ont en fait plus rien de commun avec le phénomène de la réminiscence. Ce sont ces transpositions qui constituent à proprement parler les métaphores proustiennes : l'Opéra transformé en crypte sous-marine lors de la soirée de la Princesse de Parme, la mer devenue paysage montagnard au réveil de la première journée à Balbec. Cette dernière page nous offre une version particulièrement caractéristique de la métaphore proustienne. On en trouve la clé plus loin quand, analysant l'art d'Elstir dans son tableau du port de Carquethuit, Proust observe que, « par une sorte de métamorphose des choses représentées analogue à celle qu'en poésie on nomme métaphore », le peintre n'avait employé « pour la petite ville que des termes marins et que des termes urbains pour la mer [1] ». De même Marcel, décrivant la mer aperçue de sa fenêtre du Grand Hôtel, n'utilise pour ainsi dire que des termes alpestres : *vaste cirque éblouissant*, *sommets neigeux*, *pentes*, *chaînes*, *glaciers*, *collines*, *vallonnements*, *prairies*, *versants*, *cimes*, *crêtes*, *avalanches* [2]. On a là une comparaison implicite et développée, « tacitement et inlassablement répétée [3] », le paysage de référence n'étant jamais directement nommé, mais constamment

1. I, p. 835-836. — 2. *Ibid.*, p. 672-673. — 3. *Ibid.*, p. 836.

suggéré par un vocabulaire dont la valeur allusive est évidente. Mais on ne voit pas que cet éblouissant contrepoint de mer et de montagne nous conduise à l' « essence » de l'une ou de l'autre. Nous nous trouvons devant un paysage paradoxal où la montagne et la mer ont échangé leurs qualités et pour ainsi dire leurs substances, où la montagne s'est faite mer et la mer montagne, et rien n'est plus loin que cette sorte de vertige, du sentiment de stable assurance que devrait nous inspirer une véritable vision des essences. Dans le tableau d'Elstir, de même, les parties terrestres semblent plus marines que les parties marines, et les marines plus terrestres que les terrestres, et chacun des éléments ressemble plus à l'autre qu'il ne se ressemble à lui-même. Les marins dans leurs barques semblent juchés sur des carrioles, « par les champs ensoleillés, dans les sites ombreux, dégringolant les pentes »; les femmes dans les rochers, au contraire, ont l'air « d'être dans une grotte marine surplombée de barques et de vagues, ouverte et protégée au milieu des flots écartés miraculeusement. » Proust ajoute un peu plus loin cette indication révélatrice : « (Elstir) s'était complu autrefois, à peindre de véritables mirages, où un château coiffé d'une tour apparaissait comme un château complètement circulaire prolongé d'une tour à son faîte et en bas d'une tour inverse, soit que la pureté extraordinaire d'un beau temps donnât à l'ombre qui se reflétait dans l'eau la dureté et l'éclat de la pierre, soit que les brumes du matin rendissent la pierre aussi vaporeuse que l'ombre. » Ainsi, dans ses marines de Carquethuit, « les reflets avaient presque plus de solidité que les coques vaporisées par un effet de soleil ». Mirages, perspectives trompeuses, reflets plus solides que les objets reflétés, inversion systématique de l'espace : nous voici bien près des thèmes habituels de la description baroque, qui cultive à travers eux toute une esthétique du paradoxe, — mais du même coup bien loin des intentions essentialistes de l'esthétique proustienne. Il s'agit là, sans doute, d'un cas-limite, et l'on peut objecter de toute manière que l'art de Proust n'est pas nécessairement une réplique de l'art d'Elstir. Mais Proust lui-même repousse cette objection en invoquant pour sa part des « illusions » du même ordre, et en affirmant : « Les rares moments où l'on voit la nature telle qu'elle est, poétiquement, c'était de ceux-là qu'était faite l'œuvre d'Elstir » : ce qui est la formule même de l'entreprise proustienne. Il faut donc admettre que le style d'Elstir répond fidèlement à l'idée que Proust se fait de son propre style, et par conséquent de sa propre vision.

De fait, le trait le plus caractéristique de la représentation proustienne est sans doute, avec l'intensité de leur présence matérielle, cette superposition d'objets simultanément perçus qui a fait parler à son propos de « surimpressionnisme [1] ». On sait la fascination qu'exerce sur Marcel l'effet de « transverbération [2] » que produit la lanterne magique de Combray en projetant ses images immatérielles et pourtant visibles sur tous les objets de sa chambre : la robe rouge et la figure pâle de Golo se moulent sur les plis du rideau, sur la surface bombée du bouton de porte, deux espaces, le réel et le fictif, s'unissent sans se confondre. Dans la chambre du Grand Hôtel de Balbec, ce n'est plus une projection, mais un reflet qui déroule sur les vitrines en glace de la bibliothèque basse une « frise de claires marines qu'interrompaient seuls les pleins de l'acajou [3] » : le paysage naturel prend ainsi, par un artifice de mise en scène particulièrement recherché, l'apparence d'une œuvre d'art : la réalité se donne pour sa propre représentation. Ces spectacles sophistiqués traduisent bien le goût de Proust pour la vision indirecte, ou plutôt son incapacité marquée à la vision directe. « La nature, écrit-il lui-même, n'était-elle pas commencement d'art elle-même, elle qui ne m'avait permis de connaître,

1. Benjamin Crémieux, cité par A. Maurois, *A la Recherche de Marcel Proust*, p. 201.
2. L'édition de la Pléiade (I, p. 10) donne : *transvertébration*.
3. I, p. 383.

souvent, la beauté d'une chose que dans une autre, midi à Combray que dans le bruit de ses cloches, les matinées de Doncières que dans les hoquets de notre calorifère à eau [1] ? » Mais cette perception indirecte est nécessairement une perception mutilée, de telle sorte qu'il est souvent impossible de discerner si elle résulte d'une évanescence fâcheuse (le réel perdu), ou d'une bénéfique réduction à l'essentiel (le réel retrouvé) : car elle n'oblitère pas seulement l'objet perçu par transparence, Combray transposé dans un bruit de cloches, Doncières filtré par les hoquets du calorifère, elle altère encore davantage celui auquel elle impose le rôle transitoire, et pour ainsi dire l'état transitif d'un simple signe. Ce bruit de cloches apparemment gonflé d'une présence qui le dépasse et l'enrichit ne peut s'ouvrir à cette signification nouvelle qu'en s'appauvrissant d'un autre côté, qu'en s'exténuant, presque jusqu'à disparaître, comme événement sensible. On ne peut à la fois écouter le village dans le bruit de cloches et entendre le bruit de cloches en sa plénitude sonore : on ne gagne là qu'en perdant ici. Proust le sait mieux que personne, lui qui écrit, à propos du « texte » des Goncourt qui vient de lui révéler dans le salon Verdurin des réalités qu'il n'y avait jamais soupçonnées : « Le charme apparent, copiable, des êtres m'échappait parce que je n'avais pas la faculté de m'arrêter à lui, comme un chirurgien qui, sous le poli d'un ventre de femme, verrait le mal interne qui le ronge. J'avais beau dîner en ville, je ne voyais pas les convives, parce que, quand je croyais les regarder, je les radiographiais [2]. » La surimpression résulte ici d'un excès de pénétration du regard qui ne peut s'arrêter aux apparences et perçoit « à mi-profondeur, dans une zone un peu en retrait ». Elle est du même coup accueillie d'une manière plutôt favorable : à travers les différents états du salon Verdurin, elle permet de dégager son « identité dans divers lieux et divers temps ». Ailleurs un phénomène du

1. III, p. 889. — 2. *Ibid.*, p. 718.

même ordre est ressenti comme une servitude pénible : « Si l'on veut clicher ce qu'un caractère a de relativement immuable, on le voit présenter successivement des aspects différents (impliquant qu'il ne sait pas garder l'immobilité, mais bouge) à l'objectif déconcerté [1]. » Le temps en effet métamorphose non seulement les caractères, mais les visages, les corps, les lieux mêmes, et ses effets se sédimentent dans l'espace (c'est ce que Proust appelle le « Temps incorporé [2] ») pour y former une image brouillée dont les lignes se chevauchent en un palimpseste parfois illisible, presque toujours équivoque, comme cette signature de Gilberte que Marcel prendra pour celle d'Albertine, comme ce visage d'Odette de Forcheville qui contient en suspension le souvenir de la Dame en Rose, le portrait par Elstir de Miss Sacripant, les photographies triomphantes de Madame Swann, le « petit daguerréotype ancien et tout simple » conservé par son mari, et bien d'autres « épreuves » successives, plus une obscure ressemblance avec la Zéphora de Botticelli.

Ce palimpseste du temps et de l'espace, ces vues discordantes sans cesse contrariées et sans cesse rapprochées par un inlassable mouvement de dissociation douloureuse et de synthèse impossible, c'est sans doute cela, la vision proustienne. Dans le train qui le conduit à Balbec pour son premier séjour, Marcel aperçoit par la fenêtre un ravissant lever de soleil : au-dessus d'un petit bois noir, « des nuages échancrés dont le doux duvet était d'un rose fixé, mort, qui ne changera plus, comme celui qui teint les plumes de l'aile qui l'a assimilé ou le pastel sur lequel l'a déposé la fantaisie d'un peintre. » Mais la ligne tourne, et le paysage vient présenter au regard sa face nocturne : « un village nocturne aux toits bleus de clair de lune, avec un lavoir encrassé de la nacre opaline de la nuit, sous un ciel encore semé de toutes

1. III, p. 327.

2. L'édition de la Pléiade donne ici (III, p. 1046) *temps évaporé,* qui est évidemment un lapsus. Les éditions antérieures donnaient bien *incorporé,* lecture confirmée par le contexte.

ses étoiles [1]. » Chacun de ces tableaux résume et concentre une page du Flaubert ou du Chateaubriand le plus substantiel, le plus intensément pénétré de la fraîcheur et de la plénitude du réel; mais au lieu de s'exalter l'un l'autre ils se combattent en une douloureuse alternance : deux visions euphoriques peuvent, chez Proust, composer une vision tourmentée. « Si bien que je passais mon temps à courir d'une fenêtre à l'autre pour rapprocher, pour rentoiler les fragments intermittents et composites de mon beau matin écarlate et versatile et en avoir une vue totale et un tableau continu. » Que le mouvement qui les présente successivement s'accélère, et le déplacement compensateur « d'une fenêtre à l'autre » ne sera plus possible : il faudra subir l'intermittence, puis la confusion, enfin l'effacement mutuel des deux tableaux. Mais n'est-ce pas précisément ce qui se passe dans les « mirages » d'Elstir et dans les métaphores de Proust?

L'écriture proustienne se fait ainsi, entre ses intentions conscientes et son accomplissement réel, la proie d'un singulier renversement : partie pour dégager des essences, elle en vient à constituer, ou restituer, des mirages; destinée à rejoindre, par la profondeur substantielle du texte, la substance profonde des choses, elle aboutit à un effet de surimpression fantasmagorique où les profondeurs s'annulent l'une par l'autre, où les substances s'entre-dévorent. Elle dépasse bien le niveau « superficiel » de la description des apparences, mais non pas pour atteindre celui d'un réalisme supérieur (le réalisme des essences), puisqu'elle découvre au contraire un plan du réel où celui-ci, à force de plénitude, s'anéantit *de lui-même*.

Ce mouvement destructeur qui entraîne sans cesse dans l'équivoque et la contestation une présence sensible dont

1. I, p. 654-655.

chaque moment pris à part semble inaltérable, ce mouvement caractéristique de l'écriture proustienne est évidemment la démarche même de la *Recherche du Temps perdu.* De même que chaque fragment de ses paysages « versatiles » pourrait être un tableau de Chateaubriand, mais que l'ensemble en compose une vision « déconcertée » qui n'appartient qu'à lui, ainsi chaque apparition de ses personnages, chaque « état » de sa société, chaque épisode de son récit pourrait faire la matière d'une page de Balzac ou de La Bruyère, mais tous ces éléments traditionnels sont emportés par une irrésistible force d'érosion. On pourrait dire de Proust ce qu'on a dit de Courbet [1], que sa vision est plus moderne que sa théorie; on peut dire aussi que l'ensemble de son œuvre est plus proustien que chacun de ses détails.

A première vue les personnages de la *Recherche* ne sont guère différents, ni par leur aspect physique, ni par leurs caractéristiques sociales ou psychologiques, des personnages de romans classiques : tout au plus pourrait-on déceler, dans la présentation d'un Bloch, d'un Legrandin, d'un Cottard, des Guermantes ou des Verdurin, quelques accents un peu trop appuyés, quelques pastiches à la limite de la parodie, qui feraient glisser le portrait vers la caricature et le roman du côté de la satire. Mais une telle dérive n'est pas contraire aux traditions romanesques, elle représente plutôt une tentation permanente du genre, peut-être une condition de son exercice : c'est à ce prix qu'un personnage échappe à l'inconsistance de la vie pour accéder à l'existence romanesque, qui est une hyper-existence.

Mais cet état n'est pour le personnage proustien qu'un premier état, bientôt démenti par un second, puis un troisième, parfois toute une série d'épreuves tout aussi accentuées, qui se superposent [2] pour édifier une figure à

1. Francastel, *Art et Technique*, p. 146.

2. Proust signale lui-même ces effets de superposition à propos d'Albertine et d'Oriane. Cf. Georges Poulet, *l'Espace proustien*, p. 113.

plusieurs plans dont l'incohérence finale n'est qu'une somme d'excessives cohérences partielles : il y a ainsi plusieurs Saint-Loup, plusieurs Rachel, plusieurs Albertine incompatibles et qui s'entre-détruisent. Le « visage d'Albertine » en donne une illustration saisissante : de même que le narrateur, lors de son premier séjour à Balbec, découvre successivement une Albertine-jeune-voyou, une Albertine-écolière-naïve, une Albertine-jeune-fille-de-bonne-famille, une Albertine-ingénue-perverse, ainsi le visage d'Albertine se modifie d'un jour à l'autre, non seulement dans son expression mais dans sa forme et sa matière même : « Certains jours, mince, le teint gris, l'air maussade, une transparence violette descendant obliquement au fond de ses yeux... d'autres jours, sa figure plus lisse engluait les désirs à sa surface vernie... quelquefois, sans y penser, quand on regardait sa figure, ponctuée de petits points bruns et où flottaient seulement deux taches plus bleues, c'était comme on eût fait d'un œuf de chardonneret, souvent comme d'une agathe opaline, etc. [1] ». Comme on le voit, chaque « visage » successif est richement pourvu des attributs de l'existence matérielle : surface mate ou vernie, transparence violette, émail rose, taches bleues, mais l'effet total, comme dans le tableau du *Chef-d'œuvre inconnu* dont cette page, et quelques autres, semblent vouloir constituer une sorte de réplique littéraire, n'est pas une profondeur transparente, mais une surcharge, une pléthore textuelle dans laquelle le visage finit par s'enliser, s'engloutir et disparaître. C'est à peu près l'expérience que réalise le Narrateur dans le fameux Baiser d'Albertine : « Dans ce court trajet de mes lèvres vers sa joue, c'est dix Albertine que je vis... celle que j'avais vue en dernier, si je tentais d'approcher d'elle, faisait place à une autre... Tout d'un coup mes yeux cessèrent de voir, à son tour mon nez, s'écrasant, ne perçut plus aucune odeur et... j'appris à

2. I, p. 946.

ces détestables signes que j'étais en train d'embrasser la joue d'Albertine [1]. »

Exception faite pour la famille du Narrateur, qui incarne, entre autres valeurs, une sorte de nostalgie de la stabilité, presque tous les personnages de la *Recherche* sont aussi protéiformes, et le lecteur pourrait en dire ce que Marcel, quelques jours après leur première rencontre, pense de Robert de Saint-Loup : « J'avais été victime d'un mirage, mais je n'ai triomphé du premier que pour tomber dans un second [2]. » Ce sont les effets du Temps, bien sûr, qui changent le superbe Charlus en une pitoyable épave, le grotesque Biche en prestigieux Elstir, Madame Verdurin en Princesse de Guermantes, et qui conduisent Odette du demi-monde au grand monde ou Rachel de la maison de passe au Faubourg Saint-Germain. Mais le temps n'est pas le seul, ni même le principal artisan des métamorphoses proustiennes; il ne fait souvent que révéler après coup des mutations brusques dont il n'est pas responsable : nous voyons bien Swann se déprendre progressivement de son amour pour Odette, mais quel progrès, quelle durée peut expliquer, plus tard, leur mariage? Georges Poulet l'a bien montré [3], le temps proustien n'est pas un écoulement, comme la durée bergsonienne, c'est une succession de moments isolés; de même, les personnages (et les groupes) n'évoluent pas : un beau jour, ils se retrouvent autres, comme si le temps se bornait à actualiser une pluralité qu'ils contenaient virtuellement de toute éternité. Au reste, c'est bien *simultanément* que tant de personnages assument les rôles les plus contrastés : Vinteuil, voisin dérisoire et illustre compositeur, Saint-Loup, amant passionné de Rachel et soupirant de Morel, Charlus, prince du Faubourg et complice de Jupien, Swann, intime du Prince de Galles et plastron de Madame Verdurin. Tous simulent et dissimulent, men-

1. II, p. 365. — 2. I, p. 732.
3. *Études sur le Temps humain,* p. 396-397.

tent ou se mentent, tous ont une vie secrète, un vice, une passion, une vertu, un génie caché, tous Dr Jeckyl et Mr Hyde se prêtent un jour ou l'autre aux plus spectaculaires révélations. Certains événements historiques (l'affaire Dreyfus, la Guerre), certains faits sociaux (Sodome et Gomorrhe) ne semblent avoir lieu que pour ménager quelques surprises de plus : ce coureur de jupons n'aimait que les garçons d'étage, ce farouche antisémite était dreyfusard, ce héros était un lâche, cet homme était une femme, etc. Les caprices de l'hérédité, la confusion du souvenir, les influences secrètes opèrent de mystérieux transferts : Bloch vieilli devient M. Bloch père, Gilberte alourdie devient Odette, Gilberte et Albertine, Swann et Marcel se « télescopent », et au milieu du mouvement universel il n'est pas jusqu'à certaines stabilités qui ne deviennent paradoxales : ainsi Odette, incompréhensiblement intacte entre cent vieillards méconnaissables, compose-t-elle, à la dernière matinée Guermantes, le plus étrange anachronisme.

Comme les individus ignorent la durée, la société ignore l'Histoire, mais chaque événement détermine une modification massive et presque instantanée de ce que Proust appelle, d'un nom très révélateur, le *kaléidoscope social* [1]. On ne trouve pas chez lui ces lentes poussées qui manifestent, chez un Balzac ou un Zola, le renouvellement progressif du « corps social », la montée des « couches nouvelles », ce mouvement souterrain mais irrésistible que Zola compare à celui de la germination. On sait, du reste, que Proust ne représente pas la Société, mais le Monde (ou plutôt la Mondanité, qui s'incarne en plusieurs Mondes : aristocratie, bohème bourgeoise, province, domesticité), c'est-à-dire le versant protocolaire de la société, où ne s'exercent plus les lois sociales chères au XIXe siècle, mais ces *décrets* de l'Opinion dont les caprices d'Oriane, les potins de la tante Léonie, les lubies de Françoise, les exclusives de

1. II, p. 190.

Madame Verdurin ou de la « Marquise » des Champs-Élysées représentent les formes les plus caractéristiques. La succession de ces décrets ne procède pas d'une Histoire, c'est-à-dire d'une évolution porteuse de sens, elle fonde souverainement une Mode, dont la seule valeur fixe est, à chaque étape, une nouveauté radicale et sans mémoire : la « dernière d'Oriane » efface l'avant-dernière et toutes les précédentes; d'où cette hâte fébrile à venir aux nouvelles, à se « tenir au courant ». Moyennant quoi la tradition fournit toute une gamme d'attitudes et de sentiments dont l'objet seul se renouvelle, puisque le snobisme, forme récurrente, est indifférent à son contenu. De même l'Affaire ou la Guerre structurent et restructurent le Monde autour de valeurs nouvelles (antisémitisme, germanophobie) dont le chassé-croisé suffit à hisser brusquement telle petite bourgeoise au sommet, ou à précipiter telle Altesse dans les bas-fonds d'une hiérarchie qui ne se conserve qu'en bouleversant constamment ses critères : protocole rigide mais instable, monde fermé compensant et préservant sa clôture par une incessante permutation, la société proustienne se confirme dans un perpétuel démenti.

Le mouvement même de l'œuvre semble opposer à la sécurité de la matière romanesque une sorte d'obscure volonté négatrice. Certes, Proust n'est ni Joyce ni même Virginia Woolf, et sa technique du récit n'est en rien révolutionnaire. Apparemment, et dans le détail, ses maîtres sont ces grands classiques qu'il cite lui-même, Balzac, Dostoïevsky, George Eliot, Dickens ou Hardy, auxquels viennent s'adjoindre quelques modèles qu'on pourrait dire préromanesques : Sévigné, Saint-Simon dans l'ordre de la narration, Chateaubriand, Ruskin dans celui de la description, Ruskin encore et peut-être Bergson pour la dissertation, sans compter l'apport de genres mineurs que Proust avait lui-même pratiqués dans ses débuts, comme ces chroniques mondaines du *Figaro* que l'on retrouve presque toutes, et presque intactes, dans son œuvre. Ainsi pourrait-on voir dans la *Recherche du Temps perdu* une agréable succession de scènes, de tableaux, de portraits, de digressions de toutes sortes, habilement liée par le fil sans surprise d'un « roman de formation » : amours enfantines, débuts dans le monde, première passion, découvertes littéraires, etc. — le roman ne s'écartant de sa propre tradition qu'au bénéfice de genres encore plus traditionnels. Mais ce n'est là qu'une première impression, entretenue d'ailleurs par une lecture le plus souvent anthologique de la *Recherche*, — lecture évidemment contraire au désir de l'auteur, qui n'a cessé de revendiquer pour son œuvre le bénéfice de la patience, de l'attention, de la perception des rapports à distance (« Mon œuvre n'est pas microscopique, elle est télescopique [1] »), et somme toute d'une lecture structurante.

Or le paradoxe de cette œuvre est que sa structure dévore sa substance. On sait que Proust admirait par-dessus tout, dans *l'Éducation sentimentale*, ce « trou » de plusieurs années qui fait suite aux journées de juin 48. Des lacunes de ce genre, comme le temps indéterminé qui sépare les chapitres sur la guerre de la dernière matinée Guermantes, et d'autres moins visibles par où la chronologie se perd, et avec elle la matière du récit, sont nombreuses dans son œuvre. On a vu quelle faille s'introduit entre *Un amour de Swann* et la résurgence du personnage sous les traits du mari d'Odette; plus tard, Swann mourra comme il s'est marié, par ellipse. Le second événement est plus attendu que le premier, il est même longuement préparé, mais c'est pour mieux se dérober; à vrai dire, Swann ne *meurt* pas, il n'a pas droit à une vraie mort, comme Bergotte ou la grand-mère du Narrateur; il disparaît entre deux pages : il s'efface (sa nécrologie sera rétrospective). Saniette, lui, meurt deux fois.

1. Maurois, p. 271.

Albertine ressuscite (mais c'est une erreur). L'âge du narrateur et celui des autres personnages ont souvent du mal à s'accorder, comme si le temps ne s'écoulait pas pour tous à la même vitesse, et l'on a parfois le sentiment d'un chevauchement inexplicable des générations. L'inachèvement matériel de la *Recherche* est sans doute responsable de certains de ces effets, mais il ne fait qu'accentuer la tendance : les contradictions du manuscrit peuvent être interprétées non comme des étourderies insignifiantes, mais au contraire, à la manière freudienne, comme des *actes manqués*, d'autant plus révélateurs qu'ils sont involontaires.

L'enfance de Marcel n'est pas tout à fait une origine, puisqu'elle est, pour l'essentiel, ressuscitée par la petite madeleine, et qu'il s'agit plus d'une enfance rêvée que d'une enfance réelle : « chronologiquement » antérieure à la révélation du Temps Retrouvé, elle lui est psychologiquement postérieure, et cette ambiguïté de situation ne peut manquer de l'altérer. Les amours enfantines ne sont pas tout à fait une initiation, puisque l'amour de Swann en a déjà plus qu'esquissé la courbe. Marcel dira plus tard qu'il lui est difficile de distinguer entre ses propres expériences et celles de Swann : comme la phrase entendue par Swann dans la sonate de Vinteuil et que Marcel reconnaît dans le septuor, les sentiments, les souvenirs et même les oublis se glissent d'un personnage à l'autre, et ces transferts troublent le temps de l'œuvre en y introduisant l'amorce d'une répétition.

Le cadre spatial n'est guère plus stable que la dimension temporelle : les décors de la *Recherche* sont apparemment bien isolés, plus encore que par la distance, par leur individualité substantielle [1]; entre Balbec, baigné d'atmosphère marine, imprégné de sel et d'écume, et Combray, dans son air confiné et vieillot où flotte l'odeur sucrée des confitures familiales, aucune relation ne semble possible; aucun voyage ne devrait pouvoir mettre en communication des matières

1. Cf. Georges Poulet, *l'Espace proustien*, p. 47-51.

aussi hétérogènes : Marcel s'émerveille à l'idée qu'un train puisse conduire en une nuit de Paris à Balbec ou de Florence à Venise. Pourtant, sans même recourir à cet expédient mécanique, le récit proustien passe sans effort, et comme sans déplacement sensible, d'un lieu à l'autre : privilège du souvenir ou de la rêverie, mais aussi et surtout ubiquité souveraine du récit, par laquelle les lieux se dématérialisent en glissant les uns sur les autres. Tous les romans, bien sûr, promènent ainsi leur action d'un décor à l'autre; mais le plus souvent ces décors sont neutres, ils restent à leur place et n'adhèrent pas au récit. Chez Proust au contraire les lieux sont actifs, ils s'attachent aux personnages [1], pénètrent dans la trame du roman qu'ils suivent de page en page, sans cesse rappelés, réintégrés, réinvestis, toujours présents tous à la fois (la seule lecture de l'article Balbec, ou Combray, ou Venise, dans l'index de l'édition de la Pléiade, est instructive à cet égard) et donc absentés par leur omniprésence même : Combray sorti d'une tasse de thé se trouve enclos dans une chambre de Paris, Oriane transporte avec elle, en plein faubourg Saint-Germain, le paysage de Guermantes avec la Vivonne et ses nymphéas, comme Albertine y apporte Balbec avec sa digue et sa plage. Les « deux côtés » de Combray, dont l'opposition et l'incommunicabilité, « une de ces distances dans l'esprit qui ne font pas qu'éloigner, qui séparent et mettent dans un autre plan [2] », étaient la base même de la vision du monde de Marcel (et de la construction de l'œuvre), se révèlent dans les premières pages du *Temps retrouvé* singulièrement proches et nullement inconciliables, avant de se rejoindre symboliquement en la personne de Mademoiselle de Saint-Loup, fille d'une Swann et d'un Guermantes. En sorte que le lecteur réalise dans le temps et l'espace de l'œuvre le voyage immobile du dormeur évoqué aux premières pages de *Swann* : « Le fauteuil magique le fera voyager à toute

1. *L'espace proustien*, p. 36-39. — 2. I, p. 135.

vitesse dans le temps et l'espace, et au moment d'ouvrir les paupières il se croira couché quelques mois plus tôt dans une autre contrée. » Et c'est finalement toute la matière du roman, tous ses personnages et tous ses événements qui viennent, dans l'esprit du lecteur comme dans celui de Marcel contemplant Mademoiselle de Saint-Loup, « entrecroiser leurs fils » en un seul point, — manifestant par leur inconcevable rencontre l'irréalité de leurs existences jusqu'alors séparées.

Il est encore, au cœur de l'œuvre, un autre lieu où se concentre en quelque sorte son impossibilité : c'est le pastiche des Goncourt. Que le Narrateur, ouvrant le journal des Goncourt, y trouve le récit d'un dîner chez les Verdurin, que les Verdurin, et Elstir, et Cottard, et Brichot, et par conséquence et de proche en proche tous les personnages et le Narrateur lui-même s'échappent ainsi de la fiction pour se glisser dans la chronique, voilà une aventure sans doute plausible au niveau de la fiction, puisque celle-ci se donne elle-même pour chronique et ses personnages pour des personnes réelles qu'auraient pu rencontrer les Goncourt, mais impossible au niveau de l'œuvre telle qu'elle existe pour un lecteur, qui sait bien qu'il doit la prendre comme une pure fiction, d'où ses personnages ne peuvent pas plus sortir que les frères Goncourt, ou lui-même, ne peuvent y entrer. Voilà pourtant ce que s'obstine à suggérer cet étrange épisode, qui fait dans l'œuvre comme une porte donnant sur autre chose que l'œuvre, autre chose qu'elle ne peut connaître sans se détruire elle-même, une porte qui est là et qui pourtant ne peut être ni ouverte ni fermée.

Maurice Blanchot, méditant sur les rapports entre *Jean Santeuil* et la *Recherche du Temps perdu* [1], observe d'une part que, par la ruse involontaire d'un ajournement apparemment inexplicable mais qui répondait sans doute à la nécessité profonde de son œuvre, Proust s'est peu à peu éloigné

1. *Le Livre à venir*, p. 18-34.

de son propos initial, qui était d'écrire un « roman d'instants poétiques » (les instants privilégiés de la réminiscence) : ces instants se sont dégradés en scènes, les apparitions en portraits et descriptions, faisant dériver l'exécution d'ensemble du poétique au romanesque; mais il montre aussi que ce romanesque à son tour dérive vers autre chose, dans la mesure où l'œuvre se retourne, se replie sur elle-même, entraînant tous ses épisodes dans « un lent mouvement sans repos », dans « la densité mouvante du temps sphérique ». Là se trouve en effet le plus troublant paradoxe de la *Recherche*: c'est qu'elle se présente à la fois comme œuvre et comme approche de l'œuvre, comme terme et comme genèse, comme recherche du temps perdu et comme offrande du temps retrouvé. Cette ambivalence lui donne l'ouverture, la dimension critique où Proust voyait la marque essentielle des grandes œuvres du XIXe siècle (et qui l'est encore davantage au XXe), œuvres toujours « merveilleusement incomplètes », dont les auteurs « se regardant travailler comme s'ils étaient à la fois l'ouvrier et le juge, ont tiré de cette auto-contemplation une beauté nouvelle, extérieure et supérieure à l'œuvre [1] », elle lui donne aussi un double temps et un double espace, une « double vie » comme celle de ses héros, un double fond, c'est-à-dire une absence de fond par laquelle elle s'écoule et s'échappe sans cesse. « Nous ne savons jamais, dit Blanchot, à quel temps appartient l'événement qu'il évoque, si cela se passe seulement dans le monde du récit, ou si cela arrive pour qu'arrive le moment du récit à partir duquel ce qui s'est passé devient réalité et vérité ». En effet chaque moment de l'œuvre est en quelque sorte donné deux fois : une première fois dans la *Recherche* comme naissance d'une vocation, une deuxième fois dans la *Recherche* comme exercice de cette vocation; mais ces « deux fois » nous sont données ensemble, et c'est au lecteur, informé *in extremis* que le livre qu'il vient de lire reste à écrire, et

1. III, p. 160.

que ce livre à écrire est à peu près (mais à peu près seulement) celui qu'il vient de lire, c'est au lecteur qu'il échoit de remonter jusqu'à ces pages lointaines, enfance à Combray, soirée chez les Guermantes, mort d'Albertine, qu'il avait d'abord lues comme sagement déposées, glorieusement embaumées dans une œuvre faite, et qu'il doit maintenant relire, presque identiques mais un peu différentes, comme en souffrance, encore privées de sépulture, anxieusement tendues vers une œuvre à faire : et inversement, sans cesse. Ainsi, non seulement la *Recherche du Temps perdu* est, comme le dit Blanchot, une œuvre « achevée-inachevée », mais sa lecture même s'achève dans l'inachèvement, toujours en suspens, toujours « à reprendre », puisqu'elle trouve son objet sans cesse relancé dans une vertigineuse rotation. « L'objet littéraire, écrit Sartre, est une étrange toupie qui n'existe qu'en mouvement [1]. » Cela est particulièrement vrai de l'œuvre de Proust, œuvre instable, construction plus *mobile* que celles de Calder, puisqu'un seul regard suffit à déclencher une circulation que rien ensuite ne peut plus arrêter.

La lecture de *Jean Santeuil* ou de *Contre Sainte-Beuve* ne peut qu'accentuer ce vertige. Dans ces « œuvres », qui ne sont, comme les textes précédemment recueillis dans *Mélanges* ou *Chroniques*, rien d'autre que des brouillons de la *Recherche du Temps perdu*, nous voyons apparaître toute une série d'états premiers de certains épisodes, décors, thèmes ou personnages de l'œuvre « définitive ». Aux multiples images du baron de Charlus vient s'ajouter la figure du marquis de Quercy, qui en est évidemment, dans *Contre Sainte-Beuve*, une première esquisse, comme le Bertrand de Réveillon de *Jean Santeuil* annonce Robert de Saint-Loup ou Marie Kossichef, Gilberte Swann. Bergotte a d'abord été le nom d'un peintre. On retrouve, avec quelque étonnement, le baiser

1. *Situations* II, p. 91.

d'Albertine sur les lèvres d'Oriane. Charlus s'enrichit bizarrement d'avoir été d'abord confondu avec Monsieur de Norpois. Entre Illiers et Combray s'interpose, dans une étrange zone médiane qui n'appartient pas encore à l'œuvre mais plus tout à fait à la vie, l'Etreuilles de *Jean Santeuil*, comme Ernestine entre Félicie et Françoise, et Jean lui-même entre Proust et Marcel — mais aussi entre Proust et Swann, car si Jean Santeuil est une ébauche du Narrateur, ses amours composites en préfigurent plusieurs autres : Marie Kossichef aux Champs-Élysées, c'est Gilberte, Charlotte Clissette refusant un baiser, c'est Albertine; mais la scène de la fenêtre allumée, avec Madame S., la sonate de Saint-Saëns, avec Françoise, nous parlent déjà d'Odette. Une perspective assez troublante s'établit ainsi entre la vie et l'œuvre, qui donne une saveur inhabituelle aux recherches sur les « sources » et les « modèles ». Albert Le Cuziat aurait été un peu Albertine et beaucoup Jupien. Madame de Chevigné avait le visage et la voix d'Oriane, Madame Strauss son esprit, Charles Haas la brosse rousse de Swann, Charles Ephrussi sa culture. Balbec, c'est Trouville, c'est Dieppe, c'est Cabourg, c'est Évian. Le jardin de Combray, c'est celui d'Illiers, mais aussi celui de l'oncle Weil à Auteuil... Toutes ces transformations, ces substitutions, ces scissions et ces fusions imprévisibles, sans compter ce qui reste dans le secret des carnets inédits, ajoutent au palimpseste proustien des profondeurs presque insondables. On rêve d'une édition monstrueuse où l'on rassemblerait autour de la *Recherche du Temps perdu* toutes les préparations et modifications successives qui ont — *work in progress* — abouti à cet état dernier dont on sait bien au reste qu'il ne résulte pas d'un achèvement, mais d'une interruption brutale, étrangère à la loi profonde de cette œuvre, qui était de croître sans cesse et de ne jamais s'achever. De même qu'aucune page de la *Recherche* ne peut être tenue pour vraiment définitive, aucune de ses variantes ne peut être absolument rejetée. Depuis *Les Plaisirs et les Jours*, l'œuvre de Proust existe et ne cesse de bouger jusqu'à la date du 18 novembre 1922. Cette croissance, cette métamorphose incessante n'est pas seulement une circonstance de son élaboration, qu'on pourrait négliger en considérant le seul « résultat », elle fait corps avec l'œuvre, elle lui appartient comme une de ses dimensions. L'œuvre elle aussi se tient à ce *sommet vertigineux* des *années passées non séparées d'elle*; elle aussi doit être prise comme ayant la longueur *non de son corps mais de ses années*, pesée avec son *temps incorporé*, décrite comme *occupant une place si considérable — puisqu'elle touche simultanément à des époques si distantes, entre lesquelles tant de jours sont venus se placer — dans le Temps.*

A ne considérer que les pages « théoriques » de la *Recherche du temps perdu*, il ne fait pas de doute que Proust avait conçu son œuvre selon le dessein sans ambiguïté d'une expérience spirituelle, et d'une expérience spirituelle achevée, dont le terme était connu, comme en témoigne le *Contre Sainte-Beuve*, bien avant la publication de *Swann*. Le mouvement de cette expérience n'est pas sans analogie avec celui des grands mythes judéo-chrétiens. Il y a un Paradis perdu, qui est le temps lointain des rêveries enfantines, où le monde se donnait comme spectacle immédiat et possession sans réserve; il y a une Chute dans le Temps, qui est l'expérience négative de la vie « en tant que vécue » : l'évanescence du réel, les intermittences du moi, l'amour impossible (il y a même l'ébauche, peut-être précieuse pour les psychanalystes, d'une explication par le Péché originel : c'est la scène du Baiser maternel, interprété comme une abdication et une défaillance morale irréversible); il y a une longue promesse du Salut, avec ses présages (aubépines de Tansonville, clochers de Martinville, arbres d'Hudimesnil), ses prophètes (Bergotte, Elstir, Vinteuil), son Précurseur (Swann); il y a l'extase finale de la Réminiscence, contemplation fugitive de l'éternité, et la certitude de réaliser dans une œuvre ce que Proust appelle lui-même l'Adoration perpétuelle. Quoi qu'il en soit de ces analogies, peut-être purement formelles, que Proust accentue dans son vocabulaire avec une complaisance sans doute teintée d'humour, ce qu'il faut retenir ici de cette expérience, c'est son mouvement, c'est l'orientation univoque, résumée dans le mot Vocation, qu'elle imprime à l'existence du Narrateur, et par suite à l'œuvre elle-même, qui en reçoit une valeur de message, et même de révélation [1]. Quelles qu'eussent été les précautions prises pour sauver les apparences (« Une œuvre où il y a des théories est comme un objet sur lequel on laisse la marque du prix [2] »), la *Recherche du Temps perdu* devait être l'illustration d'une doctrine, la démonstration, ou du moins le dévoilement progressif d'une Vérité.

A ce propos manifeste, doit-on dire que l'œuvre, dans son exécution, est restée fidèle? Oui, puisque sa structure apparente épouse encore le cheminement, longtemps contrarié mais jamais oublié, de la vérité qui se fait jour dans la conscience du Narrateur, et qu'elle s'achève dans l'illumination qui lui donne ordre et sens. Non, puisque l'expérience négative qui ne devait être qu'un moment du progrès d'ensemble l'entraîne tout entière dans un mouvement inverse de celui qu'elle s'était proposé, et puisque son point d'arrivée la trouve emportée vers un nouveau parcours, sur lequel il n'est plus en son pouvoir de se fixer un terme. Le rapport de l'œuvre au système qui l'engendre est donc ambigu : l'idéologie proustienne n'est pas une « superstructure », une excroissance inutile qu'on pourrait expéditivement congédier pour aborder l'œuvre de Proust à son écart et dans un esprit plus « sain »; elle constitue au contraire, pour la lecture et la compréhension de l'œuvre, une référence inévitable, et même, en un sens, la seule référence possible.

1. « Enfin je trouve un lecteur qui *devine* que mon livre est un ouvrage dogmatique et une construction! » (lettre à Jacques Rivière du 7 février 1914, Kolb, p. 197).

2. III, p. 882.

Mais en même temps la signification positive qu'elle veut lui donner se trouve, non pas trahie, mais renversée, et finalement *absorbée* par un contrepoint de mouvements contraires : celui qui porte un message en clair et celui qui reconduit ce message jusqu'au point où il s'obscurcit pour laisser place à une question sans réponse. Il y a une réussite de Proust, qui est d'avoir entrepris et mené à son terme une expérience spirituelle; mais combien peu nous importe cette réussite auprès de cette autre, qui est d'avoir encore réussi l'échec de son entreprise, et de nous avoir laissé de cet échec le spectacle parfait qu'est son œuvre. Dirigée tout entière vers la révélation des Essences, elle ne cesse aussi de s'en éloigner, et c'est de cette vérité manquée, de cette possession dépossédée que naît sa chance d'œuvre de son vrai pouvoir de possession. Comme l'écriture proustienne, l'œuvre de Proust est un palimpseste où se confondent et s'enchevêtrent plusieurs figures et plusieurs sens, toujours présents tous à la fois, et qui ne se laissent déchiffrer que tous ensemble, dans leur inextricable totalité [1].

1. L'image du palimpseste apparaît au moins deux fois chez Proust (I, 132 et II, 109), mais en situation fort modeste. Elle a, en revanche, une valeur très forte (et très proustienne) dans cette page des *Paradis artificiels,* traduite des *Suspiria de Profundis :*

« Qu'est-ce que le cerveau humain, sinon un palimpseste immense et naturel? Mon cerveau est un palimpseste et le vôtre aussi, lecteur. Des couches innombrables d'idées, de sentiments sont tombées successivement sur votre cerveau, aussi doucement que la lumière. Il a semblé que chacune ensevelissait la précédente. Mais aucune en réalité n'a péri... L'oubli n'est donc que momentané; et dans telles circonstances solennelles, dans la mort peut-être, et généralement dans les excitations intenses créées par l'opium, tout l'immense et compliqué palimpseste de la mémoire se déroule d'un seul coup, avec toutes ses couches superposées de sentiments défunts, mystérieusement embaumés dans ce que nous appelons l'oubli... De même que toute action, lancée dans le tourbillon de l'action universelle, est en soi irrévocable et irréparable, abstraction faite de ses résultats possibles, de même toute pensée est ineffaçable. Le palimpseste de la mémoire est indestructible. »

VERTIGE FIXÉ

Depuis la sortie de *l'Année dernière à Marienbad,* il s'est produit dans la réputation d'Alain Robbe-Grillet un singulier renversement de perspective. Jusque-là, et malgré l'étrangeté perceptible de ses premiers livres, Robbe-Grillet passait pour un écrivain réaliste et objectif, promenant sur toutes choses l'œil impassible d'une sorte de stylo-caméra, découpant dans le visible, pour chacun de ses romans, un champ d'observation qu'il n'abandonnait qu'une fois épuisées les ressources descriptives de son *être-là*, sans souci de l'action ni des personnages. Roland Barthes avait montré [1], à propos des *Gommes* et du *Voyeur*, l'aspect révolutionnaire de cette description qui, réduisant le monde perçu à un étalement de surfaces, évacuait à la fois « l'objet classique » et la « sensibilité romantique » : adoptées par Robbe-Grillet lui-même, simplifiées et popularisées sous mille formes diverses, ces analyses aboutirent à la vulgate que l'on sait sur le « nouveau roman » et l'« école du regard ». Robbe-Grillet semblait alors définitivement enfermé dans son rôle d'arpenteur pointilleux, dénoncé, et donc adopté en tant que tel par la critique officielle et l'esprit public.

L'Année dernière à Marienbad a changé tout cela d'une manière qui tire de la publicité propre à l'événement cinématographique une efficacité décisive : voilà Robbe-Grillet

1. « Littérature objective », *Critique,* juillet 1954. « Littérature littérale », *Critique,* septembre 1955.

devenu soudain une sorte d'auteur fanstastique, un spéléologue de l'imaginaire, un voyant, un thaumaturge. Lautréamont, Bioy Casares, Pirandello, le surréalisme remplacent tout à coup, dans l'arsenal des références, l'Indicateur des chemins de fer et le Catalogue des armes et cycles. Le film de Resnais avait-il trahi les intentions du scénariste? Il apparaît au contraire qu'il n'aurait péché que par excès de fidélité et que la trahison, si trahison il y avait, serait le fait de Robbe-Grillet lui-même. Était-ce donc une conversion, ou bien fallait-il reconsidérer le « cas Robbe-Grillet »? Relus en hâte à cette lumière neuve, les romans antérieurs révélèrent une troublante irréalité, naguère insoupçonnée, dont la nature apparaissait soudain facile à identifier : cet espace à la fois instable et obsédant, cette démarche anxieuse, piétinante, ces fausses ressemblances, ces confusions de lieux et de personnes, ce temps dilaté, cette culpabilité diffuse, cette sourde facination de la violence, qui ne les reconnaissait : l'univers de Robbe-Grillet était celui du rêve et de l'hallucination, et seule une mauvaise lecture, inattentive ou mal orientée, nous avait détournés de cette évidence...

Sans doute, cette antithèse force un peu le tableau d'une évolution qui fut, pour les lecteurs attentifs, plus lente et moins spectaculaire. Dès *le Voyeur*, Maurice Blanchot [1] évoquait Roussel. En 1957, *la Jalousie* inquiétait Bernard Dort qui voyait dans ce livre « moins un roman qu'une allégorie » et la menace d'un « romanesque aliéné [2] ». *Dans le Labyrinthe* accentuait la tendance onirique, et Bernard Pingaud pouvait écrire en 1960 : « Ce géomètre est un rêveur [3] ». Mais qu'elle soit soudaine ou pressentie, la révision n'en est pas moins significative : Robbe-Grillet a cessé d'être le symbole d'un néo-réalisme « chosiste », et le sens public de son

1. *Le Livre à venir*, p. 196.
2. *Les Temps modernes*, juin 1957.
3. *Écrivains d'Aujourd'hui*, Grasset, 1960.

œuvre a basculé irrésistiblement sur le versant de l'imaginaire et de la subjectivité.

On peut objecter que ce changement de sens n'affecte que le « mythe Robbe-Grillet » et demeure extérieur à son œuvre; mais on remarque une évolution parallèle dans les théories professées par Robbe-Grillet lui-même. Entre celui qui affirmait en 1953 : « *Les Gommes* est un roman descriptif et scientifique [1] », ou encore : « Les événements se passent dans mon livre hors de la psychologie qui est l'instrument habituel des romanciers [2] », et celui qui précise en 1961 que les descriptions du *Voyeur* et de *la Jalousie* « sont toujours faites par quelqu'un » et que ce témoin privilégié est « un obsédé sexuel ou un mari dont la méfiance confine au délire », pour conclure que ces descriptions sont « parfaitement subjectives » et que « cette subjectivité est la caractéristique essentielle de ce qu'on a appelé le Nouveau Roman [3] », qui ne perçoit un de ces déplacements d'accent qui traduisent à la fois le tournant d'une pensée et la volonté d'aligner les œuvres passées sur la nouvelle perspective? Mais il serait vain de trouver ici la marque d'une inconséquence condamnable. Le « droit de se contredire » revendiqué par Baudelaire est plus qu'un droit pour l'écrivain, il est une nécessité de son état : si l'œuvre littéraire, selon le mot de Sartre, a pour contenu un « monde impossible » et pour forme une « contradiction voilée », la formule théorique de cette œuvre, par essence informulable, ne peut être qu'impossible ou contradictoire.

Ainsi les théories de Robbe-Grillet, comme son mythe public, révèlent une divergence d'interprétation, peut-être

1. *Arts*, mars 1953.
2. *Combat*, 6 avril 1953.
3. *Le Monde*, 13 mai 1961.

de lecture, que l'on pourrait schematiquement formuler en deux questions : tout d'abord, faut-il chercher dans son œuvre une intention « réaliste », c'est-à-dire une volonté de décrire la réalité telle qu'elle est ou telle qu'elle apparaît, ou un propos « fantastique », c'est-à-dire extérieur à cette réalité, et relevant d'une fiction arbitraire? Si l'on s'en rapporte à Robbe-Grillet lui-même, la réponse à cette question ne semble pas faire de doute : il s'est toujours présenté comme un écrivain réaliste, et lorsqu'il défend les images apparemment irrationnelles de *Marienbad*, c'est au nom d'un souci de fidélité à l'expérience vécue : « Toute la question est de savoir si l'incertitude qui s'attache aux images du film est exagérée par rapport à celle qui nous entoure dans la vie quotidienne, ou bien si elle est du même ordre. Pour moi, j'ai l'impression que les choses se passent vraiment de cette façon-là... Si le monde est vraiment si complexe, ce qu'il faut, c'est retrouver sa complexité. Encore une fois, par souci de réalisme [1] ». Les « anomalies » de ce film, comme celles des romans qui l'ont précédé, relèveraient donc non pas d'une fiction délibérée, mais d'un réalisme plus poussé, plus fidèle que celui des romanciers (ou des cinéastes) classiques, que Robbe-Grillet accuse volontiers de s'enfermer dans un système de conventions arbitraires.

La seconde question, qui a été trop souvent confondue avec la première, est celle-ci : en admettant chez Robbe-Grillet une intention réaliste, le champ de cette intention est-il une réalité « objective », c'est-à-dire indépendante de la conscience qu'en prennent les personnages, ou bien une réalité « subjective », c'est-à-dire atteinte et décrite à travers les perceptions, les souvenirs, ou même les fantasmes de ces personnages [2]? C'est, semble-t-il, sur cette distinction que se joue

1. *Cahiers du Cinéma*, nº 123.

2. Comme les personnages ne sont eux-mêmes que des créatures de l'auteur, il va de soi que l' « objectivité » n'est pour le romancier qu'un mode plus direct et plus engagé de la subjectivité, qui le prive d'une médiation, et donc d'un alibi.

l'essentiel du problème posé à ce jour par l'œuvre de Robbe-Grillet. La première vulgate donnait *les Gommes* ou *le Voyeur* pour des séries de descriptions objectives, la seconde [1] interprète *la Jalousie* et *Dans le Labyrinthe*, et rétrospectivement les deux autres, comme des récits subjectifs, ou partiellement subjectifs. Lorsque Robbe-Grillet écrivait : « *Les Gommes* est un roman descriptif et scientifique », ou : « Les événements s'y passent en dehors de la psychologie », il semblait appuyer la première; lorsqu'il affirme que ses descriptions « sont toujours faites par quelqu'un », il autorise évidemment la seconde.

On peut donc schématiser (grossièrement) l'opinion de Robbe-Grillet sur son œuvre en disant qu'il n'a jamais (du moins jusqu'à ce jour) renoncé à son intention réaliste, mais qu'il a prêté à cette intention un contenu d'abord totalement objectif, puis purement subjectif. Cette apparente volte-face pourrait bien n'être qu'une retraite : le « réalisme » de ses romans se révélant à la longue insoutenable sur le plan de l'objectivité, Robbe-Grillet aurait décroché de cette position trop avancée pour se replier sur une seconde ligne plus facile à défendre : celle du réalisme subjectif. Ainsi protégeait-il, par de nouveaux moyens, le sanctuaire du réalisme. En ce cas, subjectivisme et réalisme auraient partie liée dans son système, et l'on ne pourrait contester le premier sans menacer le second.

Si l'on examine d'assez près les quarante premières pages du *Voyeur* (l'arrivée de Mathias dans l'île), on observe que ce texte se joue sur quatre plans principaux : le présent réel (Mathias sur le navire, puis sur le port), le passé ancien (les souvenirs d'enfance), le passé récent (la matinée de Mathias

1. Éminemment représentée aujourd'hui par Bruce Morrissette, *les Romans de Robbe-Grillet*, 1963.

sur le continent), le futur anticipé par l'imagination (la vente idéale des montres à la ferme). On constate également que de ces quatre plans un seul s'isole des trois autres par une caractéristique d'écriture : le souvenir d'enfance, traité presque exclusivement au présent et à l'imparfait. Cette marque grammaticale suffit à distinguer sans équivoque le passé lointain, présenté comme souvenir grâce à l'étalement des temps duratifs, des autres moments donnés comme actuels par l'emploi du passé simple traditionnel, temps du récit, temps de l'*action*. Ici, donc, le caractère subjectif du souvenir est nettement apparent : la collection de ficelles de Mathias, la journée passée à dessiner une mouette stagnent dans une mémoire en une sorte de discours indirect ou de spectacle intérieur, et nul ne s'attend à les voir s'animer d'une action véritable. Au contraire les trois autres plans sont pour ainsi dire confondus entre eux par l'emploi commun du passé simple qui leur accorde un même degré de présence. Ici le souvenir récent, le moment présent et le futur imaginaire s'élèvent ensemble au niveau de l'événement réel, et leur distinction devient beaucoup plus malaisée. Voici un geste de la scène présente : « Mathias laissa tomber son bras. » Voici une phase de la scène récente : « En passant dans une petite rue... Mathias crut entendre une plainte, assez faible, mais semblant venir de si près qu'il tourna la tête. » Voici enfin un fragment de la scène imaginaire : « Il voulait, en s'en allant, prononcer quelques paroles d'adieu, mais aucun son ne sortit de sa bouche. » Rien dans le texte ne les différencie : tout au plus la transition entre le présent réel et le futur imaginaire est-elle ménagée par une page au présent narratif.

Cette première partie du *Voyeur* présente donc à la fois, et comme en opposition, deux attitudes d'écriture : l'attitude classique, qui sépare les plans temporels et les degrés d'objectivité par un système de conventions grammaticales (système peut-être spontané, d'ailleurs, car même les personnes les moins cultivées racontent leurs rêves à l'imparfait, et au présent le film ou la pièce de théâtre qu'elles viennent de voir, réservant le passé composé à la narration des événements réels), et l'attitude propre à Robbe-Grillet, qui tend à les confondre par l'emploi d'un temps unique. D'autres passages du *Voyeur* montrent une hésitation du même ordre. Ainsi, lorsque Mathias, après son « crime », rencontre Mme Marek, le mensonge qu'il esquisse pour construire son alibi nous est d'abord donné au style indirect, puis la fiction s'affermit au présent historique, et prend enfin sa consistance définitive au passé simple. Il est clair que les premières versions sont des ébauches : la fiction tend naturellement à s'imposer au temps le plus réel, qui sera, dans les autres romans de Robbe-Grillet, le plus commode parce que le plus universel (à la fois descriptif et narratif) : le présent. Ainsi, dans *la Jalousie* ou le *Labyrinthe*, aucun signe temporel ne vient plus distinguer les scènes présentes des scènes remémorées ou imaginées. L'imparfait mémoriel du *Voyeur* n'était qu'un accident, ou peut-être un piège subtil, un signal truqué indiquant une fausse piste.

Ce que l'on vient de voir de l'emploi des temps s'éclaire encore si l'on considère l'ensemble de l'écriture narrative et descriptive de Robbe-Grillet. Il s'agit, comme l'a montré Roland Barthes, d'une écriture *littérale*, qu'aucune expressivité affective ou poétique n'altère dans sa rigueur. Les objets y apparaissent comme des surfaces mesurables et géométriquement réductibles, à mi-chemin de la chose et de la figure simple, jamais comme des substances ouvertes à la rêverie, à la projection d'un goût, d'une possession, d'une profondeur symbolique. Comme l'a dit Robbe-Grillet lui-même, ils *sont là*, sans intériorité ni au-delà. La fonction de cette présentation superficielle est évidente : Bachelard a bien montré que l'imagination n'a que faire des surfaces et des figures : l'intériorité subjective ne peut se projeter que dans une intériorité objective, que dans les profondeurs d'une matière. Dire que les objets de Robbe-Grillet sont tout en surface, c'est dire qu'ils ne sont susceptibles d'aucune signification humaine autre que leur présence et, éventuellement, leur ustensilité (le réverbère du *Labyrinthe* est là parce qu'il est là, la valise de Mathias est là pour transporter des montres); c'est dire encore (mais c'est la même chose) que le sujet qu'ils reflètent est un sujet *vide* [1].

De même, les gestes, les actes accomplis chez Robbe-Grillet sont généralement indifférents, ou si l'on veut insignifiants. Sans doute y a-t-il quelque part dans *le Voyageur* un meurtre sadique : mais ce « quelque part » est une page blanche, et tous les gestes qui annoncent ou rappellent ce crime nous sont donnés comme des automatismes dénués de valeur affective : des ébauches vides, des séquelles froides. Sans doute le mari de *la Jalousie* est-il obsédé de soupçons : mais nous ne voyons qu'un homme d'intérieur pointilleux, qu'un observateur maniaque. Sans doute le soldat du *Labyrinthe* meurt-il en mission privée, mais sa mission est inutile et sa mort accidentelle. Les conduites n'ont pas plus d'épaisseur que les choses. Comme Robbe-Grillet accorde aux objets « rêvés » la même précision, la même netteté de contours qu'aux objets perçus, les actes oniriques, les événements supposés, les plus obscurs fantasmes reçoivent chez lui cette « clarté égale » dont parle Blanchot, lumière froide et sans ombre, mais qui perce toutes les brumes et dissout tous les fantômes, ou les contraint de s'incarner. Aucun *flou* expressif, aucune résonance, aucune vibration ne les entoure et ne les distingue : « vrais » ou « faux », les gestes

1. Robbe-Grillet, qui ne s'accommode plus de cette insignifiance de l'objet, mais qui ne veut pas non plus entendre parler de symboles, accorde à ses objets le rôle de « supports » de significations : « La passion se pose à leur surface, sans vouloir y pénétrer, puisqu'il n'y a rien à l'intérieur. » (NRF, octobre 1958). Mais le fondement de cette « corrélation objective » (Bruce Morrissette) reste problématique; si elle est arbitraire, elle postule un système (comme les signes conventionnels d'un code), et quel système? Si elle est naturelle, elle suppose une relation causale qui nous ramène à l'ustensilité (la cordelette du *Voyeur*), ou de ressemblance profonde (valeur érotique du mille-pattes écrasé dans *la Jalousie*?) qui nous ramène au symbolisme. La sémantique de l'objet robbegrilletien, malgré les efforts de Bruce Morrissette, n'est pas au point; et pour cause.

s'alignent côte à côte, au fil des pages, comme les à-plat sans mystère des fresques de Saint-Savin ou de la tapisserie de Bayeux. Mathias lève la tête, A. descend de voiture, Wallas achète une gomme, le soldat sort du café : quoi qu'ils fassent, quoi qu'ils pensent, ils sont tout entiers *dehors*, avec leurs « souvenirs », leurs « désirs », leurs « hantises » étalés autour d'eux sur le trottoir comme un déballage de camelot. On pense à ces vers de *Plain-Chant* où se réalise, et par conséquent se *détruit* tout un personnel onirique :

Ainsi je voudrais voir suivre dehors ta trace
Le bétail de ton rêve, étonné d'être là.

Toutes ces observations semblent confirmer sans réserves l'interprétation « objectiviste » de l'œuvre de Robbe-Grillet. Pourtant, il est tout aussi vrai que l'univers de cette œuvre n'est rien ou presque rien d'autre, au départ, que l'univers perçu, remémoré, imaginé, rêvé parfois, *menti* souvent par Wallas, le commissaire Laurent, Garinati, Mathias, le mari de *la Jalousie*, le soldat du *Labyrinthe*, les amants de *Marienbad* ou de *l'Immortelle*. Les angles de vision, les restrictions de champ, les ignorances ou incertitudes volontaires, les références unilatérales en sont autant de signes évidents. Robbe-Grillet dit vrai : ses descriptions sont toujours faites par quelqu'un, même si ce quelqu'un n'est pas toujours le spectateur unique du *Voyeur* ou de *la Jalousie*, même s'il peut être, comme dans le *Labyrinthe*, un simple témoin attentif. S'il est généralement impossible, comme l'a tenté Bruce Morrissette, de rétablir une chronologie délibérément faussée par l'auteur, il est presque toujours possible, par une analyse « logique » du récit, de faire le départ entre les moments vécus et les moments imaginaires, c'est-à-dire entre les divers niveaux de subjectivité : ici, Mathias « revoit » la scène du meurtre; maintenant, le commissaire « reconstruit » la scène du crime selon l'hypothèse du suicide; ici, le soldat « redevient » une figure du tableau; maintenant, Wallas s'introduit « réellement » dans le cabinet de Dupont;

ici, le mari « imagine » la scène d'adultère entre sa femme et Frank; maintenant, Mathias « raconte » sa matinée; ici...

Le malheur est que ces restitutions résultent d'une opération étrangère à la texture interne du récit, qui ne connaît en réalité qu'un seul temps, le présent, et qu'un langage, celui d'une intégrale et uniforme objectivité. Ceci peut être un acte présent, cela un souvenir, ceci encore un mensonge et cela un fantasme, mais tous ces plans sont étalés au même niveau, celui du réel *ici et maintenant*, par la vertu d'une écriture qui ne sait et ne veut exprimer que du réel et du présent : plus encore qu'un seul temps, on pourrait dire que Robbe-Grillet ne connaît qu'un seul mode : l'indicatif. Restituer les nuances modales d'une « histoire » virtuelle considérée comme préexistante (ou sous-jacente) au récit actuel, cette entreprise (fort tentante, convenons-en, car elle satisfait une tendance naturelle, mais esthétiquement désastreuse, à « expliquer », c'est-à-dire le plus souvent à *banaliser* toutes choses) revient à peu près à remettre consciencieusement dans ses plis tout ce que Robbe-Grillet a non moins soigneusement déplié et étalé, ce qui suppose qu'on tienne pour nulle la seule réalité, la seule *matière* du roman : son texte. On récrit telle page au subjonctif, telle autre à l'optatif, tout un chapitre au futur antérieur, on décide que telle scène, quoique venant après, nous ramène en arrière, mais on oublie qu'en fait, tout est ici et maintenant, et que toute autre lecture qu'à l'indicatif présent n'est qu'un exercice tout juste bon à dégager la *genèse* du texte, c'est-à-dire à distinguer ce qu'il est de ce qu'il n'est plus, et n'a peut-être jamais été. Un mari jaloux imagine les gestes de sa femme avec son amant supposé : sujet banal, et qui n'attente pas à l'ordre du monde. Mais que ces fantasmes prennent soudain la dure consistance du réel et viennent introduire dans ce réel tout un système de variantes incompatibles, voilà qui est plus rare et plus inquiétant. Remonter du texte impossible au prétexte banal, c'est ôter toute sa valeur au récit. C'est aussi lui ôter tout son sens en cherchant à lui en donner un. Maurice Blanchot s'élevait autrefois [1] contre un essai de « traduction » en prose des poèmes de Mallarmé. Il rappelait à cette occasion que « l'œuvre poétique a une signification dont la structure est originale et irréductible », que « le premier caractère de la signification poétique, c'est qu'elle est liée, sans changement possible, au langage qui la manifeste », et que « la poésie exige, pour être comprise, un acquiescement total à la forme unique qu'elle propose ». Il faut évidemment en dire autant d'une œuvre romanesque comme celle de Robbe-Grillet : son sens est inséparable de sa forme, et l'on ne peut pas davantage reconstituer l'action d'un de ces romans au-delà du récit textuel qu'on ne peut atteindre le sens d'un poème en modifiant son expression littérale. « Reconstruire » un roman de Robbe-Grillet, comme « traduire » un poème de Mallarmé, c'est l'*effacer*.

Ainsi se justifient, chacune de son côté, les interprétations divergentes de cette œuvre : les « subjectivistes » n'ont pas tort, puisque la genèse des différents épisodes est le plus souvent subjective : retours en arrière, répétitions, anticipations, ébauches, ratures, variantes, contradictions du récit sont impliqués, en principe, dans une histoire intérieure. Mais les « objectivistes » ont raison, puisque tout l'effet du texte est de discréditer et parfois d'interdire une telle implication. Quelque intérieur que soit cet univers dans son principe, l'écriture, la technique, la vision robbe-grilletiennes s'en saisissent et l'objectivent à tout coup, comme on projette une image sur un écran, lui confisquant tout relief et toute profondeur : et il serait aussi vain de prétendre les lui restituer que de vouloir gonfler une ombre chinoise. Les significations qu'y découvre l'analyse sont celles que le récit ne contient que pour les refuser : il peut donc être utile de les reconnaître, mais d'une manière en quelque sorte négative et toute provisoire, et pour mieux

1. *Faux Pas*, p. 134-139.

dégager par contraste le mouvement réducteur de l'œuvre qui ne se construit qu'en les détruisant [1].

Il faut ici dire un mot de la théorie par laquelle Robbe-Grillet a tenté de justifier psychologiquement ce système de projection qui est par excellence le médium de son œuvre. Dans l'Introduction du « ciné-roman » de *Marienbad*, il rappelle que « la caractéristique essentielle de l'image (cinématographique) est sa présence. Alors que la littérature dispose de toute une gamme de temps grammaticaux, qui permet de situer les événements les uns par rapport aux autres, on peut dire que sur l'image, les verbes sont toujours au présent ». On voit qu'en analysant la grammaire cinématographique, Robbe-Grillet définit aussi bien sa propre grammaire romanesque, puisqu'il a lui aussi réduit à une seule note la « gamme des temps ». Mais il ne se contente pas d'avouer ce parti pris, ou plutôt il refuse de le reconnaître pour tel : il veut lui donner un fondement « scientifique ». D'où cette psychologie de l'image : « Une imagination, si elle est assez vive, est toujours au présent. Les souvenirs que l'on « revoit », les régions lointaines, les rencontres à venir, ou même les épisodes passés que chacun arrange dans sa tête en en modifiant le cours tout à loisir, il y a là comme un film intérieur qui se déroule continuellement en nous. » Ainsi, dit encore Robbe-Grillet, deux personnes dans un salon évoquant leurs vacances ne

1. Bruce Morrissette lui-même convient très volontiers de ce caractère provisoire, et parle d'un « outil expérimental qui sera abandonné par la suite » *(loc. cit.*, p. 115). Mais cette dernière promesse n'est pas tenue, puisque toute son interprétation, vigoureusement psychologiste, repose sur une confrontation du récit textuel et du récit virtuel (reconstitué), le second étant postulé comme « vrai », le premier comme « déformé », et cette déformation étant donnée comme un symptôme de confusion, donc de psychose chez le héros-narrateur.

voient plus le salon : l'image de la plage s'est substituée à la perception du salon, on croit y être.

On a sans doute reconnu cette théorie fort ancienne, qui fait d'une image ou d'un souvenir une perception faible, et d'une image « assez vive » une vraie perception, toute perception étant une « hallucination vraie »; théorie toute théorique, qui évacue de l'image toute conscience d'image, du souvenir toute conscience de passé, du rêve tout sentiment onirique, et qui réduit la vie psychique à un défilé d'images mentales toutes équivalentes, à l'intensité près. Telle fut, de Hume à Taine, la théorie dite empiriste de l'imagination, que chacun depuis, de Bergson à Merleau-Ponty, d'Alain au jeune Sartre, s'est amusé à réfuter, et de fait il suffisait de se rapporter à l'expérience commune pour constater qu'un souvenir est généralement vécu *au passé*, une image *comme absence*, et que la crédibilité du rêve n'est pas celle de l'état de veille. C'est précisément de ces différentes attitudes de conscience que la « gamme des temps » en littérature, et divers procédés tels que le fondu-enchaîné au cinéma, s'efforcent de donner une sorte d'équivalent technique, et le propos de cette technique, même conventionnelle, est un propos réaliste. En cherchant à lui substituer un fantôme de réalisme intégral, Robbe-Grillet fait sans le vouloir un saut dans l'irréel. Alain répondit un jour à un ami qui prétendait se représenter mentalement le Panthéon avec autant de netteté que s'il se trouvait au milieu de la rue Soufflot : « Comptez donc les colonnes ! » Ce jour-là, un roman de Robbe-Grillet aurait pu naître : il eût suffi que l'ami, s'étant renseigné par avance, dît en fermant les yeux : « J'en vois tant. » Ainsi procède Robbe-Grillet : il nous décrit, dit-il, des fantasmes, mais il faut que ces fantasmes soient, comme les perceptions de Taine, des *hallucinations vraies*, car son délire parle, comme on sait, en style d'arpenteur : « Cinq centimètres de long sur trois centimètres de large. »

L'imagination personnelle de Robbe-Grillet fonctionnet-elle réellement selon les lois étranges qu'il attribue à l'imagination commune? Cette question indiscrète concerne davantage la psychologie que la critique, car l'œuvre une fois créée ne vit plus que de ses rapports avec son lecteur. Retenons seulement de cette parenthèse que Robbe-Grillet tient à fonder les structures objectives de son œuvre en vérité psychologique, et qu'il ne peut le faire qu'en recourant à une psychologie fausse, tout simplement parce que son œuvre est psychologiquement *impossible*. Ce qui est sans doute fâcheux pour le réalisme, mais bénéfique pour la littérature. Si nous reprenons maintenant notre question initiale, non plus sur le plan des intentions, mais sur celui de l'œuvre, le seul qui importe en fin de compte, la réponse se donne donc d'elle-même : réaliste et subjective dans son projet et sa genèse, cette œuvre s'achève en un spectacle rigoureusement objectif, et, en raison de son objectivité même, totalement irréel.

Une fois épuisée, ou écartée toute recherche sur sa genèse, il resterait à considérer l'univers de Robbe-Grillet tel qu'il est, et, puisque la vie psychique des personnages n'en constitue pas le *sens*, à chercher quelle peut être sa *fonction* dans la structure d'ensemble de cet univers. Pour reconnaître celui-ci sous une forme simple et pour ainsi dire embryonnaire, il suffira peut-être de relire une courte nouvelle, d'ailleurs admirable, *la Plage* [1]. Trois enfants marchent le long d'une grève, derrière une troupe d'oiseaux qui avance plus lentement qu'eux, et s'envole toujours avant d'être rejointe, pour se poser un peu plus loin. La cloche du soir les appelle, ils rentrent à la maison. C'est tout : nul mystère en tout cela, et comme on dit, jusqu'ici rien d'anormal.

1. Reprise, ainsi que les deux *Visions réfléchies* dont il sera question plus loin, dans *Instantanés*.

Pourtant, à le considérer de plus près, ce petit tableau est organisé d'une manière bien particulière. Les trois enfants ont « sensiblement la même taille, et sans doute aussi le même âge ». Leurs visages se ressemblent, « l'expression en est la même ». Ils sont blonds tous les trois et leurs empreintes sont « semblables et pareillement espacées ». Pourtant l'un d'eux est un peu plus petit que les deux autres, et l'un d'eux (le même?) est une fille; « mais le costume est tout à fait le même ». Les oiseaux marchent à peu près sur la même ligne que les enfants; mais la mer efface leurs traces, tandis que « les pas des enfants demeurent inscrits avec netteté dans le sable ». Lorsque retentit la cloche, l'un des enfants dit : « Voilà la cloche », et un autre précise : « C'est la première cloche. — C'est peut-être pas la première », reprend le premier. Un peu plus tard, on entend de nouveau la cloche : « Voilà la cloche », dit simplement l'un des enfants. Pendant ce temps, à la limite de la grève, une petite vague, « toujours la même », à intervalles réguliers, déferle au même endroit; mais pas au même moment, bien sûr. Est-ce donc bien la même vague?

Trois versions (presque) identiques du même enfant, deux marches (presque) semblables, une même cloche entendue deux fois, une seule vague sans cesse « répétée » : voilà le monde selon Robbe-Grillet. Mallarmé appelait cela (ou presque) : le *démon de l'analogie*. Notons que le rapport analogique est réalisé ici sans artifice, et sans recours à la « subjectivité » : simplement, ces trois enfants sont frères et sœurs, la cloche sonne toujours deux fois, toutes les vagues se ressemblent. Dans une autre nouvelle, *la mauvaise Direction*, apparaît un artifice, mais de pure mise en scène : une mare en forêt, où se reflètent les fûts parallèles des arbres; image inverse, plus nette, « plus contrastée que le modèle », et cependant voilée par un effet d'éclairage perpendiculaire : « Au fond des bandes d'ombres resplendit l'image tronçonnée des colonnes, inverse et noire, miraculeusement lavée. » Dans *le Mannequin*, l'effet se complique d'une réflexion supplémentaire : dans un atelier de couturière, on voit trois mannequins identiques, le vrai et ses deux reflets dans deux miroirs différents; vus sous un certain angle, ils n'ont pas exactement la même taille.

La prédilection de Robbe-Grillet pour ces *visions réfléchies* est évidente et caractéristique. Le reflet, on le sait, est une forme affaiblie du *double*, qui est un compromis de *même* et d'*autre* : un *même* reproduit, donc aliéné. Forme encore atténuée de cette aliénation du *même*, la *ressemblance*, par où l'altérité suggère l'identité, ou l'*altération*, par où l'identité mime une différence. Ce rapport ambigu, sous ses formes diverses et complémentaires, est l'âme même de l'œuvre de Robbe-Grillet. « Tout se passe, écrit Philippe Sollers, comme si la matière de ses livres se composait d'éléments bruts de réalité agencés rythmiquement dans une durée qui surgit de leur juxtaposition... Il semble que certains éléments « s'appellent » l'un l'autre par une nécessité de structure [1]. » Cette nécessité de structure, ce « rapport insolite bien que pressenti », c'est cette relation de ressemblance dans l'altérité, ou d'altération dans l'identité, qui circule entre les objets, les lieux, les personnages, les situations, les actes et les paroles. Chaque roman de Robbe-Grillet possède donc une structure *thématique*, c'est-à-dire qu'il s'organise comme une suite de variations autour d'un nombre limité d'éléments qui jouent le rôle du thème fondamental, ou, comme disent les linguistes, du *paradigme*. Roman Jakobson a montré [2] que l'imagination littéraire, comme toute parole, fait appel à deux fonctions essentielles et complémentaires : la *sélection* d'unités similaires, et la *combinaison* d'unités contiguës. La première opération se situe à ce pôle du langage que la rhétorique appelle métaphore (transfert de sens par analogie), la seconde au pôle de la métonymie

1. « Sept propositions sur Alain Robbe-Grillet », *Tel quel*, Été 1960.
2. « Deux aspects du langage et deux types d'aphasie », *Essais de Linguistique générale*, 1963.

(transfert de sens par contiguïté). L'art de la poésie repose essentiellement sur le jeu de la métaphore (ce sont les « correspondances » baudelairiennes et symbolistes), l'art du récit, et donc spécialement l'art du roman, repose sur le jeu des métonymies, la description et la narration suivant l'ordre des contiguïtés spatiales et temporelles. Si l'on adopte cette classification commode, on observe que l'art de Robbe-Grillet consiste à disposer dans l'ordre métonymique de la narration et de la description romanesques un matériel de nature métaphorique, puisque résultant d'analogies entre éléments différents ou de transformations d'éléments identiques. Après une scène d'un roman de Robbe-Grillet, le lecteur attend légitimement, selon l'ordre classique du récit, une autre scène contiguë dans le temps ou l'espace; ce que lui offre Robbe-Grillet, c'est la même scène légèrement modifiée, ou une autre scène analogue. Autrement dit, il étale horizontalement, dans la continuité spatio-temporelle, la relation verticale qui unit les diverses variantes d'un thème, il dispose en série les termes d'un choix, il transpose une *concurrence* en *concaténation*, comme un aphasique qui déclinerait un nom, ou conjuguerait un verbe, en croyant construire une phrase. On trouve un exemple très accusé de cette technique dans les premières pages du *Labyrinthe*, et spécialement dans le premier paragraphe, qui juxtapose en quelques lignes une situation : « Je suis seul ici, maintenant, bien à l'abri », puis trois versions différentes (mais parallèles) de la situation inverse : « Dehors il pleut... Dehors il fait froid... Dehors il y a du soleil » (et un peu plus loin : « Dehors il neige »; et plus loin encore : « Dehors il a neigé, il neigeait, dehors il neige »).

Une disposition si particulière du discours romanesque suppose évidemment divers artifices d'organisation capables de justifier aux yeux du lecteur cette modulation du sélectif en successif. Ces procédés de construction thématique peuvent se classer sommairement en trois espèces. On trouve d'abord des *analogies naturelles* : toutes les rues, toutes les maisons, tous les carrefours se ressemblent, dans *les Gommes* d'abord, et plus encore dans le *Labyrinthe*; dans *Marienbad*, tous les châteaux, tous les couloirs, toutes les chambres, tous les parcs; dans *le Voyeur*, toutes les fermes et tous les galets, toutes les mouettes, toutes les pelotes de ficelle; les objets en forme de huit dans *le Voyeur*, les objets en fleuron dans le *Labyrinthe*; le policier Wallas et le tueur Garinati dans *les Gommes*; les deux gamins du *Labyrinthe*, qui ne sont peut-être qu'un, etc. On trouve ensuite des *reproductions artificielles*, comme la photographie du pavillon dans *les Gommes*, celle de Jacqueline Leduc dans *le Voyeur*, celle de la femme dans *la Jalousie*, du mari dans le *Labyrinthe*, celle de A. dans *Marienbad*; l'affiche de cinéma dans *le Voyeur*, qui mime la scène du meurtre; les gravures du parc, dans *Marienbad*, reproduisant la statue, qui reproduit elle-même le couple des amants; le tableau du café, dans le *Labyrinthe*, d'où sortent et où rentrent tour à tour tous les personnages; le roman en abîme de *la Jalousie*, qui répète ou annonce la situation du trio, la pièce de théâtre, elle aussi en abîme, dans *Marienbad*, qui préfigure et résume toute l'action du film. On peut encore ranger dans cette catégorie l'un des effets les plus surprenants du *Voyeur*, où l'on entend Mathias, au cours du déjeuner chez Robin, raconter à ses hôtes d'abord sa matinée, puis le déjeuner lui-même, c'est-à-dire le moment même où il parle, enfin la suite de sa journée, c'est-à-dire du futur, le tout dans un discours indirect au plus-que-parfait. Tous ces procédés sont à peu près des équivalences du miroir des *Visions réfléchies*, avec cette différence que le reflet obtenu ainsi n'est pas inverse, mais parallèle, donc plus facilement substituable. On trouve enfin des *répétitions et variantes du récit* : c'est ici, et ici seulement, qu'intervient la fameuse subjectivité, qui fournit comme un alibi temporel, une justification de l'anachronisme, des ratés ou des libertés prises par le récit avec sa propre chronologie. Il n'est pas nécessaire d'insister sur cet aspect, qui a été suffisamment mis en vedette par *Marienbad* et *l'Immortelle* :

en effet, la plupart des scènes de ces films « appartiennent » soit à un passé réel, soit à un passé mythique, soit encore à un présent hallucinatoire ou onirique, soit même à un avenir hypothétique; mais nous avions déjà rencontré dans les romans des faits du même ordre, depuis *les Gommes*, où les souvenirs et les demi-mensonges de Garinati et les hypothèses de Wallas et de Laurent, sans compter quelques faux témoignages, interfèrent avec la « réalité », jusqu'aux fascinations et délires de *la Jalousie* et du *Labyrinthe*, en passant par les anticipations et rétrospections du *Voyeur*, motivées [1] si l'on veut par l'obsession d'un meurtre à commettre ou déjà commis. C'est du moins à la caution de ces états « passionnels », comme dit Robbe-Grillet, que nous devons en partie l'allure si caractéristique de ces récits piétinants, hésitants, comme ébauchés et raturés, indéfiniment interrompus et repris, dont on peut trouver une image réduite dans la belle phrase involutive des premières pages de *Marienbad*, ou dans cette fissure au plafond que fixe dans son agonie le soldat du *Labyrinthe*, cette ligne « dont la forme, elle aussi, a quelque chose d'à la fois précis et compliqué, qu'il serait nécessaire de suivre avec application, de coude en coude, avec ses courbes, tremblements, incertitudes, changements de direction subits, infléchissements, reprises, légers retours en arrière... »

Cette interférence constante entre les diverses versions « objectives » et « subjectives » de l'action a naturellement pour effet de multiplier les répétitions, les reprises, les échos, et par conséquent de souligner les différences subtiles et les ressemblances troublantes non seulement entre objets ou personnages, mais entre les épisodes mêmes du récit. L'action ne se déroule pas, elle s'enroule sur elle-même et se multiplie par variations symétriques ou parallèles, dans

1. Il faut donner ici à la notion de *motivation* le sens que lui donnaient les formalistes russes, pour qui le « procédé » est l'être de la littérature, et le « contenu » une simple justification *a posteriori* de la forme.

un système complexe de miroirs, de fausses fenêtres et de glaces sans tain. En ce sens, on peut dire que tout le « matériel » du *Voyeur* est réuni sur le pont du navire avant même que Mathias ne pose le pied sur le sol de l'île : la valise de montres, la ficelle, la fillette, et, dans une coupure de presse, la manière de s'en servir. Tous les personnages du *Labyrinthe* descendent d'un tableau peut-être accroché dans la chambre du narrateur, et ce roman peut aussi bien passer pour une rêverie sur ce tableau que *Marienbad*, selon le mot d'Alain Resnais, pour un « documentaire sur une statue ». Et que se passe-t-il dans *les Gommes* ou *la Jalousie* qui ne se soit, d'une certaine façon, déjà passé?

A cet égard, l'œuvre de Robbe-Grillet la plus accomplie est sans doute *Dans le Labyrinthe*. Jamais Robbe-Grillet n'avait été plus près de cet état purement musical auquel tendait son génie. Les éléments thématiques (un soldat, une jeune femme, un enfant; un café, une caserne, un couloir, une chambre, une rue; une boîte, une lampe, un réverbère, un ornement en fleuron) sont dépouillés ici de tout attrait pittoresque ou pathétique. L'intérêt du roman tient tout entier dans la manière à la fois subtile et rigoureuse dont ces éléments se combinent et se transforment sous nos yeux. Entre l'exposé du thème et la reprise finale en *diminuendo*, un travail insensible et continu de variations, de multiplications, de fusions, de renversements, de substitutions, de métamorphoses et d'anamorphoses s'est opéré dans les personnages, les lieux, les objets, les situations, les actes et les paroles. Le soldat, le gamin, la jeune femme, se sont tour à tour dédoublés et confondus, les maisons et les rues se sont télescopées, un tableau s'est animé en scène, des scènes se sont figées en tableau, des conversations se sont ébauchées, répétées, déformées, dissoutes, des gestes se sont développés et évanouis, des objets ont changé de main, de lieu, de temps, de forme, de matière, le monde du réel et celui du possible ont échangé leurs attributs, une ville entière et un moment de l'histoire ont glissé de l'un à l'autre et vice-versa dans une imperceptible translation. Les dernières pages nous ramènent à la situation initiale, dans le calme et le silence où naissent et s'achèvent ce que Borges appelle « les secrètes aventures de l'ordre » : rien n'a bougé, tout est en place, et pourtant, quel vertige !

Le labyrinthe, espace privilégié de l'univers robbegrilletien, est cette région qui fascinait déjà les poètes baroques, région déroutante de l'être où se rejoignent, dans une sorte de confusion rigoureuse, les signes réversibles de la différence et de l'identité. Son mot-clé pourrait être cet adverbe inconnu dans notre langue [1], dont les *maintenant*, les *derechef* qui scandent ses récits donnent une approximation temporelle : *semblablement-mais-différemment*. Avec ses analogies récurrentes, ses fausses répétitions, ses temps figés et ses espaces parallèles, cette œuvre monotone et troublante où l'espace et la parole s'abolissent en se multipliant à l'infini, cette œuvre presque parfaite est bien à sa manière, pour paraphraser le mot de Rimbaud, un vertige « fixé », donc à la fois réalisé et supprimé.

Dans cet espace paradoxal, la subjectivité invoquée par Robbe-Grillet est à la fois un principe morphologique, puisqu'elle permet d'organiser le monde visible selon des rapports d'analogie qui appartiennent en principe à l'univers intérieur, ou peut-être simplement à l'espace du langage, et un moyen d'explication rassurante des « invraisemblances » qu'entraîne cette mise en forme. On peut évidemment s'interroger sur la nécessité d'une telle explication. On lira peut-être dans ce besoin constant de justification le conflit entre une intelligence positiviste et une imagina-

1. Il existait en grec classique, sous la forme *au*, qui signifiait à la fois *au contraire* et *de nouveau, de la même façon mais d'un autre point de vue*, ou *d'une autre façon mais du même point de vue*.

tion foncièrement poétique. Il faut en tout cas observer ceci : les protestations contradictoires de Robbe-Grillet procèdent toutes d'un double refus assez compréhensible de la « psychologie classique » et du fantastique pur et simple; et sa situation équivoque entre objet et sujet est un alibi perpétuel dont le va-et-vient lui permet d'échapper à ces deux écueils en jouant de l'un contre l'autre et réciproquement. Ainsi ses prétentions initiales à l'objectivité intégrale et sa conversion ultérieure à la subjectivité pure peuvent se ramener à une fonction unique : elles constituent ensemble le *point d'honneur* réaliste d'un auteur qui ne l'est pas, mais qui ne peut se résoudre à ne pas l'être : malaise exemplaire d'une littérature assiégée par un monde qu'elle ne peut ni refuser ni admettre.

BONHEUR DE MALLARMÉ ?

« On a souvent parlé de l'échec de Baudelaire : les pages qui suivent voudraient montrer un Baudelaire heureux. » Au nom près, cette phrase de *Poésie et Profondeur* pourrait s'appliquer à chacune des études critiques de Jean-Pierre Richard, et particulièrement à son *Univers imaginaire de Mallarmé* [1], dont le propos essentiel est bien de nous montrer un Mallarmé heureux.

Le principe de la critique richardienne, on le sait, consiste à chercher le sens et la cohérence d'une œuvre au niveau des sensations, des rêveries substantielles, des préférences avouées ou inavouées pour certains éléments, certaines matières, certains états du monde extérieur, au niveau de cette région de la conscience, profonde mais ouverte aux choses, que Bachelard a nommée l'*imagination matérielle*. Appliquer cette méthode de lecture, qui est à sa manière une psychanalyse, à l'œuvre de Mallarmé, c'est la soumettre à une épreuve assez redoutable, puisque toute psychanalyse consiste à passer d'un sens manifeste à un contenu latent : et comme le sens d'un poème de Mallarmé est rarement manifeste, deux herméneutiques, l'une littérale et l'autre que Richard appelle « structurale », doivent ici se superposer sans se confondre.

Le fil directeur de cette étude « totalitaire » qui vise à reconstituer dans son intégralité le paysage de la sensibilité

1. Éd. du Seuil, 1962.

mallarméenne, c'est la recherche constante, à travers et par-delà toutes les expériences négatives, d'un contact heureux avec le monde sensible. L'immédiateté édénique dont témoignent les poèmes d'enfance s'est rapidement déchirée dans une obsession de la faute, engloutie dans un gouffre de solitude et d'impuissance, mais jamais Mallarmé ne renoncera à retrouver son paradis perdu, et Richard parcourt longuement le réseau des médiations sensibles par lesquelles l'imagination s'efforce de rétablir ce contact : rêveries amoureuses où se manifeste une érotique subtile du regard filtré par le feuillage, les gazes, les fards, du désir porté par l'eau et par la flamme; expérience nocturne du naufrage de l'être atténué par la survie d'une veilleuse qui fonde une intimité fragile et allume les reflets de la conscience spéculaire; reconquête du sensible, après le suicide fictif de Tournon, en jaillissement de fleurs, de fusées, en battements d'éventails, de papillons, de danseuses; retour à autrui, substituant à l'ancien pouvoir de *sacre* de l'azur sa vertu dialectique de preuve dans l'expérience de la causerie, du théâtre, de la foule; rêverie de l'idée, terme d'un allègement progressif de la matière, par les transitions de la plume, du nuage, de l'écume, de la fumée, de la musique, de la métaphore; imaginations de la lumière, qui pénètre le regard mallarméen comme la peinture impressionniste, pour établir l'unité du monde sensible en l'inondant de sa splendeur uniformément diffuse; rêverie du Livre, enfin, où culmine une utopie du langage qui s'était portée d'abord sur le mot, investi d'une illusoire ressemblance à l'objet, puis sur le vers, conçu comme « mot total, neuf, étranger à la langue » et doué à son tour d'un pouvoir d'analogie, puis sur le poème, jeu de miroirs verbaux et microcosme « structural » : Livre plus que rêvé, entrevu, ébauché, où tout se résume et se résorbe, puisque le Monde n'existe que pour y aboutir.

Mais de cet immense panorama intérieur nul sommaire ne peut suggérer la richesse, dont l'essentiel tient à ses détails. Telles de ces analyses — sur l'érotique du feuillage, par exemple, la dynamique de l'éventail, la poétique de l'écume, de la dentelle, du brouillard — égalent les meilleures pages de Bachelard sur l'imagination matérielle. La sensibilité mallarméenne s'en trouve éclairée d'une manière décisive, et certaines de ses œuvres trop négligées, comme les *Mots anglais*, les *Contes indiens*, les chroniques de la *Dernière Mode*, y prennent leur véritable relief. Un certain visage de Mallarmé ne pouvait apparaître pleinement, dans tout l'éclat subtil de sa présence sensible, que sous le regard propre à la lecture richardienne : « Rêver, dit Richard, à un envol d'oiseau pour signifier l'acte poétique n'a rien, en soi, de bien original; imaginer le ciel comme un plafond contre lequel on se heurte ne réclame pas non plus une invention particulièrement active. Mais si l'oiseau crève une vitre, si cette vitre est aussi un tombeau, un plafond, une page; si cet oiseau laisse tomber des plumes qui font vibrer des harpes, puis deviennent des fleurs effeuillées, des étoiles tombées, ou de l'écume; si cet oiseau-écume déchire la transparence aérienne tout en se déchirant à elle; si cette transparence, devenue chant d'oiseau, éclate en mille gouttelettes qui se muent à leur tour en jet d'eau, en fleurs épanouies, en explosions de diamants ou d'étoiles, en coups de dés, on accordera que nous sommes chez Mallarmé et chez lui seul [1] ». On l'accordera, bien sûr, sans réserve, mais on ajouterait volontiers qu'un seul critique pouvait ainsi entrer et nous introduire chez ce Mallarmé-là, et qu'à ce titre, dans le bonheur de cette phrase, nous sommes chez Richard et chez lui seul.

Pourtant, cette lecture si précieuse et si enrichissante n'est pas sans provoquer en même temps une sorte de déception dont on donnerait une idée brutale et sans doute excessive en disant que dans ce tableau de l'imagination mallarméenne quelque chose se dérobe ou manque à apparaître, qui est la poésie, ou plus précisément le *travail poétique* de Mallarmé;

1. P. 29-30.

et qu'une certaine équivoque y règne sur les rapports entre l'œuvre et — rêverie, érotisme, accidents biographiques, journaux, correspondance — tout ce qui n'est pas elle. En effet cette analyse qui s'annonce d'emblée comme installée dans l'immanence, se révèle en fait doublement transcendante, ou, si l'on préfère, doublement transitive par rapport à l'objet poétique mallarméen.

Verticalement transitive, tout d'abord, parce qu'en cherchant à atteindre les « en-dessous » de l'œuvre, elle se porte sans cesse de l'œuvre à l'auteur. On retrouve là le postulat psychologiste qui est celui de presque toute la critique depuis plus d'un siècle, mais modifié (et peut-être aggravé) par deux autres qui composent l'héritage propre du bachelardisme : le postulat sensualiste, selon lequel le fondamental (et donc l'authentique) coïncide avec l'expérience sensible, et le postulat eudémoniste qui pose une sorte d'instinct du bonheur sensible au fond de toute l'activité de l'imagination. Trois axiomes qui se résument assez bien dans cette formule caractéristique : « Le bonheur poétique — ce qu'on nomme bonheur d'expression — n'est pas autre chose sans doute que le reflet d'un bonheur vécu [1] ». Affirmation pour le moins expéditive, qui ne manque pas de surprendre particulièrement dans un livre consacré à Mallarmé; mais cette certitude est l'âme même de la critique richardienne. Ce parti pris d'épicurisme se marque par une prolifération d'épithètes euphoriques : ici tout est *succulent*, *délicieux*, *merveilleux*, *bénéfique*, *parfait*; *quel plaisir*, et *quelle joie* lorsque ainsi tout nous *comble* et tout nous *satisfait* ! Car la technique même et l'abstraction même ne sont plus que nouveaux prétextes à rêverie heureuse. Mallarmé ne s'interroge pas sur les formes de la littérature, il *jouit rêveusement* d'un thème qui n'est plus la *touffe* ou le *pli*, mais le *mot*, le *vers*, le *livre*. Il ne pense pas, il caresse des idées, savoure des concepts, s'enivre de raisonnements.

1. P. 27.

La pensée ne peut et ne doit apparaître qu'en tant qu'objet de ce que Richard appelle *rêverie de l'idée*, et comme résorbée dans le pur plaisir de son évocation. Lorsque par accident une abstraction un peu trop rigide résiste à son propos de délectation (« Ici... les liaisons s'effectuent de manière très conceptuelle, ce qui leur donne une raideur, une littéralité parfois gênantes »), le critique n'a qu'une hâte, c'est de retourner bien vite aux joies du fondamental : « Quel plaisir cependant, après ces laborieux déchiffrages, que de retrouver à l'état nu une rêverie sue essentielle [1]. »

Cette valorisation systématique du sensible et du vécu détermine chez Richard une vision très particulière de l'univers mallarméen. Plus rien chez lui de cette volonté d'absence et de mutisme, de cette exploitation, poussée jusqu'à ses ultimes limites, du pouvoir destructeur du langage, sur lequel Maurice Blanchot avait si fortement porté l'accent. Pour Richard, le monde de Mallarmé n'est ni *vacant* ni silencieux : il regorge de choses et bruit d'une délicieuse rumeur. Mallarmé ne saurait « chercher l'absence » et encore moins la trouver, puisqu'il lui faut nécessairement « exprimer cette raréfaction à partir d'une plénitude, et indiquer l'évidement des choses par le moyen de choses très réellement présentes devant nous [2] ». Ce *très réellement présentes* s'inscrit résolument en faux contre certaines méditations sur le langage dont l'initiateur n'est autre que Mallarmé. Il semble pourtant que le réel évoqué dans sa *presque disparition vibratoire* ne se confonde pas avec celui de la présence sensible, et même si toute l'œuvre de Mallarmé ne se réduit pas au décor négatif du *Sonnet en - x*, il paraît difficile de négliger absolument l'effet de contestation qu'exerce le poème, au moins tel que Mallarmé l'entend et le pratique, sur les objets qu'il utilise et qu'il doit bien, de quelque manière, *abolir* pour se constituer lui-même en une sorte d'objet verbal. Mallarmé peut bien être, comme le dit

1. P. 167. — 2. P. 343.

Richard en une formule provocante, « le Chardin de notre littérature », mais il faudrait alors sous-entendre que le tableau de Chardin, quel que soit son prétexte matériel, ne représente finalement que lui-même, et que la peinture, comme la poésie, commence où finit le réel.

Les objets de l'œuvre poétique, ses thèmes, son espace sont-ils ceux de la rêverie sensible? L'œuvre — et spécialement l'œuvre de Mallarmé — peut-elle s'expliquer, ou même se comprendre par la rêverie? *Exprime*-t-elle la rêverie? Après lecture du livre de Richard, il est encore permis d'en douter. On a déjà noté que ce livre éclairait d'une manière plus convaincante les pages de prose des *Mots anglais* ou de la *Dernière Mode*, qui sont précisément, comme le dit Richard, des rêveries à peine transposées, que l'œuvre proprement poétique où les fantasmes de l'imagination se trouvent comme transcendés par le travail du langage. « La véritable condition d'un véritable poète, disait Valéry, est ce qu'il y a de plus distinct de l'état de rêve » — et cette phrase s'appliquerait peut-être à Mallarmé mieux qu'à tout autre. Après tout, l'analyse bachelardienne est une méthode d'exploration de la rêverie commune, dont Bachelard lui-même n'a voulu établir qu'une topique générale, illustrée çà et là d'exemples empruntés *entre autres* à des poètes, mais aussi bien à des prosateurs, à des philosophes, voire à des hommes de science égarés dans les « vésanies » de l'imagination. Le passage de cette topique générale à une thématique individuelle soulève déjà quelques difficultés, et lorsque Bachelard s'arrête plus longuement sur un auteur, comme Hoffmann dans *la Psychanalyse du Feu*, Poe dans *l'Eau et les Rêves*, Nietzsche dans *l'Air et les Songes*, ou même Lautréamont, c'est davantage en tant qu'il représente un type, un *complexe* exemplaire, que pour sa singularité irréductible; il n'est même pas certain que la notion d'individualité psychique puisse avoir beaucoup de sens dans cette perspective. Quant à l'étude d'une œuvre aussi élaborée, aussi close sur elle-même, aussi intransitive que l'œuvre poétique de Mallarmé, elle constitue évidemment un nouveau seuil, peut-être infranchissable à toute psychologie, fût-ce (comme c'est le cas) la plus ouverte et la plus déliée. Sur l'intimité rêveuse de Mallarmé, Richard nous apprend tout, et aussi que cette intimité, à quelque degré, nous appartient encore. Mais l'œuvre de Mallarmé, tendue tout entière vers ce langage impersonnel et autonome qui est le contraire d'une *expression*, et dont le bonheur ne doit rien, peut-être, à nul bonheur vécu, cette œuvre qu'il creuse et traverse de part en part en quête d'une profondeur, et qu'il disloque en autant de parcelles qu'il faut pour en faire le langage de cette profondeur, on dirait parfois qu'il l'épuise sans l'atteindre. Qu'il existe entre la rêverie d'un poète et son œuvre quelque parenté, quelque relation profonde, c'est plausible; que cette relation s'établisse dans une continuité sans faille qui autorise à glisser sans heurt de l'une à l'autre, c'est peut-être là l'utopie de la critique thématique. Utopie féconde, au demeurant, et dont le pouvoir de stimulation est loin d'être épuisé.

Transitive donc en profondeur, comme toute critique psychologique, la critique richardienne l'est aussi d'une manière plus spécifique, et déjà perceptible dans *Littérature et Sensation* : il s'agit maintenant d'une transitivité horizontale. Chaque étude de Richard se présente comme un relais continu d'analyses liées par le fil d'une insensible progression. Étude thématique certes, mais où chaque thème, chaque variation, chaque figure est emportée par un mouvement de transition perpétuelle, que souligne l'emploi constant de liaisons telles que *maintenant*, *désormais*, *dès lors*, *un pas de plus et voici que*... Ainsi, le répertoire des « substances ambiguës » chez Mallarmé nous conduit de la plume à la dentelle, de la dentelle au nuage, du nuage à l'écume. Il s'agit bien ici de restituer un passage progressif à des formes de matière de plus en plus subtiles, mais aucune des analyses de Richard n'échappe à ce mouvement, et l'on dirait à le lire qu'aucun écrivain ne parvient jamais à se fixer sur aucune figure, toujours attiré par la suivante, plus satisfaisante encore et plus accomplie, et pourtant déjà menacée par la prochaine, et que finalement toute son œuvre se dissout dans une longue modulation sans repos, un ruissellement chromatique ininterrompu, comme la mélodie infinie de l'opéra wagnérien. Le thème richardien est toujours transitoire : non seulement il n'est qu'un *passage* entre deux autres, mais encore il est toujours troublé par le souvenir du précédent et par l'attente du suivant : « La carafe n'est donc plus un azur, et pas encore une lampe [1]. » Ce mouvement continu, irrésistible, est un des charmes le plus efficaces de cette œuvre critique qui est aussi et surtout — faut-il le dire? — une merveilleuse création poétique et musicale. Mais quelle étrange thématique, qui sans cesse dévore ses thèmes pour assurer leur continuité, et qui, ce faisant, dévore aussi son objet ou du moins ce qu'elle considère elle-même comme la terre où il s'enracine. « La critique, dit Richard, aime les parcours souterrains [2] » : critique en forme de taupinière, où l'œuvre critiquée menace constamment de s'effondrer.

Cette mobilité dangereuse, Richard la justifie par une considération qui touche à un problème essentiel : « La critique, dit-il, nous a paru de l'ordre d'un parcours, non d'une station. Elle avance parmi des paysages dont son progrès ouvre, déplie, replie les perspectives. Sous peine de choir dans l'insignifiance du constat ou de se laisser absorber par la lettre de ce qu'elle veut transcrire, il lui faut avancer toujours, toujours multiplier angles, prises de vue. Comme les montagnards dans certains passages difficiles, elle n'évite la chute que par la continuité de son élan. Immobile, elle tomberait dans la paraphrase ou dans la gratuité [3]. » Que la critique, en effet, ne puisse se contenter de recenser et de collectionner des thèmes, et qu'elle doive sans cesse les mettre en rapport et les articuler, c'est là une exigence

1. P. 499. — 2. P. 17. — 3. P. 35.

qu'on ne peut manquer d'approuver. Mais une autre question est de savoir si cette articulation doit être conçue comme une filiation homogène et linéaire, ou comme un système d'éléments discontinus à fonctions multiples. Richard emploie souvent les termes de *structure* ou de *réseau*, qui semblent évoquer la seconde hypothèse, mais la plupart de ses analyses revêtent plutôt la forme d'un trajet continu, ou, comme il le dit ici, d'un parcours — sans qu'il soit toujours possible de distinguer clairement s'il s'agit d'un parcours idéal, c'est-à-dire d'une succession de motifs liés par leur propre pouvoir d'association, ou bien d'un parcours réel, c'est-à-dire imposé par la chronologie effective de l'œuvre, la coïncidence des deux ordres tenant toujours un peu du miracle ou de l'artifice.

On trouverait peut-être une ambiguïté comparable dans l'attitude de Richard à l'égard du structuralisme : d'un côté, l'intellectualisme caractérisé de cette forme de pensée heurte son goût profond pour le vécu et le concret : « La structure, nous le savons, est une abstraction [1] »; mais d'un autre côté, une interprétation tout intuitionniste de la notion de structure lui permet de l'identifier à celle, plus généreuse, de *totalité* : « L'intuition structurale ne peut pas, nous le savons, s'arrêter dans l'usage de telle ou telle forme organisante. Il lui faut, pour se satisfaire, embrasser une totalité des choses et des formes [2]. » Elle lui permet aussi d'envisager son propre livre comme une entreprise structuraliste, puisqu'en effet il s'agit bien d'une intuition totale de l'univers mallarméen. Mais une analyse structurale peut-elle prétendre d'emblée à une saisie aussi vaste? Ce n'est pas, semble-t-il, l'ambition des structuralistes : d'un Lévi-Strauss, par exemple, qui se défend de vouloir chercher *la* structure d'une société globale, et qui propose plus prudemment de chercher *des* structures là où elles sont, sans prétendre que tout soit structurable et moins encore qu'une structure

1. P. 533. — 2. P. 545.

puisse être totalisante. Au mieux pourrait-on essayer d'établir, à un niveau second, des métastructures ou structures de structures : soit le rapport qui peut unir (fût-ce par opposition ou renversement symétrique) un système de parenté et un système linguistique. Ainsi pourrait-on étudier (prenons l'exemple pour ce qu'il vaut) les structures de la rêverie mallarméenne, conçue comme une sorte de discours intérieur pourvu de sa rhétorique propre, d'une part; celles de l'œuvre poétique de Mallarmé, d'autre part; et chercher ensuite quelles relations structurales ces deux systèmes peuvent entretenir : mais nous serions là, cela va sans dire, en pleine « abstraction ». Au fond, le postulat, ou le parti pris, du structuralisme est à peu près inverse de celui de l'analyse bachelardienne : il est que certaines fonctions élémentaires de la pensée la plus archaïque participent déjà d'une haute abstraction, que les schémas et les opérations de l'intellect sont peut-être plus « profonds », plus originaires que les rêveries de l'imagination sensible, et qu'il existe une logique, voire une mathématique de l'inconscient. C'est un des grands mérites du livre de Richard que d'avoir souligné cette contradiction gênante, mais peut-être féconde, où la critique — entre autres — doit aujourd'hui se prendre, et se *tenir*.

ESPACE ET LANGAGE

« Il existe un *espace contemporain* [1]. » Cette thèse implique en fait deux ou trois hypothèses : d'abord, le langage, la pensée, l'art contemporain sont *spatialisés*, ou du moins font preuve d'un accroissement notable de l'importance accordée à l'espace, manifestent une valorisation de l'espace; ensuite, l'espace des représentations contemporaines est *un*, ou du moins, malgré ou par-delà les différences de registres et les contrastes d'interprétation qui le diversifient, il est susceptible d'une réduction à l'unité; enfin, cette unité se fonde, évidemment, sur quelques traits particuliers qui distinguent notre espace, c'est-à-dire l'idée que nous nous faisons de l'espace, de celle qu'en formaient les hommes d'hier ou d'autrefois. A ces trois hypothèses descriptives et compréhensives s'ajoute une hypothèse explicative, qui est de l'ordre de la psychologie sociale ou historique : l'homme d'aujourd'hui éprouve sa durée comme une « angoisse », son intériorité comme une hantise ou une nausée; livré à l'« absurde » et au déchirement, il se rassure en projetant sa pensée sur les choses, en construisant des plans et des figures qui empruntent à l'espace des géomètres un peu de son assise et de sa stabilité. A vrai dire, cet espace-refuge lui est d'une hospitalité toute relative, et toute provisoire, car la science et la philosophie modernes s'ingénient précisément à égarer les repères commodes de cette « géométrie du bon sens » et à inventer une

1. Georges Matoré, *l'Espace humain,* La Colombe, 1962, p. 291.

topologie déroutante, espace-temps, espace courbe, quatrième dimension, tout un visage non-euclidien de l'univers qui compose ce redoutable espace-vertige où certains artistes ou écrivains d'aujourd'hui ont construit leurs labyrinthes.

Cette ambiguïté qu'il trouve, à juste titre, dans le sentiment contemporain de l'espace semble faire hésiter Georges Matoré au moment de conclure. On peut admettre, pourtant, que l'espace soit aujourd'hui, comme il l'était à l'époque baroque, à la fois attirant et dangereux, favorable et maléfique. Au reste, pour bien des auteurs d'aujourd'hui, l'espace est d'abord un *parti pris*, dans le double sens à la fois résigné et passionné du terme. L'ambiguïté du thème spatial ne compromet donc pas nécessairement l'unité de ce sujet; son autonomie, peut-être : car si l'espace est ambivalent, c'est sans doute qu'il est lié à plus de thèmes qu'il ne semble d'abord. Mais un sujet tout à fait autonome serait-il vraiment significatif?

Paradoxalement, s'il y a dans ce livre un élément du rupture et de déséquilibre, il ne tient pas à la complexité du sujet, mais à une sorte d'équivoque de structure. Que l'espace de Proust ne soit pas celui de Cézanne, et que ni l'un ni l'autre ne soit celui du « sens commun », est peut-être moins troublant que ceci, qui n'est plus d'ordre esthétique ou psychologique, mais d'ordre sémiologique : cet espace dont Matoré analyse les significations, joue tantôt le rôle du *signifié*, tantôt celui du *signifiant*. Les deux premiers tiers de son livre, en effet, sont consacrés à une étude des « métaphores spatiales » dans l'écriture contemporaine (écriture vulgaire, savante ou littéraire). Dans ces métaphores, le plus souvent irréfléchies (la *ligne* du Parti, les *perspectives* d'avenir, la *distance* intérieure, le *plan* divin, etc.), on ne parle pas *de* l'espace : on parle d'autre chose *en termes* d'espace — et l'on pourrait presque dire que c'est l'espace qui parle : sa présence est implicite, impliquée, à la source ou à la base du message plutôt que dans son contenu, comme dans une phrase celle de la langue ou du locuteur lui-même. S'il y a quelque part un *langage de l'espace*, c'est ici qu'on le trouve, ainsi peut-être, mais en un tout autre sens, que dans ces constructions plastiques (sculpture, architecture) qui sont autant d'allusions au vide qui les entoure et les supporte, et donc d'une certaine façon les *profère*.

Les métaphores spatiales constituent donc un discours, à portée presque universelle, puisqu'on y parle de tout, littérature, politique, musique, et dont l'espace constitue la forme, puisqu'il fournit les termes mêmes de son langage. Il y a bien ici un signifié, qui est l'objet variable du discours, et un signifiant, qui est le terme spatial. Mais du seul fait qu'il y a figure, c'est-à-dire transfert d'expression, à l'objet nommément désigné s'ajoute un second objet (l'espace), dont la présence est peut-être involontaire, en tout cas étrangère au propos initial, et introduite par la seule forme du discours. Il s'agit donc ici d'un espace *connoté*, manifesté plutôt que désigné, parlant plutôt que parlé, qui se trahit dans la métaphore comme l'inconscient se livre dans un rêve ou dans un lapsus. Au contraire, l'espace décrit par le physicien, le philosophe, l'écrivain, l'espace constitué ou reconstitué par le peintre ou le cinéaste est directement visé par le savant ou l'artiste comme l'objet d'une intention claire. C'est à ces représentations directes que s'attache la dernière partie du livre, et encore une fois la dissymétrie fonctionnelle de ces deux espaces, le parlant et le parlé, importe davantage que telle ou telle différence de contenu. Il est d'ailleurs caractéristique que cette seconde partie, celle qui à première vue devrait porter le plus directement sur le contenu des représentations spatiales, s'arrête au contraire sur des problèmes de forme : de technique ou de code. La *description* littéraire, la *perspective* en peinture, le *découpage* et le *montage* cinématographiques dans la représentation de l'espace, tels sont les sujets qui s'imposent alors d'eux-mêmes, et d'où Matoré tire quelques pages très fortes, mais où il est nécessairement moins question de l'espace que des lois propres à l'expression littéraire, picturale ou cinématographique. Tout se passe donc comme si l'espace dénoté dégageait moins de significations spatiales que l'espace connoté, comme si l'espace-figure parlait plus de lui-même que l'espace-contenu. Cette hypothèse en appellerait bien d'autres.

Linguiste, et plus précisément lexicologue, Matoré conçoit l'étude du vocabulaire comme une annexe de la sociologie [1]. Les métaphores qu'il interroge ne sont pas, comme les images étudiées par Bachelard ou Richard, les affleurements poétiques d'une rêverie profonde, individuelle ou « collective » au sens jungien du terme (qui renvoie encore à une anthropologie des profondeurs). La « zone » qu'il « explore » est plus « socialisée » [2]. « Notre espace, qui est collectif, écrit-il, est beaucoup plus rationalisé que celui de la rêverie individuelle et de l'imagination poétique [3]. » C'est donc, après la *poétique* bachelardienne, une sorte de *rhétorique sociale de l'espace* qu'il nous propose. Les métaphores qu'il observe ne sont pas des symboles, ni des archétypes : ce sont des *clichés* — ceux du journaliste, du philosophe, de l'« intellectuel » plus que du romancier ou du poète; et il est caractéristique à cet égard que ce livre sur l'espace contemporain ne se réfère que rarement, sinon jamais, à des œuvres aussi vouées à l'espace que celle d'un Supervielle, d'un Char, d'un Du Bouchet : il engage moins la thématique littéraire que celle des « communications de masse ».

Un tel parti est évidemment légitime chez un linguiste qui proclame sa volonté de se mouvoir « au ras des réalités sociales [4] ». Ce qui surprendra peut-être davantage, eu égard à ce parti même, c'est l'absence presque totale de données statistiques. Mais Matoré s'en justifie à plusieurs reprises, dans ce livre comme dans le précédent : il ne croit pas à la valeur significative du « phénomène brut de fréquence ». « La solution du problème, écrivait-il en 1953, consisterait selon nous non à compter des mots, mais à affecter ceux-ci d'un

1. Cf. Georges Matoré, *la Méthode en lexicologie*, 1953.
2. *L'Espace humain*, p. 157.
3. *Ibid.*, p. 173. — 4. *Ibid.*, p. 63.

exposant qui exprimerait leur importance à l'intérieur de la structure lexicologique étudiée [1]. » C'était engager nettement les études lexicologiques sur la voie des recherches structurales. Les « champs notionnels » de Matoré, avec leurs « mots-témoins » et leurs « mots-clefs », rejoignaient ainsi les « champs linguistiques » de Jost Trier : le vocabulaire d'une époque (ou d'une œuvre) n'était plus une nomenclature inerte calquée sur une collection d'objets ou de notions, mais une forme active, découpant le réel à sa manière propre, significative d'autre chose que son objet, où chaque mot prenait sa valeur non pas du rapport vertical qu'il entretient avec une chose, mais des relations latérales qui l'unissent à l'ensemble des éléments de son « champ sémantique »; l'histoire du vocabulaire n'était plus cette étymologie « atomiste » qui suit à la trace l'évolution de formes isolées et de sens parcellaires, mais un procès global reconstituant, de génération en génération, les modifications solidaires d'un système.

A cet égard, *l'Espace humain* ne tient pas totalement les promesses de *la Méthode en lexicologie*. L'étude structurale y est sans cesse esquissée, mais aussi souvent esquivée. Matoré nous confie dans sa conclusion que « le caractère concret de (ses) recherches a imposé à la méthode (qu'il avait) préconisée auparavant... des modifications importantes... L'ouvrage s'est ainsi constitué de manière empirique, par sédimentations plus ou moins liées, plus ou moins hétérogènes [2] ». Cet allègement méthodologique, cette conversion partielle à l'empirisme, Matoré les justifie par l'évolution des sciences humaines, qui découvrent la dimension du « vécu » et, dans une inspiration qu'il estime parente de celle de la phénoménologie, rompent avec les catégories de la « sociologie durkheimienne » — auxquelles il rattache les « prémisses philosophiques » de la linguistique saussurienne. On pourrait discuter toutes ces opinions, ainsi que les notions explicatives dont

1. *La Méthode en lexicologie*, p. 82.
2. *L'Espace humain*, p. 277.

Matoré dresse lui-même la liste : « vécu, existence, destin, angoisse, authenticité [1] ». On regrette en tout cas que certaines analyses comparatives n'aient pas été conduites par lui jusqu'à la constitution d'un véritable champ notionnel. Ainsi son étude des termes de surface dans le langage spatial distingue-t-elle très pertinemment les notions de *domaine*, de *région*, de *zone*, de *registre*, de *niveau*, de *plan*, de *champ*. Il montre bien, par exemple, en quoi la *zone* est plus ouverte et plus dialectique que la *région*, en quoi *le plan* se définit davantage par sa position sur un axe vertical que par sa propre hozizontalité, en quoi la hiérarchie des *registres* est plus continue que celle des *niveaux* ou des *paliers*, et tout ce que le *champ* retient de ses implications scientifiques. Mais si le lexique d'une époque, comme le voudrait Trier et comme Matoré semblait l'admettre, est un « système où tout se tient », il serait utile d'établir la structure de ce système, en ce qui concerne, par exemple, le champ des termes de surface aujourd'hui, pour la comparer ensuite à ce qu'elle était il y a vingt ou trente ans. Moyennant quoi l'étude en serait plus rigoureusement synchronique, tandis que celle que nous offre Matoré semble toujours ouverte sur des considérations panchroniques, ou, comme il le dit à propos de Bachelard, « intemporelles » : car si ses références sont toujours prises dans le corpus particulier du XXe siècle, rien ne permet encore de juger du degré d'originalité de la « mentalité historique » qu'elles révèlent.

Les linguistes l'ont en effet bien souvent remarqué et, l'on sait tout ce que Bergson en a tiré pour son compte : il existe entre les catégories du langage et celles de l'étendue une sorte d'affinité, qui fait que de tous temps les hommes ont emprunté au vocabulaire spatial des termes destinés aux applications les plus diverses : ainsi, presque toutes les prépositions ont désigné des rapports spatiaux avant d'être transposées dans l'univers temporel et moral; le terme même de

1. *L'Espace humain*, p. 281.

« métaphore spatiale » est presque un pléonasme, car les métaphores sont généralement tirées du lexique de l'étendue : il y a toujours de l'espace dans le langage, quand ce ne serait que cet intervalle variable, souvent imperceptible, mais toujours actif, entre la lettre et l'esprit, que la Rhétorique appelait *figure*, observant au passage que le mot « figure » n'est lui-même qu'une métaphore corporelle [1]. Tout notre langage est tissé d'espace. Il est donc difficile de préciser dans quelle mesure et de quelle manière le vocabulaire actuel est plus spatialisé que celui d'hier, et quel est le sens de cette sur-spatialisation. Un fait paraît certain, sur le plan de l'idéologie générale, c'est que le discrédit de l'espace qu'exprimait si bien la philosophie bergsonniene a fait place aujourd'hui à une valorisation inverse, qui dit à sa façon que l'homme « préfère » l'espace au temps. De cette préférence, on croit bien voir quelques raisons, mais qu'ont-elles de spécifiquement moderne, c'est toute la question.

Peut-être une analyse thématique, en lexicologie et ailleurs, ne s'éprouve-t-elle, ne se vérifie-t-elle que lorsqu'elle s'achève en synthèse structurale, si risquée soit-elle, car ce risque même est épreuve. Ainsi la méthode structurale pourrait-elle restituer aux sciences humaines cette rigueur et cette responsabilité qu'elles cherchaient naguère dans l'établissement des relations causales : c'est la grande leçon d'un Lévi-Strauss, peut-être. Cette référence s'impose d'autant plus à propos de *l'Espace humain* qu'il s'agit, comme le dit bien Matoré lui-même, d'un champ « rationalisé », dont le langage est sans doute plus sémiologique que symbolique, constitué non sur une collection d'analogies singulières entre termes et objets, mais sur un rapport global d'homologie : l'espace contemporain signifiant l'homme contemporain *par système interposé*, comme les classifications « totémiques » expriment des structures sociales sans qu'aucun groupe « ressemble » à son totem. On pourrait donc reprocher à Matoré de traiter par-

1. Fontanier, *Manuel classique pour l'étude des tropes*, 1822, p. 36.

fois les clichés comme s'ils étaient des symboles, ou de projeter sur des signes arbitraires ce que Roland Barthes appellerait une « conscience symbolique » (motivante) : aussi bien reconnaît-il lui-même en toute probité que son objet est rationalisé, et que sa méthode ne l'est pas.

Il reste de toute manière que Matoré ouvre et défriche dans ce livre un domaine capital, et renverse lucidement quelques perspectives classiques. Ainsi quand il rappelle « l'espace partout présent » dans l'œuvre de Proust, et que « le monde proustien nous offre une spatialité plus originale que l'œuvre de Bergson dont on le rapproche si souvent : chez Proust s'affirme le caractère fragmentaire, dissocié de la réalité, et notamment de l'espace : cette discontinuité apparaît notamment dans la composition, qui continue la technique des tableaux chez Flaubert, mais en leur conférant un caractère qui les rapproche souvent de l'espace filmique [1] ». Au moment où paraissait ce livre, Georges Poulet, après avoir étudié le temps chez Proust, découvrait l'*espace proustien*. La rencontre est notable. Proust, qui ne rêvait, c'est-à-dire ne vivait que d'espace, et d'un espace « substantialisé », comme le dit Matoré à propos de l'espace contemporain en général [2], intitulait encore son œuvre *A la Recherche du Temps perdu*. Aujourd'hui la littérature — la pensée — ne se dit plus qu'en termes de distance, d'horizon, d'univers, de paysage, de lieu, de site, de chemins et de demeure : figures naïves, mais caractéristiques, figures par excellence, où le langage s'*espace* afin que l'espace, en lui, devenu langage, se parle et s'écrive.

1. *L'Espace humain*, p. 206.

2. *Ibid.*, p. 287. Cf. Yves Bonnefoy, *la Seconde Simplicité* : « J'aime que l'espace soit substance. »

LE SERPENT DANS LA BERGERIE

Vue de France — et de cette France classique qui se survit, au moins, jusqu'à l'époque des premières lectures de Jean-Jacques — *l'Astrée* est une origine. Au lendemain des guerres de Religion, à l'aube du XVIIe siècle (la première partie paraît en 1607), ce roman pastoral — le premier grand roman français depuis le moyen âge — inaugure une tradition, on dirait presque une civilisation de l'amour, de l'héroïsme et de l'élégance : à la scène (plusieurs dizaines de pièces tirées de *l'Astrée* jusqu'en 1650), à la Cour et à la ville (où *l'Astrée* fut, pendant plus d'un demi-siècle, le bréviaire des sentiments et des bonnes manières), et jusqu'en pleine révolution : au début de la Fronde, devant le spectacle des insurgés rassemblés à l'Hôtel-de-Ville, Noirmoutiers se penche vers le Coadjuteur et lui dit : « Je m'imagine que nous sommes assiégés dans Marcilly. — Vous avez raison, lui répondis-je; Mme de Longueville est aussi belle que Galathée. Mais Marcillac n'est pas aussi honnête homme que Lindamor. » Pour ne rien dire du genre romanesque, où la postérité de *l'Astrée*, de Gomberville en Scudéry, resurgit dans *la Nouvelle Héloïse* avant de s'épanouir dans *Leuwen* et dans *la Chartreuse*.

Pourtant, *l'Astrée* est aussi héritière, et d'un héritage plus imposant encore. De l'*Arcadia* de Sannazar à la *Galatea* de Cervantes en passant par la *Diana* de Montemayor, toute la tradition pastorale. De *Tristan* aux *Amadis*, toute la lignée courtoise, et toute la chevalerie. Et l'Arioste, et le Tasse.

Et par-delà le Moyen Age, Héliodore et Longus, et les bergers de Virgile, et les bouviers de Théocrite. Tout le romanesque dont fut capable l'Occident païen, chrétien, humaniste et baroque. Un singulier mariage de nymphes et de chevaliers, de houlette et de Graal, de Table Ronde et d'Arcadie : le roi Arthur chez le dieu Pan.

S'il existe une histoire du Roman, non pas seulement comme « genre littéraire », mais comme sentiment et forme de l'existence, *l'Astrée* est dans cette histoire l'œuvre-clef, le moment capital : l'étroit goulet par où tout l'ancien se déverse, se reverse dans tout le moderne. Et si le Romanesque est une donnée fondamentale, transhistorique, de l'imagination humaine, alors il n'y a qu'un roman, qui est tous les romans : et ce roman des romans, c'est *l'Astrée*.

« Nous sommes dans le Forez... sur les bords doucereux du Lignon, cette galante rivière qui roule des flots de petit-lait; c'est un charmant pays que celui-là, et que je regrette fort pour ma part. Les arbres y ont des feuillages en chenille de soie vert pomme; les herbes y sont en émail, et les fleurs en porcelaine de la Chine; du milieu des buissons bien peignés, de grandes roses, grosses comme des choux, vous sourient amicalement de leurs lèvres purpurines, et vous laissent lire leurs innocentes pensées au fond de leur cœur écarlate. Des nuages en ouate bien cardée flottent moelleusement sur le taffetas bleu du ciel; des petits ruisseaux, faits des larmes des amants, se promènent, avec un gazouillis élégiaque, sur un fond de poudre d'or; de jeunes zéphyrs agitent doucement leurs ailes en guise d'éventail, et répandent en l'air une fraîcheur délicieuse; les échos y sont fort ingénieux et les mieux appris du monde; ils ont toujours à répondre quelque assonance réjouissante aux stances qu'on leur adresse, et ne manquent jamais de répliquer à l'amant qui leur demande si sa maîtresse est sensible aux tourments qu'il endure — dure. Car dans ce pays fabuleux, la rime naturelle de maîtresse est tigresse. — D'adorables petits agneaux crêpés et poudrés, avec un ruban rose et une clochette d'argent au cou, bondissent en cadence et exécutent le menuet au son des musettes et des pipeaux. Les bergers ont des souliers à talons hauts, ornés de rosettes prodigieuses, un tonnelet avec des passequilles, et des rubans partout; les bergères étalent sur le gazon une jupe de satin relevée de nœuds et de guirlandes. Quant aux loups, ils se tiennent discrètement à l'écart et ne font guère paraître le bout de leur museau noir hors de la coulisse que pour donner à Céladon l'occasion de sauver la divine Astrée. Cette heureuse région est située entre le royaume de Tendre et le pays de Cocagne, et depuis bien longtemps l'on a oublié le chemin qui y conduit. — C'est dommage! j'aurais bien voulu l'aller voir. »

C'est ainsi que Théophile Gautier [1], plus de deux siècles après, et non sans en forcer, mais avec la plus exquise connivence, le caractère factice, retrouvait le décor des aventures de Céladon. Rousseau, entre-temps, avait renoncé au pèlerinage dans la crainte — d'ailleurs sans fondement — de trouver en Forez plus de forgerons et de taillandiers que de Dianes et de Silvandres. A vrai dire, le « lieu » de *l'Astrée* (comme diront les théoriciens du théâtre classique) est à double entente. Il y a un espace extérieur et *rapporté*, qui est celui où se situent les innombrables « histoires » brochées sur l'action principale, et dont les limites, virtuellement, sont celles du monde accessible; il y a un lieu réel, celui où l'on vient raconter ces histoires, et où vivent, meurent et ressuscitent les protagonistes. Ce lieu, on le sait, c'est le Forez, ou plus précisément la plaine du Forez, entre Rhône et Auvergne : la vallée du Lignon, pays natal d'Honoré d'Urfé : « Nous devons cela au lieu de notre naissance et de notre demeure, de le rendre le plus honoré et renommé qu'il nous est possible. » De cette familiarité naîtront quelques paysages

1. René Bray, *Anthologie de la poésie précieuse*, p. 201.

dont la précision et le naturel tranchent sur les conventions de l'arcadisme traditionnel : « Montverdun est un grand rocher qui s'élève en pointe de diamant au milieu de la plaine, du côté de Montbrison, entre la rivière de Lignon et la montagne d'Isoure; que s'il était un peu plus à main droite du côté de Laigneu, les trois pointes de Marcilly, d'Isoure et de Montverdun feraient un triangle parfait. » Pourtant, le Forez astréen n'est pas essentiellement un paysage vécu, c'est un lieu symbolique et privilégié, et plus encore qu'une Arcadie : un véritable Eden pastoral.

Géographiquement, il s'agit d'une plaine ceinte de montagnes de toutes parts, « comme d'une forte muraille ». Plaine fertile, d'un climat parfaitement tempéré, d'un site harmonieusement « composé », arrosée par des rivières et des ruisseaux « doux et paisibles ». Ses habitants y vivent — ou du moins y vivraient, sans la « tyrannie de l'Amour » — dans le « contentement du premier siècle », c'est-à-dire de l'âge d'or. Cette clôture, cette harmonie, cette perfection, ce contentement paradisiaque désignent bien moins, sans doute, un pays natal qu'une patrie de rêve. A l'époque où se situe l'action (ve siècle après Jésus-Christ), le Forez est un royaume pacifique, miraculeusement isolé des guerres et invasions de toutes sortes qui font rage alentour et dans toute la Gaule. Au cours de la quatrième partie (autant dire du quatrième acte), une révolte éclatera bien, conduite par l'ambitieux Polémas, au nom symbolique, révolte suivie d'un siège et de divers engagements, mais cette péripétie dramatique ne fait qu'accentuer par contraste le privilège irénique dont jouit ordinairement le royaume.

Les troubles de la guerre ainsi évacués, reste à circonscrire le plus étroitement possible le poids des responsabilités et des intrigues politiques : le monde de la puissance et de l'ambition. A ce dessein répond une délicate hiérarchie où la dignité romanesque est en raison inverse du prestige social (la société pastorale est en cela l'image renversée du monde tragique, où la Grandeur et le Destin ont systématiquement partie liée). A la tête du royaume, dans sa capitale Marcilly, la reine Amasis et sa fille la « nymphe » (princesse) Galathée, entourées d'une cour policée et turbulente. Au-dessous, une noblesse de chevaliers et un clergé de druides et de vestales dont le chef, le grand druide Adamas, est l'autorité morale suprême du pays. En bas, le peuple des bergers et des bergères, qui est le véritable héros du roman. Ces bergers ne sont pourtant pas roturiers : ce sont d'anciens nobles qui ont choisi un jour, « d'un mutuel consentement », de renoncer à toute ambition et de « s'acheter par cette douce vie un honnête repos ». Ils ne sont bergers que pour n'être pas courtisans ou chevaliers, exemptés, par la grâce oisive de cette condition, des tourments du métier comme des soucis des affaires. Comme le dit bien Jacques Ehrmann [1], « ce n'est pas un état civil, c'est un état métaphysique ». Ni riches ni pauvres, ni serfs ni seigneurs, ils pratiquent, si l'on peut dire, un degré zéro de l'existence sociale qui les laisse entièrement vacants et disponibles pour d'autres occupations et d'autres « tyrannies ». Au royaume d'Amasis, ils sont privilégiés parmi les privilégiés, et leur bonheur superlatif exerce sur les nymphes et les chevaliers une véritable fascination. « Vous êtes plus heureux que nous », dit Silvie, et Léonide finira par quitter la Cour pour venir partager leurs joies.

Le Forez astréen est donc le lieu d'une utopie progressive et concentrique : au cœur d'un monde en guerre, un royaume paisible; au cœur de ce royaume paisible, une retraite édénique. Un asile, et aussi un pèlerinage : en effet, au centre (inaccessible) du royaume utopique se trouve un sanctuaire de l'Amour, où une source enchantée, la Fontaine de la Vérité d'Amour, exerce un singulier pouvoir de divination : « par la force des enchantements, l'amant qui s'y regardait voyait celle qu'il aimait, que s'il était aimé d'elle il s'y voyait auprès, que si de fortune elle en aimait un autre, l'autre y

1. J. Ehrmann, *Un paradis désespéré : l'Amour et l'Illusion dans l'Astrée*, P.U.F., 1963. p. 12.

était représenté et non pas lui. » A cause des conséquences fâcheuses de ces révélations indiscrètes et trop infaillibles, la fontaine magique est maintenant gardée par des lions et des licornes, et protégée par divers enchantements, mais elle continue d'attirer les amants curieux de la vérité de leur cœur et du succès de leurs feux, d'autant qu'un oracle affirme qu'elle doit redevenir accessible le jour où l'amant et l'amante les plus accomplis seront venus se sacrifier devant elle. Ainsi le sanctuaire est-il au centre, non seulement de la curiosité, mais de tout un concours de perfection amoureuse, et sa présence fait du pays de Lignon la capitale universelle de l'Amour, une sorte de Panégyrie perpétuelle où les amants du monde entier viennent tenter leur chance, conter leurs fortunes et leurs infortunes au public le plus éclairé, soumettre leurs différends au tribunal le plus compétent, consulter les prêtres les mieux disposés, les dieux les plus favorables.

La théologie astréenne est en effet des plus complexes, mais il faut y distinguer un culte officiel et une religion profonde. Le culte officiel, c'est le druidisme celtique mêlé d'influences gréco-latines apportées par les Romains : le dieu unique est Teutatès, également honoré dans ses hypostases Hésus, Tharamis et Bélénus, que l'on peut identifier à Mars, Jupiter et Apollon. Le culte de Vénus voisine avec la cueillette du gui sacré, les vestales coopèrent avec les druides et les druidesses, les bardes et les vacies. Mais ces détails empruntés aux *Antiquités et Histoires gauloises et françaises* du président Fauchet [1] n'ont qu'une valeur historique et pittoresque : la véritable religion de *l'Astrée*, c'est l'amour, et sa théologie profonde, c'est la mystique néo-platonicienne de la Beauté. Comme le druide Adamas l'explique à Cédalon, « toute beauté procède de cette souveraine bonté que nous appelons Dieu, et c'est un rayon qui s'élance de lui sur toutes les choses créées. » L'amour est désir de beauté, donc de

1. Cf. M. Magendie, *L'Astrée d'Honoré d'Urfé*, Paris 1929.

bonté; tout amour est donc inspiré par Dieu, et il répond d'autant mieux à cette inspiration qu'il s'attache aux créations les plus proches du Créateur, qu'il s'épure en visant l'âme de préférence au corps, ou du moins l'âme à travers le corps. L'amour physique est donc un degré vers l'amour divin. Les âmes jadis unies en Dieu aspirent à se rejoindre, le désir est une *aimantation* qui les pousse l'une vers l'autre, et leur fusion est un retour à l'unité première. Ces théories se retrouvent dans les *Épîtres Morales* publiées par d'Urfé de 1595 à 1608. Elles expriment assurément une philosophie qui lui est chère, sinon propre : elle vient tout droit des Traités d'Amour italiens du XVIe siècle, de Bembo, de Balthazar Castiglione, de Léon Hébreu [1]; elle rejoint aussi, de sainte Thérèse à saint François de Sales (ami très proche d'Honoré d'Urfé), une forme de sensibilité religieuse caractéristique de l'époque, et qui se survivra, malgré Port-Royal et Bossuet, jusqu'au quiétisme de Fénelon : religiosité diffuse où tendent à se confondre, ou tout au moins à se rapprocher comme autant de variantes d'une même inspiration, les mille formes de l'amour et de la dévotion. Cette suave nuance de l'humanisme chrétien qui élève l'âme en flattant les sens, c'est ce qu'on voudrait nommer l'*érotisme dévot*. D'où ce chassé-croisé typique du climat affectif de *l'Astrée*, où la religion se fait presque galante, où la passion s'enveloppe volontiers, pour citer le chanoine Reure, biographe de l'auteur, « de formes liturgiques : Céladon élève un temple à sa déesse Astrée, il lui adresse pieusement ses oraisons, et résume son culte dans des formules hiératiques qu'il appelle les Douze Tables des Lois d'Amour [2] ».

Car s'il y a une religion de l'amour, et un culte de l'être aimé, avec son rituel, ses oraisons, ses cantiques, ses sacre-

1. Cf. A. Adam : « La théorie mystique de l'amour dans *l'Astrée* et ses sources italiennes », *Revue d'Histoire de la Philosophie*, 1937.
2. Chanoine Reure, *la Vie et les Œuvres d'Honoré d'Urfé*, Paris 1910.

ments, ses vœux, ses dévotions particulières, ses fétichismes, ses hérétiques et même ses incrédules, il y a aussi, sous une forme plus séculière, un Code de l'Amour parfait. Les principes de ce code sont bien connus : ce sont, à quelques nuances près, ceux de l'amour courtois. La femme étant, de par sa beauté et sa vertu, un être supérieur, intermédiaire entre l'homme et Dieu, on appelle amour le sentiment qu'elle inspire à l'homme et le « service » absolu par lequel s'exprime ce sentiment. L'amant doit tout à l'aimée, y compris sa vie, et il va de soi qu'il ne respire que par sa permission expresse, et que son devoir le plus élémentaire est d'obéir sans retard à un éventuel arrêt de mort, quitte à le provoquer pour le plaisir (ou du moins la gloire) de s'y soumettre. « Aimer, dit Silvandre, c'est mourir en soi pour revivre en autrui, c'est ne se point aimer que d'autant qu'on est agréable à la chose aimée, et bref, c'est une volonté de se transformer, s'il se peut, entièrement en elle. » L'amour urféen, c'est cette aliénation sans réserve de l'amant à l'aimée, dont le sacrifice suprême est non seulement la preuve nécessaire, mais l'expression la plus adéquate, et à vrai dire la seule adéquate. C'est pourquoi le roman des amours d'Astrée et Céladon *commence* par le suicide de Céladon. Suicide manqué, bien sûr, mais d'une certaine manière accompli, puisque Céladon, sauvé malgré lui, devra se muer en Alexis pour se survivre, et ne redeviendra Céladon que sur l'ordre d'Astrée. Cette petite ruse était bien le moins que d'Urfé devait à son roman, mais on en rencontrera bien d'autres.

A cette dévotion amoureuse, la femme aimée peut répondre par un refus pur et simple (soit par vertu dédaigneuse, soit parce qu'elle aime ailleurs), par l'incrédulité (un tel quiproquo suspendra pendant quelque cinq mille pages les amours de Diane et Silvandre), ou par un acquiescement comparable au *numen* d'acceptation des dieux romains : en principe, ses faveurs s'arrêtent à cette extrémité, qui consiste à écouter avec bienveillance force madrigaux et infinis développements, voire agréer quelque billet en prose ou en vers. La moindre faute est irrémissible : difficile à conquérir, la bergère est facile à perdre. Quant à l'accomplissement de l'amour consenti, il est rejeté vers cette limite asymptotique dont la promesse marque les dénouements, et qui se nomme le mariage; ici réside la principale différence entre le code pastoral et le code courtois, qui n'admettait guère l'amour qu'hors mariage, dans un adultère plus ou moins sublimé.

Tels sont les principes. Comme tous les codes, celui-ci tolère des exceptions en tant qu'elles confirment la règle, admet des infractions pour se manifester en les réprimant, et surtout il ferme les yeux sur les fraudes habilement déguisées. Exception : Hylas le séducteur chauve et inconstant, sceptique en religion, libre-penseur de l'amour, dont les aventures et les paradoxes épicuriens égayent la compagnie et donnent à Silvandre, théoricien de l'amour parfait, l'occasion de réfutations triomphantes; il finira d'ailleurs par rentrer dans le rang : il épousera une coquette, et cette double conversion établira définitivement le règne exclusif de l'amour constant. Infractions légères : l'amour de Galathée, puis de Léonide pour Céladon, qui seront rachetés par la souffrance et le sacrifice avant d'être enfin surmontés. Infractions graves : la trahison de Sémire, la révolte de Polémas, toutes deux punies de mort. Fraudes... mais toute l'action principale, les amours d'Astrée et Céladon, n'est que l'histoire d'une fraude subtilement ménagée, hypocritement exploitée, perversement prolongée pendant cinq mille pages : nous allons le voir. Le statut des diverses tolérances n'est donc pas homogène : exceptions permises et infractions punies sont au service du Code, dont elles rehaussent la force et l'éclat; la fraude, elle, n'est pas au service du code, on dirait tout au contraire que le code n'existe que pour engendrer la fraude. Ce qui confirmerait la valeur privilégiée de l'intrigue centrale (souvent contestée par les commentateurs) par sa fonction culminante dans le système : tant de couples, tant d'aventures pour établir et constituer une règle, laquelle à son tour n'existerait que pour être douloureusement subie, et voluptueusement tournée par le couple principal. Le romanesque, chacun sait cela, c'est la passion triomphant (le plus tard possible) des obstacles. Sans obstacles, pas de roman, et à vrai dire, pas de passion. Une fois éliminés les rivaux (et rivales) et l'hostilité parentale, l'obstacle, ici, c'est le code. Mais parler de romanesque et de passion, c'est risquer d'affadir la vérité : la vraie formule de *l'Astrée*, c'est la vertu au service du plaisir.

L'Astrée s'est acquis au cours des siècles une doucereuse réputation de roman pour jeunes filles. C'en est un sans doute, mais non dans le sens vertueux du terme. Certes, les commentateurs n'ont jamais manqué de signaler quelques pages un peu libres, quelques situations délicates qui inquiétaient déjà le scrupuleux Camus, évêque de Belley; mais l'usage est d'en rejeter la honte sur les épisodes accessoires et les personnages secondaires. Elles ne sont pourtant pas absentes de l'intrigue principale, qui est en vérité le plus long et le plus aimable *suspense* érotique de toute la littérature universelle. Il est assez difficile d'imaginer ce qu'éprouvaient à cette lecture les belles vertus du Grand Siècle, mais la valeur de ces pages ne peut guère échapper aux lecteurs modernes, un peu sensibilisés à ces choses, on veut le croire, par un demi-siècle de rééducation freudienne. Les amours d'Astrée et Céladon s'ouvrent (chronologiquement) sur une scène où Céladon, âgé de quatorze ou quinze ans (Astrée en a douze ou treize), s'introduit sous un habit de bergère dans une étrange cérémonie druidique où trois jeunes filles figurant Vénus, Minerve et Junon, « nues hormis un faible linge qui les couvre de la ceinture jusque auprès du genou », se soumettent au jugement d'une quatrième qui tient le rôle de Pâris. La quatrième en l'occurrence sera Céladon déguisé, et Vénus sera évidemment Astrée. Celle-ci, agitée ou non d'un pressentiment de la vérité, retarde aussi longtemps que possible le moment de se dépouiller. « Mon Dieu ! quand je m'en souviens, je meurs encore de honte : j'avais les cheveux épars, qui me couvraient presque toute, sur lesquels pour tout ornement je n'avais que la guirlande que le jour auparavant il m'avait donnée. Quand les autres furent retirées, et qu'il me vit en cet état auprès de lui, je pris bien garde qu'il changea deux ou trois fois de couleur, mais je n'en eusse jamais soupçonné la cause; de mon côté la honte m'avait teint la joue d'une si vive couleur, qu'il m'a juré depuis ne m'avoir jamais vue si belle, et eût bien voulu qu'il lui eût été permis de demeurer tout le jour en cette contemplation. » Ensuite, Céladon révèle son identité véritable en protestant de son amour et en rappelant à quel châtiment il s'est exposé pour parvenir à cette fin. « Jugez, belle Diane, quelle je devins lors; car amour me défendait de venger ma pudicité, et toutefois la honte m'animait contre l'amour. » Débat cornélien, sans doute, avant la lettre. Quoi qu'il en soit, Astrée recevra la pomme de Pâris, et avec elle le baiser rituel : « Mais je vous assure que, quand jusques alors je ne l'eusse point reconnu, j'eusse bien découvert que c'était un berger, car ce n'était point un baiser de fille. »

Telles sont donc les enfances Céladon. Ce travesti, cette semi-nudité, ces caresses voilées, ces intimités ambiguës, ce baiser qui n'est point de fille, mais qui s'en donne l'air et en évoque le charme par surcroît, c'est déjà toute l'érotique astréenne, telle qu'elle s'épanouira par la suite. Il faut à Céladon beaucoup de repentir, et à Astrée beaucoup de débats intérieurs pour réparer cette entorse au Code, et quelques autres consécutives, et toujours aussi jésuitiques : baisers volés dans le sommeil, quiproquos de caresses, etc. Après le malentendu qui entraîne la disgrâce, puis le pseudo-suicide de Céladon, la destinée de celui-ci prend un tour singulier. D'abord séquestré au château d'Isoure, chez la princesse Galathée qui l'a sauvé des eaux et qui s'est éprise de lui, tout comme sa suivante Léonide, souffrant des suites de sa noyade, il restera de longs jours alité, et toujours entouré de nymphes gracieuses qui se disputent son cœur et pour le moins sa ruelle. Évadé grâce à la complicité de Léonide, il fera une vertueuse retraite dans une caverne sur les bords du Lignon, vivant de cresson et de larmes, décidé à mourir puisqu'Astrée ne veut plus le voir. Mais le bon druide veille : Céladon passera pour sa fille Alexis, druidesse novice au couvent de Dreux, et sous ce déguisement il reviendra parmi les siens et les siennes. Ici encore, il faut toutes les ressources de la casuistique pour faire admettre à Céladon (et au lecteur) qu'en paraissant aux yeux d'Astrée sous les traits d'Alexis il ne désobéira pas à son ordre d'exil. Pendant plusieurs semaines, Céladon-Alexis, et Astrée qui croit Céladon mort mais le retrouve avec un trouble ambigu sous les traits de ce qu'elle croit être Alexis, vont vivre, parmi quelques autres bergères et nymphes dont la beauté accessoire ne nuit pas au charme de l'aventure, un amour fort bien travesti, mais fort mal sublimé. Sous ses habits de druidesse, Céladon poursuit ici sa destinée privilégiée, qui est de vivre à peu près continuellement enfermé dans une chambre avec deux ou trois jeunes filles belles comme le jour et toujours dévêtues (nous sommes en plein été), dont une, justement celle qu'il aime, et précisément la plus belle, lui voue une de ces amitiés de bergère à druidesse comme peu de bergers ont rêvé d'en connaître, même sous la bure et sous un nom d'emprunt. Ce ne sont que petits couchers, petits levers, petits réveils au clair de lune, gracieuses insomnies, échanges de nymphes dans des lits surpeuplés, déshabillages, rhabillages, caresses, baisers incessants, étreintes interminables... « Qui pourrait se représenter le contentement de cette feinte druide, ni son extrême transport? Il faudrait quelquefois s'être trouvé en un semblable accident, mais on le peut juger en partie en ce qu'il s'en fallut fort peu qu'elle ne donnât connaissance de ce qu'elle était... et n'eût été que sur le point de ses plus grandes caresses, Phillis vint heurter à la porte, je ne sais à quoi ce transport l'eût pu porter. » On se le demande encore, mais on devine aisément quelle honte s'emparera d'Astrée quand elle apprendra ce qu'elle a pu ignorer (par quel miracle?) si longtemps : l'identité, et par conséquent le sexe de sa chère druide. Car jusque-là, explique pieusement d'Urfé, elle n'y voyait aucun mal, « la croyant être fille ». Il faudra encore quelques fausses morts pour expier ces moments trop doux, des enchantements, des résurrections, des oracles en cascade pour démêler cette pelote confuse de bergers et de bergères, et la répartir en couples raisonnables selon les lois de la nature et les règles du mariage : c'est bien là, ou jamais, ce qu'on appelle un *dénouement*.

Il y a donc dans *l'Astrée* une contradiction très sensible entre un idéal spirituel cent fois proclamé qui vise à la sublimation totale de l'instinct amoureux, et une conduite réelle, au moins chez le couple principal, qui semble traiter cet idéal comme un obstacle aux satisfactions immédiates du désir, comme un prétexte aux travestissements les plus subtils et aux variations les plus complaisantes de ce désir, et donc comme un instrument non de perfection spirituelle, mais de raffinement érotique. Céladon est bien l'amant le plus fidèle, Astrée l'amante la plus parfaite, mais on ne peut pas vraiment considérer leur aventure comme un effort pour dépasser leur désir, ou, selon l'expression de Jacques Ehrmann, « un immense rite qui consisterait à repousser tellement loin l'érotisme des corps qu'il ne se manifesterait plus que par son absence [1] ». En vérité, ce mouvement de l'*érotisme des corps* à l'*érotisme des cœurs* peut être attribué, à la rigueur, à Diane et Silvandre, à qui d'ailleurs il ne semble pas coûter cher, car ils se situent d'emblée au plan du cœur et de l'esprit. Mais Céladon et Astrée donnent l'exemple — et cela, nous l'avons vu, dès l'enfance — d'un des amours

1. Ehrmann, *op. cit*,, p. 26.

physiques les plus chimiquement purs de toute la littérature romanesque. Certes, Céladon élève un temple à Astrée, grave des poèmes sur des troncs d'arbres, soupire et languit en exil, certes Astrée accomplit de son côté tous les rites de la bergère dédaigneuse, mais quand ces deux amants sont en présence, on ne peut guère douter de la nature de leur amour ni du sens de leurs efforts. Et alors, que dire d'un roman spiritualiste dont les deux héros ne cessent de démentir le spiritualisme? Toute l'Astrée est pourtant dans ce paradoxe, qui devrait intéresser la psychanalyse.

Cette intrusion d'Eros dans la pastorale ne semble pas conforme aux traditions de l'Arcadisme. On trouverait difficilement de semblables nuances dans Sannazar ou Montemayor. Faut-il voir dans cette innovation la trace indélébile de l'esprit « gaulois », la résurgence aggravée de certaines tendances du complexe courtois, ou au contraire l'influence d'un Boccace ou d'un Arétin? Peu importe, sans doute. Mais il se pourrait bien, en tout cas, que d'Urfé nous ait donné dans ce roman, et sans le vouloir, à la fois le plus brillant exposé des théories de l'amour spirituel, et leur plus flagrant démenti en action : le mythe romanesque et son idéologie la plus élaborée, — et sa réfutation par ce qu'on pourrait appeler, en parodiant le style marxiste, la « mise à nu des infrastructures ». Ainsi *l'Astrée* renfermerait ensemble, et en toute innocence, un roman et son anti-roman, le Pur Amour avec sa libido : le serpent dans la bergerie.

L'UTOPIE LITTÉRAIRE

A première vue, l'œuvre critique de Borges semble possédée d'un étrange démon du rapprochement. Certains de ses essais se réduisent à un bref catalogue des *diverses intonations* prises au cours des siècles par une idée, un thème, une métaphore : Ricketts et Hesketh Pearson attribuent à Oscar Wilde la paternité de l'expression *purple patches* (rapiéçages de pourpre), mais cette formule est déjà dans l'*Épître aux Pisons*; Philipp Mainländer invente, deux siècles après John Donne, l'hypothèse d'un suicide de Dieu; l'argument du pari se trouve chez Arnobe, chez Sirmond, chez Algazel, les deux infinis ressuscitent chez Leibniz et Victor Hugo; le rossignol de Keats prolonge Platon et devance Schopenhauer, la fleur de Coleridge, rapportée d'un rêve, anticipe la fleur de Wells, rapportée de l'avenir, et le portrait de James, rapporté du passé; Wells a « récrit pour notre époque le Livre de Job, cette grande imitation en hébreu du dialogue platonicien »; la sphère de Pascal vient d'Hermès Trismégiste par Rabelais, ou de Parménide, via Platon, par le *Roman de la Rose*; Nietzsche a réfuté la théorie présocratique du Retour Éternel bien avant de découvrir cette même théorie dans une illumination tardive... Quand il ne cherche pas des sources, Borges dépiste volontiers des précurseurs : ceux de Wells (Rosney, Lytton, Paltock, Cyrano, Bacon, Lucien), ceux de Beckford (Herbelot, Hamilton, Voltaire, Galland, Piranèse, Marino), ceux de Kafka : « Un jour, l'idée m'est venue de recenser les précurseurs de Kafka. J'avais d'abord regardé cet écrivain comme aussi unique que le phénix des louanges des rhéteurs; à force de le fréquenter, j'ai cru reconnaître sa voix, ou du moins sa manière, dans des textes de diverses littératures et de diverses époques. J'en mentionnerai ici quelques-uns, dans l'ordre chronologique. » Suivent Zénon, Han Yu, Kierkegaard, Browning, Bloy et Lord Dunsany. A rencontrer de telles énumérations [1] sans reconnaître l'idée qui les anime, on risque d'approuver dans son acception la plus sévère la phrase où Nestor Ibarra, dans sa préface à *Fictions* parle d'un « flirt très conscient et parfois aimable avec le pédantisme », et de s'imaginer la critique de Borges semblable aux entreprises les plus désespérées de la compilation universitaire. On pourrait également évoquer ces longs recensements d'opinions et de coutumes concordantes ou discordantes dont Montaigne faisait la matière de ses premiers essais. A vrai dire, le rapprochement avec Montaigne serait déjà plus justifié, et leur penchant commun pour les catalogues à tout hasard est peut-être révélateur d'une certaine parenté entre ces deux esprits semblablement portés à entretenir leur vertige ou leur perplexité dans les secrets labyrinthes de l'érudition.

Mais le goût des rencontres et des parallélismes répond chez Borges à une idée plus profonde, et dont les conséquences nous importent. Cette idée, nous en trouvons une formulation agressive dans le conte *Tlön Uqbar Orbis Tertius* : « On a établi que toutes les œuvres sont l'œuvre d'un seul auteur, qui est intemporel et anonyme [2] ». Au nom de cette certitude, les écrivains de Tlön ne signent pas leurs livres, et l'idée même de plagiat y est inconnue, comme sans doute celle d'influence, de pastiche ou d'apocryphe. Tlöniens à leur manière sont George Moore ou James Joyce, qui ont « incorporé à leurs ouvrages des pages et des pensées qui ne leur appartiennent pas »; tlönien à sa façon, complé-

1. *Enquêtes*, passim.
2. *Fictions*, p. 36.

mentaire, Oscar Wilde, qui « offrait souvent des sujets à qui voulait les traiter », ou encore Cervantes, Carlyle, Moïse de Leon et tant d'autres, dont peut-être Borges, qui attribuaient à quelque fabuleux prête-nom la paternité de leurs ouvrages; tlönien par excellence ce Pierre Ménard, symboliste nîmois du début du siècle, qui, las de spéculer sur Leibniz et Raymond Lulle ou de transcrire en alexandrins le *Cimetière marin* (comme Valéry lui-même propose [1] d'allonger d'un pied les vers heptasyllabes de l'*Invitation au Voyage*), entreprit un jour de réinventer de son propre fonds, et sans anachronisme de pensée, les deux parties du *Quichotte*, et donna à son dessein un début de réalisation d'une miraculeuse exactitude [2]. Appliquant à lui-même sa propre méthode, Borges n'a pas manqué de signaler les versions antérieures, données par Shelley, Emerson ou Valéry, de l'idée qui nous occupe. Selon Shelley, tous les poèmes sont autant de fragments d'un unique poème universel. Pour Emerson, « une seule personne est l'auteur de tous les livres qui existent dans le monde ». Quant à Valéry, chacun se souvient qu'il réclamait une histoire de la Littérature comprise « comme une histoire de l'esprit en tant qu'il produit ou consomme de la littérature, et cette histoire pourrait même se faire sans que le nom d'un écrivain y fût prononcé ».

Cette vision de la littérature comme un espace homogène et réversible où les particularités individuelles et les préséances chronologiques n'ont pas cours, ce sentiment *œcuménique* qui fait de la littérature universelle une vaste création anonyme où chaque auteur n'est que l'incarnation fortuite d'un Esprit intemporel et impersonnel, capable d'inspirer, comme le dieu de Platon, le plus beau des chants au plus médiocre des chanteurs, et de ressusciter chez un poète anglais du XVIIIe siècle le rêve d'un empereur mongol

1. Jean Prévost, *Baudelaire*, p. 329.
2. *Fictions*, p. 57.

du XIIIe — cette idée peut apparaître aux esprits positifs comme une simple fantaisie, ou comme une pure folie. Voyons-y plutôt un mythe au sens fort du terme, un vœu profond de la pensée. Borges suggère lui-même deux niveaux d'interprétation possibles pour cette conjecture : la version extrême, ou « panthéiste », pour laquelle un seul esprit habite l'apparente pluralité des auteurs et des œuvres, et des événements et des choses, et qui déchiffre, dans les plus hasardeuses combinaisons d'atomes, l'écriture d'un dieu; selon cette hypothèse, le monde des livres et le livre du monde ne font qu'un, et si le héros de la seconde partie du *Quichotte* peut être lecteur de la première, et Hamlet spectateur d'*Hamlet*, il peut s'ensuivre que nous, leurs lecteurs ou spectateurs, soyons sans le savoir des personnages fictifs, et qu'au moment où nous lisons *Hamlet* ou *Don Quichotte* quelqu'un soit occupé à nous lire, à nous écrire, ou à nous effacer. L'autre leçon est cette idée « classique », qui régna sans partage jusqu'au début du XIXe siècle, que la pluralité des auteurs, simplement, ne mérite aucune considération : si Homère était aveugle, son œuvre n'en porte pas trace. On peut, à volonté, trouver dans la première version une métaphore de la seconde, ou dans la seconde une timide intuition de la première. Mais l'idée *excessive* de la littérature, où Borges se complaît parfois à nous entraîner, désigne peut-être une tendance profonde de l'écrit, qui est d'attirer fictivement dans sa sphère l'intégralité des choses existantes (et inexistantes), comme si la littérature ne pouvait se maintenir et se justifier à ses propres yeux que dans cette utopie totalitaire. Le monde existe, disait Mallarmé, pour aboutir à un Livre. Le mythe borgésien contracte ce moderne *tout est à écrire* et le classique *tout est écrit* dans une formule encore plus ambitieuse, qui serait à peu près : *tout est Écrit*. La bibliothèque de Babel, qui existe *ab aeterno* et contient « tout ce qu'il est possible d'exprimer dans toutes les langues [1]»,

1. *Fictions*, p. 100.

se confond évidemment avec l'Univers — Ibarra estime même [1] qu'elle le déborde infiniment — : bien avant d'être lecteur, bibliothécaire, copiste, compilateur, « auteur », l'homme est une page d'écriture. Une conférence de Borges sur le fantastique s'achève sur cette question ironiquement angoissée : « A quelle sorte de littérature appartenons-nous, moi qui vous parle et vous qui m'écoutez : roman réaliste ou conte fantastique? » On peut rappeler ici l'hypothèse (légèrement différente en son principe) d'Unamuno, selon laquelle Don Quichotte serait tout simplement l'auteur du roman qui porte son nom : « Il ne saurait être contesté que dans le *Quichotte*, Cervantes se montra bien au-dessus de ce qu'on pouvait attendre de lui, il se surpassa lui-même. C'est ce qui nous porte à croire que l'historien arabe Cid Hamet Bengeli n'est pas une pure création littéraire, mais qu'il cache une profonde vérité : c'est que l'histoire fut dictée à Cervantes par un autre qui la portait en lui, un esprit qui demeurait dans les profondeurs de son âme. Et cette immense distance qu'il y a de l'histoire de notre chevalier aux autres œuvres de Cervantes, ce miracle patent et splendide est la raison qui nous fait croire et confesser que cette histoire est réelle, et que c'est Don Quichotte lui-même, enveloppé dans Cid Hamet Bengeli, qui la dicta à Cervantes. » L'auteur visible n'est plus alors qu'un secrétaire, peut-être une pure fiction : « Bien souvent nous tenons un écrivain pour une personne réelle et historique parce que nous le voyons en chair et en os, et que les personnages qui sont le fruit de son imagination, nous les prenons pour des fictions de sa fantaisie, alors qu'il en est tout au rebours : ce sont les personnages qui existent en vérité et qui se servent de cet autre qui nous semble être de chair et d'os pour prendre eux-mêmes figure devant les hommes [2]. » C'est ici que la fable d'Unamuno et celle de

1. Cahier de *l'Herne* sur Borges, p. 438.
2. *Vie de Don Quichotte et Sancho Pança,* p. 370-371.

Borges se rejoignent dans une moralité rigoureuse, la plus rigoureuse peut-être : si nous prenons Cervantes au sérieux, nous devons croire à l'existence de Don Quichotte; mais si Don Quichotte existe, c'est Cervantes, et nous ses lecteurs, qui n'existons plus guère, ou qui n'avons plus d'autre moyen d'existence que de nous glisser entre deux pages du Livre et de nous faire littérature, — comme le héros de *l'Invention de Morel* se glisse entre deux images, se fait image, sort de la vie pour entrer dans la fiction. C'est qu'à la Littérature, ce monstre insatiable, on ne peut rien accorder sans tout lui abandonner : « peut-être l'histoire universelle n'est-elle que l'histoire de quelques métaphores [1] ».

Dans l'univers résolument moniste de Tlön, la critique se trouve réduite à d'étranges expédients pour entretenir sa propre nécessité. Puisqu'il n'y a pas d'auteurs, elle doit bien évidemment en inventer : « elle choisit deux œuvres dissemblables, disons le *Tao Te King* et les *Mille et Une Nuits*, les attribue à un même écrivain, puis détermine en toute probité la psychologie de cet intéressant *homme de lettres* ». On reconnaît ici l'écho de l'ingénieuse technique de lecture inaugurée par Pierre Ménard : celle « de l'anachronisme délibéré et des attributions erronées. Cette technique, d'une application infinie, nous invite à parcourir l'*Odyssée* comme si elle était postérieure à l'*Enéide*... Elle peuple d'aventures les livres les plus paisibles. Attribuer l'*Imitation de Jésus Christ* à Louis-Ferdinand Céline ou à James Joyce, n'est-ce pas renouveler suffisamment les minces conseils spirituels de cet ouvrage [2]? » Méthode hasardeuse, sans doute; mais n'y a-t-il pas aussi quelque risque (et à coup sûr moins de charme) à attribuer, comme nous le

1. *Enquêtes*, p. 16.
2. *Fictions*, p. 71.

faisons, hélas, tous les jours, *Andromaque* à Jean Racine ou *Du côté de chez Swann* à Marcel Proust? A considérer les *Fables* de La Fontaine comme si elles étaient postérieures à celles de Phèdre ou d'Esope? A toujours lire Cyrano comme un précurseur de Wells et de Jules Verne, et jamais Wells ou Jules Verne comme des anticipations de Cyrano? A prendre deux œuvres aussi dissemblables que, disons les *Chants de Maldoror* et les *Poésies*, les attribuer à un même écrivain, Lautréamont par exemple, et déterminer en toute probité la psychologie de cet intéressant homme de lettres? Au fond, la critique tlönienne n'est pas le *contraire* de notre critique positive, elle n'en est guère que l'hyperbole.

Depuis plus d'un siècle, notre pensée — et notre usage — de la littérature sont affectés par un préjugé dont l'application toujours plus subtile et plus audacieuse n'a cessé d'enrichir, mais aussi de pervertir et finalement d'appauvrir le commerce des Lettres : le postulat selon lequel une œuvre est essentiellement déterminée par son auteur, et par conséquent *l'exprime*. Cette redoutable évidence n'a pas seulement modifié les méthodes et jusqu'aux objets de la critique littéraire, elle retentit sur l'opération la plus délicate et la plus importante de toutes celles qui contribuent à la naissance d'un livre : la lecture. Au temps de Montaigne, lire était un dialogue sinon égal, du moins fraternel; aujourd'hui, c'est une indiscrétion savante, qui tient à la fois de la table d'écoute et de la salle de torture. Et pour un petit mystère éventé (ou éventré), que de grands messages perdus! Lorsque Borges propose à notre admiration l'exemple d'un Valéry, « d'un homme qui dépasse les traits distinctifs d'un moi et de qui nous pouvons dire, comme William Hazlitt de Shakespeare, *he is nothing in himself* », il nous invite évidemment à réagir contre cette insidieuse dégradation en glorifiant une pensée et une œuvre qui veulent n'être celles de *personne en particulier*; de même lorsqu'il invoque la figure, si différente, de Whitman, qui s'est forgé de toutes pièces, dans son œuvre et par son œuvre, désespoir des biographes, une personnalité seconde et sans rapport avec la première, ou celle d'un Quevedo, image parfaite de l'homme de lettres chez qui les Lettres ont dévoré l'homme, ou à tout le moins l'individu, au point que son œuvre ne nous apparaît plus comme une création personnelle, mais comme le résultat fortuit de quelque mystérieuse aventure bibliographique : Quevedo, « littérateur des littérateurs... moins un homme qu'une vaste et complexe littérature ». C'est que pour Borges, comme pour Valéry, l'auteur d'une œuvre ne détient et n'exerce sur elle aucun privilège, qu'elle appartient dès sa naissance (et peut-être avant) au domaine public, et ne vit que de ses relations innombrables avec les autres œuvres dans l'espace sans frontières de la lecture. Aucune œuvre n'est originale, parce que « la quantité de fables ou de métaphores dont est capable l'imagination des hommes est limitée », mais toute œuvre est universelle, parce que « ce petit nombre d'inventions peut être tout à tous, comme l'Apôtre [1] ». L'œuvre durable « est toujours susceptible d'une ambiguïté, d'une plasticité infinies... elle est un miroir qui fait connaître les traits du lecteur [2] », et cette participation du lecteur fait toute la vie de l'objet littéraire. « La littérature est chose inépuisable, pour la raison suffisante qu'un seul livre l'est. Le livre n'est pas une entité close : c'est une relation, c'est un centre d'innombrables relations. » Chaque livre renaît à chaque lecture, et l'histoire littéraire est au moins autant l'histoire des façons ou des raisons de lire, que celle des manières d'écrire ou des objets d'écriture : « Une littérature diffère d'une autre moins par le texte que par la façon dont elle est lue : s'il m'était donné de lire n'importe quelle page d'aujourd'hui — celle-ci, par exemple, — comme on la lira en l'an 2000, je connaîtrais la littérature de l'an 2000 [3]. »

1. *Enquêtes*, p. 307. — 2. *Ibid.*, p. 119. — 3. *Ibid.* p. 244.

Ainsi les apparentes redites de la littérature n'indiquent pas seulement une continuité, elles révèlent une lente et incessante métamorphose. Pourquoi les précurseurs de Kafka évoquent-ils tous Kafka sans se ressembler entre eux? Parce que leur seul point de convergence est dans cette œuvre à venir qui donnera rétrospectivement à leur rencontre un ordre et un sens : « Le poème *Fears and Scruples*, de Robert Browning, annonce l'œuvre de Kafka, mais notre lecture de Kafka enrichit et gauchit sensiblement notre lecture du poème. Browning ne le lisait pas comme nous le lisons aujourd'hui... Chaque écrivain *crée* ses précurseurs. Son apport modifie notre conception du passé aussi bien que du futur [1]. » Cette action en retour autorise et justifie tous les « anachronismes » chers à Borges, car si la rencontre, disons de Browning et de Kierkegaard, n'existe qu'en fonction de cette résultante ultérieure qui est l'œuvre de Kafka, il faut parcourir à l'envers le temps des historiens et l'espace des géographes : la cause est postérieure à l'effet, la « source » est en aval, puisque la source, ici, est une confluence. Dans le temps réversible de la lecture, Cervantes et Kafka nous sont tous deux contemporains, et l'influence de Kafka sur Cervantes n'est pas moindre que l'influence de Cervantes sur Kafka.

Telle est l'admirable utopie que nous propose la littérature selon Borges. Il est permis de trouver dans ce mythe plus de vérité que dans les vérités de notre « science » littéraire. La littérature est bien ce champ plastique, cet espace *courbe* où les rapports les plus inattendus et les rencontres les plus paradoxales sont à chaque instant possibles [2]. Les

1. *Enquêtes*, p. 150-151.

2. « La *présence intemporelle*, qui est le propre de la littérature, signifie que la littérature du passé peut toujours interférer avec celle du présent. Ainsi Homère avec Virgile, Virgile avec Dante, Plutarque et Sénèque avec Shakespeare, Shakespeare avec le *Gœtz von Berlichingen* de Goethe, Euripide avec l'*Iphigénie* de Racine et celle de Goethe. Pour prendre un exemple à notre époque, les *Mille et une Nuits* et Calderon avec Hofmannsthal, l'*Odyssée*

normes à nos yeux les plus universelles de son existence et de son usage — comme l'ordre de succession chronologique et le lien de parenté entre l'auteur et son œuvre — ne sont que des manières relatives, entre bien d'autres, d'en aborder le sens. La genèse d'une œuvre, dans le temps de l'histoire et dans la vie d'un auteur, est le moment le plus contingent et le plus insignifiant de sa durée. De tous les grands livres on peut dire ce que Borges écrit des romans de Wells : « ils s'incorporeront, comme la fable de Thésée ou celle d'Assuérus, à la mémoire générale de notre espèce, et fructifieront dans son sein quand aura péri la gloire de celui qui les écrivit et la langue dans laquelle ils furent écrits [1]». Le temps des œuvres n'est pas le temps défini de l'écriture, mais le temps indéfini de la lecture et de la mémoire. Le sens des livres est devant eux et non derrière, il est en nous : un livre n'est pas un sens tout fait, une révélation que nous avons à subir, c'est une réserve de formes qui attendent leur sens, c'est « l'imminence d'une révélation qui ne se produit pas [2] », et que chacun doit produire pour lui-même. Ainsi Borges redit, ou dit, à sa manière, que la poésie est faite par tous, non par un. Pierre Ménard est l'auteur du *Quichotte* pour cette raison suffisante que tout lecteur (tout vrai lecteur) l'est. Tous les auteurs sont un seul auteur parce que tous les livres sont un seul livre, d'où suit encore qu'un seul livre est tous les livres, « et j'en sais qui, à l'égal de la musique, sont tout pour tous les hommes [3] ». La bibliothèque de Babel est parfaite *ab aeterno*; c'est l'homme, dit Borges, qui est un bibliothécaire imparfait; parfois, faute de trouver le livre qu'il cherche, il en écrit un autre : le même, ou presque. La littérature est cette tâche imperceptible — et infinie.

avec Joyce, Eschyle, Pétrone, Dante, Tristan Corbière, la mystique espagnole avec T.S. Eliot. Il y a là une richesse inépuisable de rapports possibles. » Curtius, *La littérature européenne et le moyen-âge latin*, p. 17.

1. *Enquêtes*, p. 121. — 2. *Ibid.*, p. 15. — 3. *Labyrinthes*, p. 121.

PSYCHOLECTURES

Charles Mauron tient à distinguer nettement sa « psychocritique » des travaux de psychanalyse littéraire classique comme celui de Marie Bonaparte sur Edgar Poe. Le but de la psychocritique n'est pas d'établir, à travers l'œuvre littéraire, le diagnostic de névrose de l'écrivain; l'essentiel à ses yeux reste, en principe du moins, l'œuvre elle-même, et l'utilisation des instruments psychanalytiques reste au service de la critique littéraire. La psychocritique veut être une contribution à la critique plutôt qu'une illustration de la psychanalyse.

L'*Introduction à la psychocritique* [1] est essentiellement un exposé de principes et de méthode illustré par une série d'exemples. Cette disposition vise à éclaircir et à prolonger le dialogue difficile entre psychanalyse et littérature en montrant sur quelques cas typiques ce que l'intelligence des œuvres peut attendre de la lecture psychocritique, mais il n'est pas certain qu'elle atteigne pleinement son but. En effet, aux obstacles ordinaires que rencontre tout lecteur non initié aux démarches de la psychanalyse pour apprécier la justesse et la valeur de ce genre d'interprétations, s'ajoute ici le fait que les exemples donnés par Mauron ne sont que des illustrations toujours partielles et souvent allusives, en

1. *Des Métaphores obsédantes au Mythe personnel. Introduction à la psychocritique,* Corti 1963.

référence à des travaux antérieurs [1] ou parallèles [2], et que leur dispersion délibérée les rend difficiles à suivre. A chaque étape de la méthode correspond une série d'applications pratiques dont Mallarmé, Baudelaire, Nerval, Valéry, Corneille, Molière fournissent successivement, et chacun à deux ou trois reprises, la matière, sans qu'une véritable synthèse permette de se faire une idée d'ensemble d'aucune de ces études volontairement fragmentaires et inachevées. Nul doute que le lecteur désireux de juger par lui-même de l'apport de la psychocritique n'ait avantage à se rapporter à un travail plus suivi et moins occupé de démonstration méthodologique, comme *L'inconscient dans l'œuvre et la vie de Racine*, qui demeure à ce jour le chef-d'œuvre du genre : peut-être parce que l'œuvre se prête mieux qu'une autre au langage analytique. Après tout, l'Œdipe fut un mythe tragique avant d'être un « complexe », et Freud lui-même ne désignait-il pas les tragiques grecs comme ses véritables maîtres? Quand Mauron « freudianise » Racine, il ne fait peut-être que restituer la psychanalyse à ses propres sources. Mais les chapitres qu'il consacre à Corneille et à Molière montrent tout ce que la psychocritique peut encore apporter à la compréhension des situations dramatiques, et des situations comiques en particulier. Les rapports entre barbons et jeunes premiers y prennent une résonance singulière, qui prouve qu'on avait méconnu l'intensité de leur charge affective. Il y a peut-être un *rire œdipien*, et ce qu'en suggère Mauron [3] éclaire bien des profondeurs de la tradition comique.

Méthodologiquement, le point de départ de l'analyse psychocritique est d'allure typiquement structuraliste : Mauron ne cherche pas dans les textes qu'il étudie des thèmes ou des symboles directement et isolément expressifs d'une per-

1. *Introduction à la psychanalyse de Mallarmé*, 1950, et *L'Inconscient dans l'œuvre et la vie de Racine*, 1957.
2. *Psychocritique du genre comique*, Corti, 1964.
3. Suggestions précisées et développées dans *Psychocritique du genre comique*.

sonnalité profonde. L'unité de base de la signification psychocritique n'est pas un mot, un objet, une métaphore, si fréquents, si « obsédants » soient-ils, c'est un *réseau*, c'est-à-dire un système de relations entre les mots ou les images qui apparaît lorsqu'on superpose plusieurs textes du même auteur pour éliminer les particularités propres à chacun de ces textes et ne conserver que leurs articulations communes. Ainsi, le rapprochement de trois sonnets de Mallarmé : *Victorieusement fui*, *La chevelure vol d'une flamme*, *Quelle soie aux baumes du temps*, fait apparaître un schéma commun dont les termes sont : Mort, Combat, Triomphe, Grandeur, Rire. Ce procédé fait songer à la façon dont Propp établit la morphologie générale du conte populaire en dégageant les éléments communs à des récits d'apparence disparate. Mais, bien entendu, la démarche du folkloriste et celle du psychocritique divergent aussitôt. Pour Mauron, les relations établies par la superposition des textes, et qui ne peuvent être établies que de cette manière, à l'exclusion de toute autre forme de lecture, sont par définition des relations *inconscientes*, dont l'existence avait échappé aussi bien (et pour la même raison) à l'auteur et à la critique « classique ». Ces relations jouent dans la psychocritique le rôle tenu dans la psychanalyse clinique par les associations involontaires : elles constituent le premier maillon de la chaîne qui conduit à la personnalité inconsciente de l'écrivain. Un élargissement de l'analyse permet de passer des réseaux de métaphores à des systèmes plus vastes et plus complexes de figures dramatiques qui composent ce que Mauron nomme le *mythe personnel* de l'auteur. Ainsi, la superposition de la Déborah de *Ce que disaient les trois cigognes* et de l'Hérodiade de la *Scène* dégage une figure féminine propre au mythe mallarméen. Ce mythe est interprété à son tour comme l'expression imaginaire de la personnalité inconsciente, et l'étude de la biographie intervient seulement *in fine*, à titre de contrôle et de vérification, comme dans le *Racine*, où le schéma du mythe racinien était dégagé à partir d'une étude immanente des tragédies, et la psychanalyse de l'écrivain rejetée dans une seconde partie, pour confirmation.

Mauron se défend d'ailleurs avec beaucoup d'énergie de réduire l'œuvre littéraire à ses déterminations psychologiques. Comme Proust, il distingue un « moi créateur » et un « moi social », qui ne communiquent entre eux qu'à travers le mythe personnel, lui-même relié à l'inconscient. Il voit dans la création artistique non pas une expression directe de l'inconscient, mais une sorte d'auto-analyse implicite, ou de régression contrôlée vers les traumatismes originaires et les stades infantiles, un « examen d'inconscience » dans lequel le « moi orphique » jouerait poétiquement le rôle de synthèse tenu ailleurs par l'analyste entre la conscience et l'inconscient. Cette descente aux Enfers intérieurs est la version psychocritique du mythe d'Orphée.

Pourtant, malgré la profondeur de ses analyses et l'ingéniosité de sa méthode, il subsiste dans la psychocritique de Mauron quelque chose qui l'apparente plus qu'il ne le voudrait aux « réductions » de la critique déterministe : c'est le positivisme de ses postulats épistémologiques. Soucieux de se distinguer de la critique « classique » qui ne s'intéresse qu'à la personnalité consciente, il se démarque plus vigoureusement encore de la critique « thématique », celle d'un Bachelard, d'un Poulet ou d'un Richard, à laquelle il reproche le caractère subjectif, « introspectif » et contingent de ses analyses. Fort de ce qu'il considère comme une véritable « science » de l'inconscient, il ne cesse pour sa part d'affirmer au contraire la parfaite *objectivité* de la méthode psychocritique. Constamment tourné vers cette sorte de sur-moi scientiste que figure la tradition universitaire, il lui tient en substance ce langage : libre à vous de contester mes *interprétations*, qui sont la part la plus accessoire de mon travail; admettez en tout cas comme indiscutables les *constatations* que j'apporte, à savoir les liaisons que j'établis entre les textes, et qui sont aussi objectives que des documents et des dates : « pareille découverte est objective, et ne saurait être confondue avec un commentaire [1] ».

Or, rien n'est moins certain que cette objectivité — et rien n'est moins scientifique que cette prétention. Mauron reconnaît ailleurs que la psychocritique renouvelle notre lecture des textes — et c'est, en effet, son plus précieux apport. Mais il refuse d'admettre que cette lecture, comme toute lecture, soit déjà par elle-même un choix, et que les relations qu'il « découvre » entre les textes soient dans une large mesure des relations construites par son attitude de lecture. Lorsque Barthes décrit la psychanalyse comme un *langage critique* parmi d'autres, un *système de lecture* non plus neutre, non plus objectif qu'un autre, Mauron s'élève contre ce « scepticisme trop conciliant » et maintient, en face des modes passagères et des « fausses sciences », la stabilité du point de vue scientifique. « Le bergsonisme, l'existentialisme ont passé sans modifier de façon profonde et durable notre critique littéraire [2] », affirme-t-il en faisant apparemment bon marché de l'œuvre critique d'un « bergsonien » comme Thibaudet ou d'un « existentialiste » comme Sartre, et en laissant de côté la question de la critique marxiste. C'est que seule importe à ses yeux la « psychologie scientifique », marquée en ce siècle par la « découverte progressive de la personnalité inconsciente et de son dynamisme ». En admettant que l'épithète « scientifique » convienne aux « découvertes » de la psychanalyse, on voit mal pourquoi la psychologie, et spécialement la psychologie littéraire, devrait se faire aujourd'hui plus dogmatique que la chimie ou la physique, qui admettent fort bien la part d'*invention*, sinon de *création*, qui entre dans leurs découvertes. Mauron compare fréquemment ses recherches à celles de l'histoire littéraire, parangon supposé de la certitude positive. Mais Lucien Febvre reprochait déjà aux historiens « historisants »

1. *Introduction à la psychocritique*, p. 335
2. *Ibid.*, p. 14.

leur religion du *fait*, et leur rappelait que l'événement historique est le produit d'un choix et d'une construction de la part de l'histoire, et qu'aucune recherche n'est innocente et sans préjugé, le plus lourd de tous étant de s'en croire exempt. Lorsque Mauron revendique pour ses réseaux associatifs l'objectivité d'un document ou d'une date, on peut sans doute la lui accorder, mais non sans en marquer les limites. Lorsqu'il superpose la *fauve agonie des feuilles* d'un poème de Mallarmé et les *vieux lions traînant les siècles fauves* d'un autre poème, plaçant *fauve* sur *fauves* et *agonie* sur *vieux*, la « secrète liaison » qu'il décèle « entre le paysage automnal et les fauves emprisonnés » emporte ou non l'adhésion du lecteur, mais on peut difficilement regarder cette liaison, ou la superposition du couple Roxane-Bajazet et du couple Joad-Athalie, comme un fait brut et premier. Il est vrai que la « prise de la Bastille » ou la « disgrâce de Racine » ne le sont pas davantage, et qu'il faut bien des synthèses et des interprétations pour les constituer en *événements*. « Toutes les sciences, disait Febvre, fabriquent leur objet [1] ». Et Bachelard : « Toute connaissance est une réponse à une question. S'il n'y a pas eu de question, il ne peut y avoir connaissance scientifique. Rien ne va de soi. Rien n'est donné. Tout est construit [2]. » La psychocritique pose à la littérature d'excellentes questions, elle lui arrache d'excellentes réponses, qui enrichissent d'autant notre commerce des œuvres; elle ne gagne rien à cacher (et à se cacher) que souvent le plus clair de la réponse est déjà dans la question.

1. *Combats pour l'Histoire*, p. 116.
2. *Formation de l'esprit scientifique*, p. 14.

MONTAIGNE BERGSONIEN

Thibaudet jugeait lui-même sa critique « plus tournée vers les œuvres que vers les personnes ». Dans le cas de Montaigne, la distinction est sans doute particulièrement malaisée, mais la personnalité de Montaigne n'est pas l'objet le plus vivant de ce livre [1]. Thibaudet se borne généralement à une paraphrase des confidences de Montaigne sur lui-même, et l'on voit mal du reste comment la critique pourrait dépasser, sur le plan de la psychologie « classique », cet auto-portrait d'une si parfaite lucidité. Pour échapper au pléonasme, il faudrait recourir à une tout autre méthode, celle de la psychanalyse par exemple, ou davantage aux diverses « psychologies des profondeurs ». Thibaudet ne s'est jamais beaucoup tourné de ce côté; pourtant, on trouve à la fin du livre établi par Floyd Gray un répertoire des images des *Essais* qui donne une sorte d'esquisse de ce que serait une thématique existentielle du style de Montaigne. Thibaudet remarque la pauvreté de l'imagination visuelle (moins de quinze images sur cent), qui est, comme l'ont montré Febvre et Mandrou, une caractéristique générale de l'époque. Il note aussi la fréquence, qui pourrait être propre à Montaigne, des images motrices et corporelles : « Sur deux images, il y a chez Montaigne une image motrice, et la plupart des images qui ne sont pas à proprement parler motrices correspondent à un sentiment et à une bâtisse de la

1. Albert Thibaudet : *Montaigne,* textes établis, présentés et annotés par Floyd Gray, Gallimard, 1963.

vie intérieure où le corps devient l'expression physique de l'âme, et, dans son détail même, la métaphore de l'âme [1] ». Le recensement effectué par Thibaudet montre à l'évidence la présence du corps, poids et mouvement, membres et humeurs, dans le matériel du style. « Montaigne ne penserait pas s'il ne se pensait pas, et il ne se penserait pas s'il ne pensait pas son corps [2]. » L'introspection consciente et volontaire est portée chez lui par une cénesthésie spontanée, peut-être inconsciente, que révèle le classement et l'analyse des images. Montaigne est d'abord un homme à l'écoute de son corps, et le « récit » qu'il nous donne de sa vie intérieure manquerait d'épaisseur, et sans doute de vérité, s'il n'était, dans son langage même, dicté par une présence physique.

Mais cette incursion reste épisodique. Le vrai gibier, pour Thibaudet, c'est ce qu'il appelle « l'œuvre », c'est-à-dire en fait les *idées*, et plus précisément la définition d'une place et d'un rôle dans l'histoire, ou plutôt dans la géographie des idées. Malgré l'intention d'analyse interne annoncée par le titre, cette esquisse d'un *Montaigne* reproduit le mouvement caractéristique de la critique selon Thibaudet, qui est de dépasser au plus vite le point de départ individuel pour rejoindre ce colloque aux voix innombrables que constitue pour lui la République des Lettres. « Écrire sur Montaigne, ce n'est pas gloser sur Montaigne, c'est causer avec Montaigne. C'est faire causer Montaigne avec tant d'hommes qui lui ont succédé, et qu'il ignorait, et qui sont ses interlocuteurs dans les Champs-Élysées du futur [3]. » Si l'on considère que les *Essais* sont déjà en eux-mêmes et pour eux-mêmes une causerie avec tout un monde de culture antérieur, on conçoit facilement de quels échos multiples peut se nourrir, de Socrate à Bergson, la méditation de Thibaudet sur Montaigne. Le mérite, ou si l'on veut le défaut de ce livre est sans doute ici : la pensée de Montaigne, pour Thibaudet, n'est pas une

1. P. 505. — 2. P. 522. — 3. P. 8.

retraite, un monde clos, une tour; c'est un carrefour, une plaque tournante, un *dispatching* idéologique. Le « moi » de Montaigne, c'est pour lui, comme il le dit, un « lieu d'idées [1] ». Or, « qui dit littérature d'idées dit conflit d'idées, dialogue sur les grands partis [2] ». Lire Montaigne, c'est donc inlassablement le confronter à toutes les grandes voix du concert idéologique, et plus encore confronter ces voix (si l'on peut dire) entre elles à travers la sienne, opposer et concilier en sa présence les « grands partis », c'est-à-dire les grands partages : politiques, religieux, philosophiques, mais aussi géographiques, ethniques, physiologiques, et, bien sûr, gastronomiques. Droite-gauche, héritiers-boursiers, stoïcisme-épicurisme, catholiques-protestants, dreyfusards-antidreyfusards, Paris-Province, Juifs-non Juifs, Nord-Sud, Lorraine-Gascogne, Bordeaux-Bourgogne, toutes ces dichotomies familières trouvent naturellement leur emploi à propos de Montaigne, qui se trouve miraculeusement sur presque toutes les grandes lignes de fracture de la mythologie thibaudetienne : demi-juif, demi-protestant, bourgeois-gentilhomme, stoïcien-épicurien, conservateur-girondin; qui vit de part en part un des grands moments du dialogue français : la guerre de Religion (lequel implique déjà tous les autres : Port-Royal, la Révolution, l'Affaire Dreyfus); et qui, signe admirable, porte pour nom celui d'un grand cru : Yquem. S'il lui fallait *expliquer* Montaigne par quelque déterminisme pseudo-tainien, on sent qu'il hésiterait longtemps entre le Sauternes et la « goutte de sang juif », avant d'en composer le plus subtil et le plus significatif dosage. Mais son grand souci n'est pas d'expliquer, c'est de comparer. « Quand je ne compare pas, je ne critique pas [3] », lui fait dire Blanchot. Le vignoble bordelais conduit tout droit à Montesquieu, le sang demi-juif à Proust et à Bergson : Montaigne est à la croisée de ces deux perspectives.

Ces généalogies sont en un sens une pure fantaisie de l'es-

1. P. 568. — 2. P. 567. — 3. *Faux pas*, p. 337.

prit, que Thibaudet lui-même était le dernier à prendre au sérieux; en un autre sens, ce sont des métaphores, des figures symboliques de sa vision littéraire. Ce qui existe pleinement pour Thibaudet, ce qui fait l'objet de sa jouissance et de sa réflexion, ce ne sont pas les auteurs, ni même les œuvres, ni à proprement parler l'histoire des idées : c'est ce « système nerveux », ce « champ de forces » idéologique dont parle Blanchot, cet océan mouvant des Lettres où il ne cesse de naviguer au moyen d'une « confrontation perpétuelle » et peu soucieuse de « l'enchaînement historique ». Montaigne lui est un lieu d'observation privilégié, non pour son individualité et sa méditation solitaire, mais pour les liens qu'il ne cesse d'y établir entre la pensée antique et la philosophie, la science, la littérature et l'art modernes. Entre Sénèque et Descartes, entre Plutarque et Rousseau, entre Platon et Bergson, Montaigne est pour Thibaudet un lieu de passage, l'occasion d'un dialogue infini. S'il a porté ce livre en lui si longtemps sans pouvoir l'achever, c'est peut-être parce qu'il constituait pour lui la tâche interminable par excellence : parler de Montaigne, c'était pour lui parler de tout ce qui fait l'univers de la pensée et de l'écriture, sans jamais pouvoir mettre fin à cette parole : il était chez Montaigne sans pouvoir en sortir, parce que tout est dans Montaigne et que Montaigne est partout. Comme les autres livres de Thibaudet, plus que les autres à cause de son inachèvement, ce *Montaigne* est un moment mal localisé de l'entreprise essentiellement vagabonde que constituait pour lui la critique littéraire. Si l'on attend de la critique la détermination précise de ce qu'est une œuvre prise pour elle-même, dans sa singularité close et irréductible, on trouvera la « méthode » de Thibaudet lointaine et « dépassée ». Mais si l'on y cherche une intuition totale, omniprésente, de ce que Blanchot nomme « l'infini littéraire », alors Thibaudet redevient singulièrement proche, et son œuvre apparaît comme une des créations significatives de ce siècle. A juste titre, Valéry, qui définissait à son propos la critique comme « une littérature dont la littérature est le sujet imposé » (*la littérature*, non un auteur ou une œuvre) voyait en lui un *lyrique* : si le lyrisme est avant tout la perception de l'unité cosmique, quoi de plus lyrique en effet, et de plus dionysiaque, que ce *sentiment littéraire* qui est chez lui comme chez d'autres le sentiment religieux ou le sentiment de la nature? Son cosmos à lui, c'était la littérature.

Dans le mouvement indéfini qui le relance ici sans cesse de Montaigne à l'universel et de l'universel à Montaigne, un seul point fixe, un seul port d'attache : Bergson. Si le Montaigne de Thibaudet pouvait être quelque chose en particulier, il serait bergsonien. Mobilisme, vitalisme, sens du devenir, sentiment de la durée, critique du langage et de l'intellect, rôle décisif de l'intuition, oppositions majeures du dehors et du dedans, du mécanique et du vivant, tout les rapproche et tend à les confondre : « Tout chez lui tend vers le bergsonisme »; « la philosophie de Bergson est toujours latente chez Montaigne »; et même : « Montaigne, en fidèle bergsonien... [1] » Il serait vain de dénoncer en bloc, et difficile d'analyser en détail la part de *projection* que met Thibaudet dans cette rencontre amoureusement ménagée. Il faut du moins observer que le havre bergsonien marque à peine une escale dans la navigation de Thibaudet sur son infatigable *Montaigne*. Ce phare si proche et si accueillant ne propose aucun arrêt : c'est le signal même d'une mobilité sans repos. La « goutte de sang juif », double symbole de modernisme et de plus haute antiquité, est déjà repartie pour une autre errance, vers une autre rencontre; elle se retrouve [2] « dans cet Amsterdam de la guerre hollandaise, la ville défendue par des murailles de bois où vivent ces deux trésors impondérables, la lumière de Rembrandt et la pensée de Spinoza ».

1. P. 447, 341, 372. — 2. P. 295.

STRUCTURALISME ET CRITIQUE LITTÉRAIRE

I

Dans un chapitre aujourd'hui classique de *la Pensée sauvage*, Claude Lévi-Strauss caractérise la pensée mythique comme « une sorte de bricolage intellectuel ». Le propre du bricolage est en effet d'exercer son activité à partir d'ensembles instrumentaux qui n'ont pas été, comme ceux de l'ingénieur, par exemple, constitués en vue de cette activité. La règle du bricolage est « de toujours s'arranger avec les moyens du bord » et d'investir dans une structure nouvelle des résidus désaffectés de structures anciennes, faisant l'économie d'une fabrication expresse au prix d'une double opération d'analyse (extraire divers éléments de divers ensembles constitués) et de synthèse (constituer à partir de ces éléments hétérogènes un nouvel ensemble dans lequel, à la limite, aucun des éléments réemployés ne retrouvera sa fonction d'origine). Cette opération typiquement « structuraliste », qui compense une certaine carence de la production par une extrême ingéniosité dans la distribution des restes, c'est, rappelons-le, au niveau de l'invention mythologique que l'ethnologue la retrouve en étudiant les civilisations « primitives ». Mais il est une autre activité intellectuelle, propre celle-là aux cultures les plus « évoluées », à laquelle cette analyse pourrait être appliquée presque mot pour mot : il s'agit de la critique, et plus spécialement de la critique littéraire, qui se distingue formellement des autres espèces de critique par le fait qu'elle utilise le même matériel (l'écriture) que les œuvres dont elle s'occupe : la critique d'art ou la critique musicale ne s'expriment évidemment pas en sons ou en couleurs, mais la critique littéraire, elle, parle la langue de son objet; elle est méta-langage, « discours sur un discours [1] » : elle peut donc être méta-littérature, c'est-à-dire « une littérature dont la littérature même est l'objet imposé [2] ».

En effet, si l'on isole les deux fonctions les plus visibles de l'activité critique, — la fonction « critique » au sens propre du terme, qui consiste à juger et apprécier les œuvres récentes pour éclairer les choix du public (fonction liée à l'institution journalistique), et la fonction « scientifique » (essentiellement liée, elle, à l'institution universitaire), qui consiste en une étude positive, à fin exclusive de savoir, des conditions d'existence des œuvres littéraires (matérialité du texte, sources, genèse psychologique ou historique, etc.) — il en reste évidemment une troisième, qui est proprement littéraire. Un livre de critique comme *Port-Royal* ou *l'Espace littéraire* est entre autres choses un livre, et son auteur est à sa manière et au moins dans une certaine mesure ce que Roland Barthes appelle un *écrivain* (par opposition au simple *écrivant*) c'est-à-dire l'auteur d'un message qui tend partiellement à se résorber en spectacle. Cette « déception » du sens qui se fige et se constitue en objet de consommation esthétique, c'est bien sans doute le mouvement (ou plutôt l'*arrêt*) constitutif de toute littérature. L'objet littéraire n'existe que par lui; en revanche il ne dépend que de lui, et, selon les circonstances, n'importe quel texte peut être ou n'être pas littérature, selon qu'il est reçu (plutôt) comme spectacle ou (plutôt) comme message : l'histoire littéraire est faite de ces aller-retour et de ces fluctuations. C'est dire qu'il n'y

1. Roland Barthes, *Essais critiques*, p. 255.
2. Valéry, « Albert Thibaudet », *NRF*, juillet 1936, p. 6.

a pas à proprement parler d'objet littéraire, mais seulement une *fonction littéraire* qui peut investir ou délaisser tour à tour n'importe quel objet d'écriture. Sa littérarité partielle, instable, ambiguë, n'est donc pas propre à la critique : ce qui la distingue des autres « genres » littéraires, c'est son caractère *second*, et c'est ici que les remarques de Lévi-Strauss sur le bricolage trouvent une application peut-être imprévue.

L'univers instrumental du bricoleur, dit Lévi-Strauss, est un univers « clos ». Son répertoire, si étendu soit-il, « reste limité ». Cette limitation distingue le bricoleur de l'ingénieur, qui peut en principe obtenir à tout moment l'instrument spécialement adapté à tel besoin technique. C'est que l'ingénieur « interroge l'univers, tandis que le bricoleur s'adresse à une collection de résidus d'ouvrages humains, c'est-à-dire à un sous-ensemble de la culture. ». Il suffit de remplacer dans cette dernière phrase les mots « ingénieur » et « bricoleur » respectivement par *romancier* (par exemple) et *critique* pour définir le statut littéraire de la critique. Les matériaux du travail critique sont en effet ces « résidus d'ouvrages humains » que sont les œuvres une fois réduites en thèmes, motifs, mots-clefs, métaphores obsédantes, citations, fiches et références. L'œuvre initiale est une structure, comme ces ensembles premiers que le bricoleur demantèle pour en extraire des éléments à toutes fins utiles; le critique lui aussi décompose une structure en éléments : un élément par fiche, et la devise du bricoleur : « ça peut toujours servir » est le postulat même qui inspire le critique lors de la confection de son fichier, matériel ou idéal, s'entend. Il s'agit ensuite d'élaborer une nouvelle structure en « agençant ces résidus ». « La pensée *critique*, peut-on dire en paraphrasant Lévi-Strauss, édifie des ensembles structurés au moyen d'un ensemble structuré qui est *l'œuvre*; mais ce n'est pas au niveau de la structure qu'elle s'en empare; elle bâtit ses palais idéologiques avec les gravats d'un discours *littéraire* ancien ».

La distinction entre le critique et l'écrivain n'est pas

seulement dans le caractère second et limité du matériel critique (la littérature) opposé au caractère illimité et premier du matériel poétique ou romanesque (l'univers); cette infériorité en quelque sorte quantitative, qui tient à ce que le critique vient toujours après l'écrivain et ne dispose que de matériaux imposés par le choix préalable de celui-ci, est peut-être aggravée, peut-être compensée par une autre différence : « *L'écrivain* opère au moyen de concepts, *le critique* au moyen de signes. Sur l'axe de l'opposition entre nature et culture, les ensembles dont ils se servent sont imperceptiblement décalés. En effet, une des façons au moins dont le signe s'oppose au concept tient à ce que le second se veut intégralement transparent à la réalité, tandis que le premier accepte, et même exige qu'une certaine épaisseur d'humanité soit incorporée à cette réalité. » Si l'écrivain interroge l'univers, le critique interroge la littérature, c'est-à-dire un univers de signes. Mais ce qui était signe chez l'écrivain (l'œuvre) devient sens chez le critique (puisque objet du discours critique), et d'une autre façon ce qui était sens chez l'écrivain (sa vision du monde) devient signe chez le critique, comme thème et symbole d'une certaine nature littéraire. C'est encore ce que Lévi-Strauss dit de la pensée mythique, qui crée sans cesse, comme le remarquait Boas, de nouveaux univers, mais en inversant les fins et les moyens : « les signifiés se changent en signifiants, et inversement ». Ce brassage incessant, cette inversion perpétuelle du signe et du sens indique bien la fonction double du travail critique, qui est de faire du sens avec l'œuvre des autres, mais aussi de faire son œuvre avec ce sens. S'il existe une « poésie critique » c'est donc au sens où Lévi-Strauss parle d'une « poésie du bricolage » : comme le bricoleur « parle au moyen des choses », le critique parle — au sens fort, c'est-à-dire : se parle — au moyen des livres, et l'on paraphrasera une dernière fois Lévi-Strauss en disant que « sans jamais remplir son projet, (il) y met toujours quelque chose de soi ».

On peut donc en ce sens regarder la critique littéraire

comme une « activité structuraliste »; mais il ne s'agit là, comme on le voit bien, que d'un structuralisme implicite et non réfléchi. La question posée par l'orientation actuelle de sciences humaines comme la linguistique ou l'anthropologie est de savoir si la critique n'est pas appelée à organiser explicitement sa vocation structuraliste en méthode structurale. Il ne s'agit ici que de préciser le sens et la portée de cette question, en indiquant les principales voies par lesquelles le structuralisme accède à l'objet de la critique, et peut se proposer à elle comme une procédure féconde.

II

La littérature étant d'abord œuvre de langage, et le structuralisme, de son côté, étant par excellence une méthode linguistique, la rencontre la plus probable devait évidemment se faire sur le terrain du matériel linguistique : sons, formes, mots et phrases constituent l'objet commun du linguiste et du philologue, à tel point qu'on a pu, dans les premières ardeurs du mouvement formaliste russe, définir la littérature comme un simple dialecte, et envisager son étude comme une annexe de la dialectologie générale [1]. Et le formalisme russe, précisément, que l'on considère à bon droit comme une des matrices de la linguistique structurale, ne fut rien d'autre à l'origine qu'une rencontre de critiques et de linguistes sur le terrain du *langage poétique*. Cette assimilation de la littérature à un dialecte soulève des objections trop évidentes pour être prise à la lettre. Si dialecte il y avait, il s'agirait d'un dialecte translinguistique opérant sur toutes les langues un certain nombre de transformations différentes dans leurs procédés mais analogues dans leur fonction, un peu comme les divers argots parasi-

1. Boris Tomachevski, « La nouvelle école d'histoire littéraire en Russie », *Revue des Études slaves*, 1928, p. 231.

tent diversement des langues diverses mais se ressemblent par leur fonction parasitaire; rien de tel ne peut être avancé au sujet des dialectes, et surtout, la différence qui sépare la « langue littéraire » de la langue commune réside moins dans les moyens que dans les fins : à quelques inflexions près, l'écrivain utilise la même langue que les autres usagers, mais il ne l'utilise ni de la même manière ni dans la même intention : matériel identique, fonction décalée : ce statut est exactement inverse de celui du dialecte. Mais, comme d'autres « outrances » du formalisme, celle-ci avait une valeur cathartique : l'oubli temporaire du contenu, la réduction provisoire de l'« être littéraire » de la littérature [1] à son être linguistique devaient permettre de réviser quelques vieilles évidences concernant la « vérité » du discours littéraire, et d'étudier de plus près le système de ses conventions. On avait assez longtemps regardé la littérature comme un message sans code pour qu'il devînt nécessaire de la regarder un instant comme un code sans message.

La méthode structuraliste se constitue comme telle au moment précis où l'on retrouve le message dans le code, dégagé par une analyse des structures immanentes, et non plus imposé de l'extérieur par des préjugés idéologiques. Ce moment ne peut tarder longtemps [2], car l'existence du signe, à tous les niveaux, repose sur la liaison de la forme et du sens. C'est ainsi que Roman Jakobson, dans son étude de 1923 sur le vers tchèque, découvre une relation entre la valeur prosodique d'un trait phonique et sa valeur signifiante, chaque langue tendant à donner la plus grande importance prosodique au système d'oppositions le plus pertinent sur le plan sémantique : différence d'intensité en russe,

1. « L'objet de l'étude littéraire n'est pas la littérature tout entière, mais sa littérarité *(literaturnost)*, c'est-à-dire ce qui fait d'une œuvre littéraire. » Cette phrase écrite par Jakobson en 1921 fut un des mots d'ordre du formalisme russe.

2. « En mythologie comme en linguistique, l'analyse formelle pose immédiatement la question : sens. » Lévi-Strauss, *Anthropologie structurale*, p. 266.

de durée en grec, de hauteur en serbocroate [1]. Ce passage du phonétique au phonématique, c'est-à-dire de la pure substance sonore, chère aux premières inspirations formalistes, à l'organisation de cette substance en système signifiant (ou du moins apte à la signification) n'intéresse pas seulement l'étude de la métrique, puisqu'on y a vu à juste titre une anticipation de la méthode phonologique [2]. Il figure assez bien ce que peut être l'apport du structuralisme à l'ensemble des études de morphologie littéraire : poétique, stylistique, composition. Entre le pur formalisme, qui réduit les « formes » littéraires à un matériel sonore finalement informe parce que non-signifiant [3], et le réalisme classique, qui accorde à chaque forme une « valeur expressive » autonome et substantielle, l'analyse structurale doit permettre de dégager la liaison qui existe entre un système de formes et un système de sens, en substituant à la recherche des analogies terme-à-terme celle des homologies globales.

Un exemple simpliste servira peut-être à fixer les idées sur ce point : un des casse-tête traditionnels de la théorie de l'expressivité est la question de la « couleur » des voyelles, mise en vedette par le sonnet de Rimbaud. Les partisans de l'expressivité phonique, comme Jespersen ou Grammont, s'efforcent d'attribuer à chaque phonème une valeur suggestive propre, qui aurait imposé dans toutes les langues la composition de certains mots. D'autres ont montré la fragilité de ces hypothèses [4], et, en ce qui concerne particulièrement la couleur des voyelles, les tableaux compa-

1. Cf. Victor Erlich, *Russian Formalism,* Mouton, La Haye, 1955, p. 188-189.

2. Troubetskoy, *Principes de phonologie,* Payot 1949, p. 5-6.

3. Cf. en particulier la critique, par Eichenbaum, Jakobson et Tynianov, des méthodes de métrique acoustique de Sievers, qui s'astreignait à étudier les sonorités d'un poème comme s'il était écrit dans une langue totalement inconnue. Erlich, *op. cit.,* p. 187.

4. On trouve une synthèse de ces critiques dans Paul Delbouille, *Poésie et Sonorités,* Les Belles Lettres, Paris, 1961.

ratifs donnés par Etiemble [1] montrent de manière péremptoire que les partisans de l'audition colorée ne s'accordent sur aucune attribution [2]. Leurs adversaires en concluent naturellement que l'audition colorée n'est qu'un mythe, et en tant que fait *naturel*, elle n'est peut-être rien de plus. Mais la discordance des tableaux individuels ne ruine pas l'authenticité de chacun d'eux, et le structuralisme peut avancer ici un commentaire qui tient compte à la fois de l'arbitraire de chaque rapport voyelle-couleur et du sentiment très répandu d'un chromatisme vocalique : il est vrai qu'aucune voyelle n'évoque naturellement et isolément une couleur; mais il est aussi vrai que la répartition des couleurs dans le spectre (qui est d'ailleurs elle-même, comme l'ont montré Gelb et Goldstein, un fait de langage autant que de vision) peut trouver sa correspondance dans la répartition des voyelles d'une langue donnée : d'où l'idée d'une table de concordance, variable dans ses détails mais constante dans sa fonction : il y a un spectre des voyelles comme il y a un spectre des couleurs, les deux systèmes s'évoquent et s'attirent, et l'homologie globale crée l'illusion d'une analogie terme-à-terme, que chacun réalise à sa manière par un acte de motivation symbolique comparable à celui que démonte Lévi-Strauss à propos du totémisme. Chaque motivation individuelle, objectivement arbitraire mais subjectivement fondée, peut donc être considérée comme l'indice d'une certaine configuration psychique. L'hypothèse structurale, en ce cas, reverse à la stylistique du sujet ce qu'elle enlève à la stylistique de l'objet.

Rien n'oblige donc le structuralisme à se confiner dans des analyses « de surface », bien au contraire : ici comme ailleurs, l'horizon de sa démarche est bien l'analyse des significations. « Le vers est sans doute toujours d'abord une

1. *Le Mythe de Rimbaud*, II, p. 81-104.

2. « Toutes les couleurs ont au moins été attribuées une fois à chacune des voyelles. » Delbouille, p. 248.

figure phonique récurrente; mais il n'est jamais uniquement cela... La formule de Valéry — *le poème, hésitation prolongée entre le son et le sens* — est beaucoup plus réaliste et scientifique que toutes les formes d'isolationnisme phonétique [1]. » L'importance attachée par Jakobson, depuis son article de 1935 sur Pasternak, aux concepts de métaphore et de métonymie, empruntés à la rhétorique des tropes, est caractéristique de cette orientation, surtout si l'on songe que l'un des chevaux de bataille du premier formalisme était le mépris des images, et la dévalorisation des tropes comme marques du langage poétique. Jakobson lui-même insistait encore, en 1936, à propos d'un poème de Pouchkine, sur l'existence d'une poésie sans images [2]. En 1958 il reprend cette question avec un déplacement d'accent très sensible : « Les manuels croient à l'existence de poèmes dépourvus d'images, mais en fait la pauvreté en tropes lexicaux est contrebalancée par de somptueux tropes et figures grammaticaux [3]. » Les tropes, on le sait, sont des figures de signification, et en adoptant la métaphore et la métonymie comme pôles de sa typologie du langage et de la littérature, Jakobson ne rend pas seulement un hommage à l'ancienne rhétorique : il place les catégories du sens au cœur de la méthode structurale.

L'étude structurale du « langage poétique » et des formes de l'expression littéraire en général ne peut en effet s'interdire l'analyse des rapports entre code et message. L'exposé de Jakobson, *Linguistique et poétique*, où il en appelle concurremment aux techniciens de la communication et à des poètes comme Hopkins et Valéry ou à des critiques comme Ransom et Empson, le montre d'une manière explicite : « L'ambiguïté est une propriété intrinsèque, inaliénable, de tout message centré sur lui-même, bref c'est un

1. Roman Jakobson, *Essais de Linguistique générale*, Paris, 1963, p. 233.
2. Erlich, p. 149.
3. *Essais de Linguistique générale*, p. 244.

corollaire obligé de la poésie. Nous répéterons, avec Empson, que *les machinations de l'ambiguïté sont aux racines mêmes de la poésie*[1]. » L'ambition du structuralisme ne se borne pas à compter des pieds ou à relever des répétitions de phonèmes : il doit aussi s'attaquer aux phénomènes sémantiques qui, comme on le sait depuis Mallarmé, constituent l'essentiel du langage poétique, et plus généralement aux problèmes de la sémiologie littéraire. Une des voies les plus neuves et les plus fécondes, à cet égard, qui s'ouvrent aujourd'hui à la recherche littéraire, devrait être l'étude structurale des « grandes unités » du discours, au-delà du cadre — infranchissable pour la linguistique proprement dite — de la phrase. Le formaliste Propp[2] fut sans doute le premier à traiter (à propos d'une série de contes populaires russes) des textes d'une certaine envergure, et composés d'un grand nombre de phrases, comme des énoncés relevant à leur tour, et à l'égal des unités classiques de la linguistique, d'une analyse capable d'y distinguer, par un jeu de superpositions et de commutations, des éléments variables et des fonctions constantes, et d'y retrouver le système bi-axial, familier à la linguistique saussurienne, des rapports syntagmatiques (enchaînements réels de fonctions dans la continuité d'un texte) et des rapports paradigmatiques (relations virtuelles entre fonctions analogues ou opposées, d'un texte à l'autre, dans l'ensemble du corpus considéré). On étudiera ainsi des systèmes d'un niveau de généralité beaucoup plus élevé, tels que le récit[3], la description, et les autres grandes formes de l'expression littéraire. Il y aurait là une linguistique du discours qui serait une *translinguistique*, puisque les faits de langue lui apparaîtraient par grandes masses, et souvent au second degré, — c'est-à-dire, en somme, une rhétorique : cette « nouvelle rhétorique », peut-être,

1. *Essais de linguistique générale*, p. 238.
2. Vladimir Propp. *Morphology of the Folkl-tale*, Indiana University, 1958 (première édition, en russe : 1928).
3. Claude Bremond : « Le Message narratif », *Communications*, 4 (1964).

que réclamait naguère Francis Ponge, et qui nous fait encore défaut.

III

Le caractère structural du langage à tous les niveaux est assez universellement admis aujourd'hui pour que l'« approche » structuraliste de l'expression littéraire s'impose pour ainsi dire d'elle-même. Dès que l'on abandonne le plan de la linguistique (ou de ce « pont jeté entre la linguistique et l'histoire littéraire » que constituent, selon Spitzer, les études de forme et de style) pour aborder le domaine traditionnellement réservé à la critique : celui du « contenu », la légitimité du point de vue structural soulève des questions de principe assez graves. A priori, certes, le structuralisme comme méthode est fondé à étudier les structures partout où il en rencontre; mais tout d'abord, les structures ne sont pas, à beaucoup près, des objets de rencontre, ce sont des systèmes de relations latents, conçus plutôt que perçus, que l'analyse construit à mesure qu'elle les dégage, et qu'elle risque parfois d'inventer en croyant les découvrir; et d'autre part, le structuralisme n'est pas seulement une méthode, il est aussi ce que Cassirer nomme une « tendance générale de pensée », d'autres diraient plus brutalement une idéologie, dont le parti pris est précisément de valoriser les structures aux dépens des substances, et qui peut donc surestimer leur valeur explicative. La question n'est pas tant, en effet, de savoir s'il y a ou non un système de relations dans tel ou tel objet de recherches, puisqu'il y en a évidemment partout, mais de déterminer l'importance relative de ce système par rapport aux autres éléments de compréhension : cette importance mesure le degré de validité de la méthode structurale; mais comment mesurer cette importance, à son tour, sans recourir à cette méthode? Voilà le cercle.

Apparemment, le structuralisme devrait être sur son terrain

aussi souvent que la critique abandonne la recherche des conditions d'existence ou des déterminations extérieures — psychologiques, sociales, ou autres — de l'œuvre littéraire, pour concentrer son attention sur cette œuvre en elle-même, considérée non plus comme un effet mais comme un être absolu. En ce sens, le structuralisme a partie liée au mouvement général de désaffection à l'égard du positivisme, de l'histoire « historisante » et de l'« illusion biographique », mouvement qu'illustrent à des titres divers l'œuvre critique d'un Proust, d'un Eliot, d'un Valéry, le formalisme russe, la « critique thématique » française ou le « new criticism » anglo-saxon [1]. D'une certaine manière, la notion d'analyse structurale peut être considérée comme un simple équivalent de ce que les Américains nomment *close reading* et qu'on appellerait en Europe, à l'exemple de Spitzer, *étude immanente* des œuvres. C'est en ce sens, justement, que Spitzer, retraçant en 1960 l'évolution qui l'avait conduit du psychologisme de ses premières études de style à une critique dégagée de toute référence à l'*Erlebnis*, « subordonnant l'analyse stylistique à l'explication des œuvres particulières en tant qu'*organismes poétiques en soi*, sans recours à la psychologie de l'auteur [2] », qualifiait cette nouvelle attitude de « structuraliste ». Toute analyse qui s'enferme dans une œuvre sans en considérer les sources ou les motifs serait donc implicitement structuraliste, et la méthode structurale devrait intervenir

1. On peut cependant trouver un état en quelque sorte purement méthodologique du structuralisme chez des auteurs qui ne se réclament pas de cette « philosophie ». C'est le cas de Dumézil, qui met au service d'une recherche typiquement historique l'analyse des *fonctions* qui unissent les éléments de la mythologie indo-européenne, jugées plus significatives que ces éléments eux-mêmes. C'est encore le cas de Mauron, dont la psychocritique interprète non des thèmes isolés, mais des *réseaux* dont les termes peuvent varier sans que leur structure se modifie. L'étude des systèmes n'*exclut* pas nécessairement celle des genèses ou des filiations : le programme minimum du structuralisme, c'est qu'elle la précède et la *commande*.

2. « Les études de style et les différents pays », *Langue et Littérature*, Les Belles Lettres, Paris, 1961.

pour donner à cette étude immanente une sorte de rationalité de compréhension qui remplacerait la rationalité d'explication abandonnée avec la recherche des causes. Un déterminisme, en quelque sorte spatial, de la structure viendrait ainsi relayer, dans un esprit tout moderne, le déterminisme temporel de la genèse, chaque unité étant définie en termes de relations et non plus de filiation [1]. L'analyse « thématique » tendrait donc spontanément à s'achever et à s'éprouver en une synthèse structurale où les différents thèmes se groupent en *réseaux*, pour tirer leur plein sens de leur place et de leur fonction dans le système de l'œuvre : c'est le dessein nettement formulé par Jean-Pierre Richard dans son *Univers imaginaire de Mallarmé*, ou par Jean Rousset lorsqu'il écrit : « Il n'y a de forme saisissable que là où se dessine un accord ou un rapport, une ligne de force, une figure obsédante, une trame de présences ou d'échos, un réseau de convergences; j'appellerai « structures » ces constantes formelles, ces liaisons qui trahissent un univers mental et que chaque artiste réinvente selon ses besoins [2] ».

Le structuralisme serait alors, pour toute critique immanente, un recours contre la danger d'effritement qui menace l'analyse thématique : le moyen de reconstituer l'unité d'une œuvre, son principe de cohérence, ce que Spitzer appelait son *etymon* spirituel. En fait, la question est sans doute plus complexe, car la critique immanente peut adopter devant une œuvre deux types d'attitudes très différentes, et même antithétiques, selon qu'elle considère cette œuvre comme un objet ou comme un sujet. L'opposition entre ces deux attitudes est marquée avec une grande netteté par Georges Poulet dans un texte où il se désigne lui-même comme partisan de la seconde : « Comme tout le monde, je crois que le but de la critique est d'arriver à une connaissance intime de la

1. « La linguistique structurale comme la mécanique quantique gagnent en déterminisme morphique ce qu'elles perdent en déterminisme temporel ». Jakobson, *op. cit.*, p. 74.

2. Jean Rousset, *Forme et Signification*, p. XII.

réalité critiquée. Or il me semble qu'une telle intimité n'est possible que dans la mesure où la pensée critique *devient* la pensée critiquée, où elle réussit à re-sentir, à repenser, à re-imaginer celle-ci de l'intérieur. Rien de moins objectif qu'un tel mouvement de l'esprit. Au contraire de ce qu'on se figure, la critique doit se garder de viser un *objet* quelconque (fût-ce la personne de l'auteur, considéré comme autrui, ou son œuvre, considérée comme chose); car ce qui doit être atteint, c'est un *sujet*, c'est-à-dire une activité spirituelle qu'on ne peut comprendre qu'en se mettant à sa place et en lui faisant jouer de nouveau en nous son rôle de sujet [1] ».

Cette critique intersubjective, qu'illustre admirablement l'œuvre même de Georges Poulet, se rattache au type de compréhension que Paul Ricœur, après Dilthey et quelques autres (dont Spitzer), nomme *herméneutique* [2]. Le sens d'une œuvre n'est pas conçu à travers une série d'opérations intellectuelles, il est revécu, « repris » comme un message à la fois ancien et toujours renouvelé. Inversement, il est clair que la critique structurale ressortit à cet objectivisme que condamne Poulet, car les structures ne sont *vécues* ni par la conscience créatrice, ni par la conscience critique. Elles sont au cœur de l'œuvre, sans doute, mais comme son armature latente, comme un principe d'intelligibilité objective, seulement accessible, par voie d'analyse et de commutations, à une sorte d'esprit géométrique qui n'est pas la conscience. La critique structurale est pure de toutes les réductions transcendantes de la psychanalyse, par exemple, ou de l'explication marxiste, mais elle exerce, à sa manière, une sorte de réduction interne, traversant la substance de l'œuvre pour atteindre son ossature : regard non pas certes de surface, mais d'une pénétration en quelque sorte radioscopique, et d'autant plus extérieur qu'il est plus pénétrant.

Il se dessine donc ici une limite assez comparable à celle

1. *Les Lettres nouvelles,* 24 juin 1959.
2. « Structure et herméneutique », *Esprit,* nov. 1963.

que Ricœur fixait à la mythologie structurale : partout où la reprise herméneutique du sens est possible et souhaitable, dans l'accord intuitif de deux consciences, l'analyse structurale serait (au moins partiellement) illégitime et non-pertinente. On pourrait alors imaginer une sorte de partage du champ littéraire en deux domaines; celui de la littérature « vivante », c'est-à-dire susceptible d'être vécue par la conscience critique, et qu'il faudrait réserver à la critique herméneutique, comme Ricœur revendique le domaine des traditions judaïques et helléniques, pourvues d'un *surplus de sens* inépuisable et toujours indéfiniment présent; et celui d'une littérature non pas « morte », mais en quelque sorte lointaine et difficile à déchiffrer, dont le sens perdu ne serait perceptible qu'aux opérations de l'intelligence structurale, comme celui des cultures « totémiques », domaine exclusif des ethnologues. Une telle division du travail n'a rien d'absurde en son principe, et il faut observer tout d'abord qu'elle répond aux limitations de prudence que le structuralisme s'impose de lui-même, s'attaquant par priorité aux domaines qui se prêtent le mieux, et avec le moins de « restes », à l'application de sa méthode [1]; il faut reconnaître aussi qu'une telle division laisserait un champ immense, et presque vierge, à la recherche structuraliste. En effet, la part de la littérature « à sens perdu » est beaucoup plus vaste que l'autre, et non pas toujours d'un intérêt moindre. Il existe tout un domaine en quelque sorte ethnographique de la littérature, dont l'exploration serait passionnante pour le structuralisme : littératures lointaines dans le temps et l'espace, littératures enfantines et populaires, y compris des formes récentes comme le mélodrame ou le roman feuilleton, que la critique a toujours négligées, non pas seulement par préjugé académique, mais aussi parce qu'aucune participation intersubjective ne pouvait l'animer ni la guider dans sa recherche, et qu'une critique structurale pourrait traiter comme un matériau anthropologique et

1. Cf. Claude Lévi-Strauss, *ibid.*, p. 632.

étudier par grandes masses et dans leurs fonctions récurrentes, en suivant la voie tracée par des folkloristes comme Propp ou Skaftymov. Ces travaux, comme ceux de Lévi-Strauss sur les mythologies primitives, montrent déjà la fécondité de la méthode structurale appliquée à des textes de ce genre, et tout ce qu'elle pourrait révéler sur les soubassements ignorés de la littérature « canonique ». Fantômas ou Barbe-Bleue ne nous parlent pas d'aussi près que Swann ou Hamlet : ils ont peut-être autant à nous apprendre. Et certaines œuvres officiellement consacrées, mais qui en fait nous sont devenues en grande partie étrangères, comme celle de Corneille, parleraient peut-être mieux dans ce langage de la distance et de l'étrangeté que dans celui de la fausse proximité qu'on persiste à leur imposer, souvent en pure perte.

Ici peut-être le structuralisme commencerait-il de regagner une partie du terrain concédé à l'herméneutique : car le véritable partage entre ces deux « méthodes » n'est pas dans l'objet, mais dans la position critique. A Paul Ricœur, qui lui proposait la division que l'on a vu, alléguant qu' « une partie de la civilisation, celle précisément d'où notre culture ne procède pas, se prête mieux qu'une autre à l'application de la méthode structurale », Lévi-Strauss répliquait en demandant : « S'agit-il d'une différence intrinsèque entre deux espèces de pensée et de civilisation, ou simplement de la position relative de l'observateur, qui ne peut pas, vis-à-vis de sa propre civilisation, adopter les mêmes perspectives que celles qui lui semblent normales vis-à-vis d'une civilisation différente [1]? » : la non-pertinence que Ricœur trouve dans une éventuelle application du structuralisme aux mythologies judéo-chrétiennes, un philosophe mélanésien la trouverait sans doute dans l'analyse structurale de ses propres traditions mythiques, qu'il *intériorise* tout comme une chrétien intériorise le message biblique; mais inversement, ce mélanésien trouverait peut-être pertinente une analyse struc-

1. Claude Lévi-Strauss, *ibid.*, p. 633.

turale de la Bible. Ce que Merleau-Ponty écrivait de l'ethnologie comme discipline peut s'appliquer au structuralisme comme méthode : « Ce n'est pas une spécialité définie par un objet particulier, les sociétés « primitives », c'est une manière de penser, celle qui s'impose quand l'objet est « autre » et exige que nous nous transformions nous-mêmes. Ainsi devenons-nous les ethnologues de notre propre société si nous prenons distance envers elle [1]. »

Ainsi, la relation qui unit structuralisme et herméneutique pourrait être non pas de séparation mécanique et d'exclusion, mais de complémentarité : à propos d'une même œuvre, la critique herméneutique parlerait le langage de la reprise du sens et de la recréation intérieure, et la critique structurale celui de la parole distante et de la reconstruction intelligible. Elles dégageraient ainsi des significations complémentaires, et leur dialogue n'en serait que plus fécond, à cette réserve qu'on ne pourrait jamais parler ces deux langages à la fois [2]. Quoi qu'il en soit, la critique littéraire n'a aucune raison de refuser son audience aux significations nouvelles [3] que le structuralisme peut obtenir des

1. *Signes*, p. 151.

2. Lévi-Strauss indique une relation du même type entre histoire et ethnologie : « Les structures n'apparaissent qu'à une observation pratiquée du dehors. Inversement, celle-ci ne peut jamais saisir les procès, qui ne sont pas des objets analytiques, mais la façon particulière dont une temporalité est vécue par un sujet... Un historien peut parfois travailler en ethnologue, et un ethnologue en historien, mais les méthodes, elles, sont complémentaires, au sens que les physiciens donnent à ce terme; c'est-à-dire qu'on ne peut pas, à la fois et en même temps, définir avec rigueur un stade A et un stade B (ce qui n'est possible que du dehors et en termes structuraux), et revivre empiriquement le passage de l'un à l'autre (ce qui serait la seule façon intelligible de le comprendre). Même les sciences de l'homme ont leurs relations d'incertitude. » (« Les limites de la notion de structure en ethnologie », *Sens et Usage du mot Structure*, Mouton, 1962, p. 44-45).

3. Une signification nouvelle, ce n'est pas forcément un *sens* nouveau : c'est une nouvelle liaison de forme et de sens. Si la littérature est un art des significations, elle se renouvelle, et la critique avec elle, soit par le sens, soit par la forme, en modifiant cette liaison. Il arrive ainsi que la critique moderne retrouve dans les *thèmes* ou les *styles* ce que la critique classique avait déjà

œuvres apparemment les plus proches et les plus familières en « distanciant » leur parole; car une des leçons les plus profondes de l'anthropologie moderne, c'est que le lointain aussi nous est proche, et par sa distance même.

Au reste, l'effort de compréhension psychologique inauguré par la critique du XIXe siècle et poursuivi de nos jours par les diverses variétés de la critique thématique s'est peut-être trop exclusivement porté sur la psychologie des auteurs, et insuffisamment sur celle du public, ou du lecteur. On sait par exemple que l'un des écueils de l'analyse thématique consiste dans la difficulté qu'elle rencontre souvent à distinguer la part qui revient en propre à la singularité irréductible d'une individualité créatrice, de celle qui appartient plus généralement au goût, à la sensibilité, à l'idéologie d'une époque, ou plus largement encore aux conventions et aux traditions permanentes d'un genre ou d'une forme littéraire. Le nœud de cette difficulté réside en quelque sorte dans la rencontre entre la thématique originale et « profonde » de l'individu créateur et de ce que la rhétorique ancienne appelait la *topique*, c'est-à-dire le trésor des sujets et des formes qui constituent le bien commun de la tradition et de la culture. La thématique personnelle ne représente qu'un choix effectué entre les possibilités offertes par la topique collective. On voit bien — pour parler d'une manière très schématique — que la part du *topos* est plus grande dans les genres dits « inférieurs », et qu'il faudrait plutôt dire *fondamentaux*, comme le conte populaire ou le roman d'aventure, et le rôle de la personnalité créatrice y est assez affaibli pour que l'enquête critique se tourne spontanément, à leur propos, vers les goûts, les exigences, les besoins qui constituent ce que l'on nomme couramment l'*attente* du public. Mais il faudrait discerner aussi tout ce que les « grandes œuvres » — et même les plus originales — doivent à ces

trouvé dans les *idées* ou les *sentiments*. Un vieux sens nous revient lié à une forme nouvelle, et ce glissement déplace toute une œuvre.

dispositions communes. Comment apprécier, par exemple, la qualité particulière du roman stendhalien sans considérer dans sa généralité historique et transhistorique la thématique commune de l'imagination romanesque [1]? Spitzer raconte que la découverte tardive — et somme toute assez ingénue — qu'il fit de l'importance du topos traditionnel dans la littérature classique fut un des événements qui contribuèrent à le « décourager » de la stylistique psychanalytique [2]. Mais le passage de ce qu'on pourrait appeler le psychologisme d'auteur à un antipsychologisme absolu n'est peut-être pas aussi inévitable qu'il le semble, car, si conventionnel soit-il, le topos n'est psychologiquement pas plus arbitraire que le thème personnel : il relève simplement d'une autre psychologie, collective, cette fois-ci, à laquelle l'anthropologie contemporaine nous a quelque peu préparés, et dont les implications littéraires mériteraient d'être explorées systématiquement. Le défaut de la critique moderne est peut-être moins son psychologisme que sa conception trop individualiste de la psychologie.

La critique classique — d'Aristote à La Harpe — était en un sens beaucoup plus attentive à ces données anthropologiques de la littérature, elle qui savait mesurer d'une manière si étroite, mais si exacte, les exigences de ce qu'elle nommait la *vraisemblance*, c'est-à-dire l'idée que le public se fait du vrai ou du possible. Les distinctions entre le genres, les notions d'épique, de tragique, d'héroïque, d comique, de romanesque répondaient à certaines grandes catégories d'attitudes mentales qui disposent de telle ou telle manière l'imagination du lecteur et lui font souhaiter et attendre des types déterminés de situations, d'actions, de valeurs psychologiques, morales, esthétiques. On ne peut dire que l'étude de ces grandes diathèses qui partagent et

1. C'est à cette considération que nous introduit le très beau livre de Gilbert Durand, *le Décor mythique de la Chartreuse de Parme*, Corti, 1961.
2. Art. cit., p. 27.

informent la sensibilité littéraire de l'humanité (et que Gilbert Durand a justement nommées les *structures anthropologiques de l'imaginaire*) ait été jusqu'ici suffisamment prise en charge par la critique et la théorie de la littérature. Bachelard nous a donné une typologie de l'imagination « matérielle » : nul doute qu'il existe aussi, par exemple, une imagination des conduites, des situations, des relations humaines, une imagination *dramatique*, au sens large du terme, qui anime puissamment la production et la consommation des œuvres théâtrales et romanesques. La topique de cette imagination, les lois structurales de son fonctionnement importent de toute évidence, et au premier chef, à la critique littéraire : elles constitueront sans doute l'une des tâches de cette vaste axiomatique de la littérature dont Valéry nous a révélé l'urgente nécessité. La plus haute efficacité de la littérature repose sur un jeu subtil entre une attente et une surprise «contre laquelle toute l'attente du monde ne peut prévaloir [1] », entre le « vraisemblable » prévu et souhaité par le public, et l'imprévisible de la création. Mais l'imprévisible même, le choc infini des grandes œuvres, ne résonne-t-il pas de toute sa force dans les profondeurs secrètes de la vraisemblance? « Le grand poète, dit Borges, est moins celui qui invente que celui qui découvre [2] ».

IV

Valéry rêvait d'une histoire de la Littérature comprise « non tant comme une histoire des auteurs et des accidents de leur carrière ou de celle de leurs ouvrages, que comme une Histoire de l'esprit en tant qu'il produit ou consomme de la « littérature », et cette histoire pourrait même se faire

1. Valéry, *Œuvres*, II, p. 560.
2. *Labyrinthes*, p. 119.

sans que le nom d'un écrivain y fût prononcé ». On sait quels échos cette idée a trouvés chez des auteurs comme Borges ou Blanchot, et déjà Thibaudet s'était plu, à force de comparaisons et de transfusions incessantes, à instituer une République des Lettres où les distinctions de personnes tendaient à s'estomper. Cette vision unifiée du champ littéraire est une utopie très profonde, et qui ne séduit pas sans raison, car la littérature n'est pas seulement une collection d'œuvres autonomes, ou s'« influençant » par une série de rencontres fortuites et isolées; elle est un ensemble cohérent, un espace homogène à l'intérieur duquel les œuvres se touchent et se pénètrent les unes les autres; elle est aussi, à son tour, une pièce liée à d'autres dans l'espace plus vaste de la « culture », où sa propre valeur est fonction de l'ensemble. A ce double titre, elle relève d'une étude de structure, interne et externe.

On sait que l'acquisition du langage se fait, chez l'enfant, non par une simple extension du vocabulaire, mais par une série de divisions internes, sans modification de l'emprise totale : à chaque étape, les quelques mots dont il dispose sont pour l'enfant tout le langage, et ils lui servent à désigner toutes choses, avec une précision croissante, mais sans lacune. De même, pour un homme qui n'a lu qu'un livre, ce livre est toute sa « littérature », au sens premier du terme, lorsqu'il en aura lu deux, ces deux livres se partageront tout son champ littéraire, sans aucun vide entre eux, et ainsi de suite; et c'est justement parce qu'elle n'a pas de vides à combler qu'une culture peut *s'enrichir* : elle s'approfondit et se diversifie parce qu'elle n'a pas à s'étendre.

D'une certaine manière, on peut considérer que la « littérature » de l'humanité tout entière (c'est-à-dire la façon dont les œuvres écrites s'organisent dans l'esprit des hommes) se constitue selon un processus analogue — toutes réserves faites sur la simplification grossière qu'on lui impose ici — : la « production » littéraire est une *parole*, au sens saussurien, une série d'actes individuels partiellement autonomes et imprévisibles ; mais la « consommation » de la littérature par la société est une *langue*, c'est-à-dire un ensemble dont les éléments, quels que soient leur nombre et leur nature, tendent à s'ordonner en un système cohérent. Raymond Queneau dit plaisamment que toute œuvre littéraire est soit une *Iliade*, soit une *Odyssée*. Cette dichotomie n'a pas toujours été une métaphore, et l'on trouve encore chez Platon l'écho d'une « littérature » qui se réduisait presque à ces deux poèmes, et qui ne se jugeait pas pour autant incomplète. Ion ne connaît et ne veut connaître rien d'autre qu'Homère : « Il me semble, dit-il, que c'est assez », car Homère parle de toutes choses en suffisance, et la compétence du rhapsode serait encyclopédique, si la poésie procédait vraiment d'un savoir (c'est ce dernier point que Platon conteste, et non l'universalité de l'œuvre). Depuis lors, la littérature s'est divisée plutôt qu'étendue, et pendant des siècles on a continué à voir dans l'œuvre homérique l'embryon et la source de toute littérature. Ce mythe n'est pas sans vérité, et l'incendiaire d'Alexandrie n'avait pas tout à fait tort, de son côté, de mettre le seul Coran en balance avec toute une bibliothèque : qu'elle contienne un livre, deux livres ou plusieurs milliers, la bibliothèque d'une civilisation est toujours complète, parce que dans l'esprit des hommes elle fait toujours corps et système.

La rhétorique classique avait une conscience aiguë de ce système, qu'elle formalisait dans la théorie des genres. Il y avait l'épopée, la tragédie, la comédie, etc. — et tous ces genres se partageaient sans reste la totalité du champ littéraire. Ce qui manquait à cette théorie, c'était la dimension temporelle, l'idée qu'un système puisse évoluer. Boileau voyait sous ses yeux mourir l'épopée et naître le roman sans pouvoir intégrer ces modifications à son Art poétique. Le XIXe siècle a découvert l'histoire, mais il a oublié la cohésion de l'ensemble : l'histoire individuelle des œuvres, et des auteurs, efface le tableau des genres. Brunetière seul a tenté la synthèse, mais on sait que ce mariage de Boileau et de Darwin n'a pas été très heureux : l'évolution des genres selon Brunetière relève du pur organicisme, chaque genre naît, se développe et meurt comme une espèce solitaire, sans s'occuper de son voisin.

L'idée structuraliste, ici, c'est de suivre la littérature dans son évolution globale en pratiquant des coupes synchroniques à diverses étapes, et en comparant les tableaux entre eux. L'évolution littéraire apparaît alors dans toute sa richesse, qui tient à ce que le système subsiste en se modifiant sans cesse. Ici encore, les formalistes russes ont ouvert la voie en accordant un intérêt très vif aux phénomènes de dynamique structurale, et en dégageant la notion de *changement de fonction*. Noter la présence ou l'absence, isolément, d'une forme ou d'un thème littéraire à tel ou tel point de l'évolution diachronique ne signifie rien tant que l'étude synchronique n'a pas montré quelle est la fonction de cet élément dans le système. Un élément peut se maintenir en changeant de fonction, ou au contraire disparaître en laissant sa fonction à un autre. « Le mécanisme de l'évolution littéraire, dit B. Tomachevski en retraçant le cours des recherches formalistes sur ce point, se précisa de la sorte peu à peu : il se présentait non comme une suite de formes se substituant les unes aux autres, mais comme une variation continuelle de la fonction esthétique des procédés littéraires. Chaque œuvre se trouve orientée par rapport au milieu littéraire, et chaque élément par rapport à l'œuvre entière. Tel élément qui a sa valeur déterminée à une certaine époque changera complètement de fonction à une autre époque. Les formes grotesques, qui étaient considérées à l'époque du classicisme comme des ressources du comique, sont devenues, à l'époque du romantisme, l'une des sources du tragique. C'est dans le changement continuel de fonction que se manifeste la vraie vie des éléments de l'œuvre littéraire [1]. » Chklovski et Tynianov, en particulier, ont étudié dans la littérature russe

1. Tomachevski, art. cit., p. 238-239.

ces variations fonctionnelles qui font passer, par exemple, une même forme d'un rang mineur à celui de « forme canonique », et qui entretiennent une transfusion perpétuelle entre la littérature populaire et la littérature officielle, entre l'académisme et l'« avant-garde », entre la poésie et la prose, etc. L'héritage, aimait à dire Chklovski, passe ordinairement de l'oncle au neveu, et l'évolution canonise la branche cadette. Ainsi, Pouchkine importe dans la grande poésie les effets des vers d'album du XVIIIe siècle, Nekrassov emprunte au journalisme et au vaudeville, Blok à la chanson tzigane, Dostoïevski au roman policier [1].

L'histoire littéraire ainsi comprise devient l'histoire d'un système : c'est l'évolution des fonctions qui est significative, et non celle des éléments, et la connaissance des relations synchroniques précède nécessairement celle des procès. Mais d'autre part, comme le fait remarquer Jakobson, le tableau littéraire d'une époque ne décrit pas seulement un présent de création, mais aussi un présent de culture, et donc un certain visage du passé, « non seulement la production littéraire d'une époque donnée, mais aussi cette partie de la tradition littéraire qui est restée vivante ou a été ressuscitée à l'époque en question... Le choix qu'un nouveau courant fait parmi les classiques, la réinterprétation qu'il en donne, voilà des problèmes essentiels pour les études littéraires synchroniques [2] », et par conséquent pour l'histoire structurale de la littérature, qui n'est que la mise en perspective diachronique de ces tableaux synchroniques successifs : dans le tableau du classicisme français, Homère et Virgile ont leur place, et non pas Dante ou Shakespeare. Dans notre paysage littéraire actuel, la découverte (ou l'inven-

1. Sur les conceptions formalistes de l'histoire littéraire, cf. Eichenbaum, « La théorie de la méthode formelle », et Tynianov, « De l'évolution littéraire », in *Théorie de la Littérature,* Seuil, 1966. Voir aussi Erlich, *Russian Formalism,* p. 227-228, et Nina Gourfinkel, « Les nouvelles méthodes d'histoire littéraire en Russie », *le Monde slave,* fév. 1929.

2. *Essais de Linguistique générale,* p. 212.

tion) du Baroque a plus d'importance que l'héritage romantique, et notre Shakespeare n'est pas celui de Voltaire, ni celui de Hugo : il est contemporain de Brecht et de Claudel, comme notre Cervantes est contemporain de Kafka. Une époque se manifeste autant par ce qu'elle lit que par ce qu'elle écrit, et ces deux aspects de sa « littérature » se déterminent réciproquement : « S'il m'était donné de lire n'importe quelle page d'aujourd'hui — celle-ci, par exemple — comme on la lira en l'an 2000, je connaîtrais la littérature de l'an 2000 [1]. »

A cette histoire des *partages intérieurs* du champ littéraire, dont le programme est déjà très riche (qu'on songe simplement à ce que serait une histoire universelle de l'opposition entre prose et poésie : opposition fondamentale, élémentaire, constante, immuable dans sa fonction, sans cesse renouvelée dans ses moyens), il faudrait ajouter celle du partage, beaucoup plus vaste, entre la littérature et tout ce qui n'est pas elle; ce serait là, non plus l'histoire littéraire, mais l'histoire des rapports entre la littérature et l'ensemble de la vie sociale : l'histoire de la *fonction littéraire*. Les formalistes russes ont insisté sur le caractère *différentiel* du fait littéraire. La littérarité est aussi fonction de la non-littérarité, et aucune définition stable ne peut en être donnée : seule demeure la conscience d'une limite. Chacun sait que la naissance du cinéma a modifié le statut de la littérature : en lui volant certaines de ses fonctions, mais aussi en lui prêtant certains de ses propres moyens. Et cette transformation n'est évidemment qu'un début. Comment la littérature survivra-t-elle au développement des autres moyens de communication? Nous ne croyons déjà plus, comme on l'a cru d'Aristote à La Harpe, que l'art soit une imitation de la nature, et là où les classiques cherchaient avant tout une belle ressemblance, nous cherchons au contraire une originalité radicale et une création absolue. Le jour où le Livre aura cessé d'être le

1. Borges, *Enquêtes*, p. 224.

principal véhicule du savoir, la littérature n'aura-t-elle pas encore changé de sens? Peut-être aussi vivons-nous simplement les derniers jours du Livre. Cette aventure en cours devrait nous rendre plus attentifs aux épisodes passés : nous ne pouvons pas indéfiniment parler de la littérature comme si son existence allait de soi, comme si son rapport au monde et aux hommes n'avait jamais varié. Il nous manque, par exemple, une histoire de la lecture. Histoire intellectuelle, sociale, et même physique : si l'on en croit Saint Augustin [1], son maître Ambroise aurait été le premier homme de l'Antiquité à lire des yeux, sans articuler le texte à haute voix. La vraie Histoire est faite de ces grands moments silencieux. Et la valeur d'une méthode est peut-être dans son aptitude à trouver, sous chaque silence, une question.

1. *Confessions*, Livre VI. Cité par Borges, *Enquêtes*, p. 165.

MOTS ET MERVEILLES

« Il y a mille mots qui sont aussi beaux que mille Diamants quand ils sont bien enchâssés dans le discours, et sont là comme Étoiles dans le Ciel, mais il faut savoir ce qu'ils veulent dire pour en user judicieusement [1]. » Faire mieux connaître les choses pour aider l'orateur à mieux user des mots et à enrichir son discours d'ornements appropriés, tel est le propos d'Etienne Binet dans son *Essai des Merveilles* [2]. Bremond range ce livre au nombre des *encyclopédies dévotes* qui, au début du XVIIe siècle, poursuivent l'entreprise humaniste d'inventaire et de description du monde dans cet esprit de louange et de célébration qui est celui de la dévotion baroque : glorifier le Créateur à travers sa création, montrer que « même après le péché d'Adam, le monde reste

1. Avis au Lecteur du ch. XLVI *(les Devoirs de Médecine).*

2. Le P. Étienne Binet, jésuite, né en 1569, mort en 1639, a écrit et publié de nombreuses œuvres édifiantes et spirituelles. Il est surtout connu pour son *Essai des Merveilles de Nature, et des plus nobles Artifices. Pièce très nécessaire à tous ceux qui font profession d'Eloquence. Par René François, Prédicateur du Roi.* La première édition fut publiée à Rouen en 1621 ; le livre connut un assez grand succès, comme en témoignent une vingtaine d'éditions au cours du siècle. Cf. Paul Godefroy, « Etienne Binet et ses Merveilles de Nature », *Revue d'Histoire littéraire,* octobre-décembre 1902, et Henri Bremond, *Histoire littéraire du Sentiment religieux,* t. I. La cinquième édition, « revue, corrigée et augmentée par l'Auteur », qui est datée de 1625 et que je suis ici, comporte soixante-et-un chapitres, une Épître au Lecteur et une dédicace à Mgr de Verdun, soit un peu plus de 600 pages. Comme la pagination varie selon les éditions, je renvoie aux chapitres, quand le contexte ne suffit pas à indiquer la référence.

une merveille : cantique des créatures, des métiers, des jeux, de toutes les formes honnêtes de l'activité humaine [1] ». Cette intention n'est certes pas absente chez Binet, prédicateur jésuite et auteur d'œuvres pieuses; mais la principale justification de son livre est d'ordre rhétorique. Comme le remarque Bremond lui-même, cette encyclopédie est un chapitre de l'*art de parler et d'écrire*, et « le motif de sa curiosité est d'ordre littéraire ou même mondain, plutôt que scientifique [2] » — ajoutons : et que religieux. Son sous-titre le dédie « à tous ceux qui font profession d'éloquence », et le frontispice de ses premières éditions présente une allégorie transparente : on y voit l'Éloquence dans sa gloire, armée d'un livre et d'un foudre, dominant à la fois la Nature, qui tient dans la main droite un soleil et dans la gauche une corne d'abondance, et l'Art (au sens classique, qui comprend toutes les industries humaines), qui porte une sphère et un compas. C'est que les « merveilles de Nature et des plus nobles artifices » ne sont ici que des lieux d'éloquence, et plus précisément des réserves d'ornements à l'usage de l'orateur. Le principal ornement du discours, c'est la *figure* : les thèmes de vérités morales que traite l'orateur doivent être *figurés* par des métaphores et des comparaisons empruntées au domaine des réalités physiques, au monde des objets façonnés par la nature ou par l'homme : étoiles ou diamants. L'*Essai des Merveilles* n'est rien d'autre que le répertoire de ces *realia* promises à quelque rôle allégorique et décoratif. « C'est une pièce du tout nécessaire à l'Éloquence française. Autrement les plus habiles font des fautes insupportables. Peu de gens parlent des Artifices, et des choses qui ne sont de leur métier, sans faire de vilains barbarismes [3]. » Encyclopédie si l'on veut, mais encyclopédie « annexée », comme le dit Bremond, à la Rhétorique, — ce code dans lequel la

1. Bremond, *op. cit.* p. 266.
2. *Ibid.* p. 262.
3. *Épître au Lecteur.*

description elle-même est une figure de style, et l'univers visible un réservoir de métaphores : « Quelle grâce cela donne à vos propos si vous savez en tirer des translations qui sont des lumières d'Éloquence ! L'expérience vous montrera que c'est ici une riche carrière toute pleine d'or et de Diamants, d'où vous pouvez puiser ce qui rendra vos propos tous confits au sucre de mille douceurs, qui feront couler vos paroles au fond du cœur de vos Auditeurs [1]. » Pour qualifier le principe de cette entreprise, il faut renverser la formule de Francis Ponge : c'est ici le *parti pris des mots* qui justifie le *compte tenu*, et donc le *compte rendu des choses*. Les produits de l'art et ceux de la nature n'ont d'autre raison d'être, d'autre dignité que d'illustrer un langage : la réalité n'est qu'un ornement du discours.

Tout inventaire implique un ordre d'exposition, qui lui-même suppose, ou suggère un classement. Comme en tout travail de cette nature, Binet pouvait choisir entre un ordre neutre (celui de l'alphabet) et un ordre systématique fondé sur une certaine division du monde. Il n'a voulu ni de l'un ni de l'autre. Dans l'Avertissement du premier chapitre, *de la Vénerie*, il annonce une table des termes propres à cet art, « par ordre de l'alphabet, afin que vous les puissiez trouver tout à votre aise », mais cette promesse n'a pas été tenue, et même un chapitre comme le douzième, qui n'est guère qu'un dictionnaire du vocabulaire maritime, nous refuse cette commodité. Quant à l'ordre méthodique, le titre « Merveilles de Nature et des plus nobles artifices » indique bien une distinction entre ce qu'on appellerait aujourd'hui faits de nature et faits de culture, mais cette division élémentaire ne se retrouve pas dans la table des matières, où les objets naturels, les produits fabriqués, les éléments, les industries, les êtres

1. *Au Lecteur* du ch. XLVI.

animés et inanimés se succèdent dans une pagaïe pittoresque et sans scrupule : « chef-d'œuvre de désordre épique et de fantaisie », dit Bremond [1]. Mais ce désordre, évidemment, n'en est pas un, et la disposition de l'*Essai des Merveilles* figure même assez bien ce que peut être une succession purement associative, un ordre sans classement, c'est-à-dire sans partage. Tout se passe comme si Binet avait d'abord adopté un point de départ arbitraire, puis s'était fié à une suite de glissements par contiguïté. Ayant consacré son premier chapitre à la *Vénerie*, il descend à l'espèce pour une *Chasse au Lièvre*, puis remonte au genre voisin par la *Fauconnerie*. Une nouvelle synecdoque ascendante le mène aux *Oiseaux en général*, une autre, descendante, au *Phénix*. Voici à côté le *Paon*, le *Moucheron*, le *Rossignol*, l'*Abeille*. Une métonymie conduit de l'abeille au *Miel*. Retour aux espèces ailées avec l'*Hirondelle*, et nouvel enchaînement par contiguïté : la *Marine*, l'*Eau*, les *Poissons*, le *Remora*, la *Tempête*, la *Guerre*, le *Tirage des Armes* (l'escrime), l'*Artillerie*, le *Duel à Cheval*. Ici, une rupture de la continuité, comme une déchirure de la nappe du monde, l'oblige à ouvrir une seconde série associative : les *Pierreries*, l'*Orfèvrerie*, la *Coupelle* (métonymie de l'instrument), le *Départ de l'Or*, l'*Or battu*, l'*Émail*, l'*Or battu en feuilles*, l'*Or en général*, les *Métaux* (double synecdoque ascendante). Sur cette remontée, nouvelle déchirure, et nouvelle série : les *Fleurs*, l'*Ambre Gris*, le *Jardinage*, les *Entes*, le *Citron*, l'*Épi de Blé*, le *Vin*. La présence de l'ambre gris est évidemment suspecte pour qui voit dans cette séquence un département des végétaux et de l'agriculture, mais une telle lecture accorde encore trop au système : l'ambre gris suit les fleurs, par métonymie, à cause de leur liaison dans l'industrie des parfums. La série suivante est assez homogène : *Imprimerie, Peinture, Sculpture, Broderie, Armoiries, Papier, Verre, Teinture, Médecine, Architecture, Perspective, Menuiserie, Mathématiques, Style du Palais, Éloquence, Musique, Voix*. Mais voici

1. *Op. cit.*, p. 258.

des associations plus abruptes : de la voix on passe, par synecdoque ascendante, à l'*Homme*, puis de l'homme, par une métonymie qui attend son Buffon, au *Cheval*. Du cheval au *Ver à soie*, je renonce à toute hypothèse, et enfin, par un saut du ver à l'étoile, le livre s'achève sur une belle tétralogie cosmique : le *Ciel*, le *Feu et l'Air*, la *Rosée*, l'*Arc-en-ciel*[1].

La présence de ces quelques ruptures indéniables, qui divisent la table des matières en quatre ou cinq séries plus ou moins homogènes, montre bien que le parti pris de continuité associative n'est pas rigoureux, ni même peut-être délibéré : il n'en est pas moins significatif, dans son application imparfaite et comme nonchalante, d'un certain rapport au monde, aussi éloigné de l'*intelligibilité* taxinomique (Aristote) que de la *commodité* alphabétique *(l'Encyclopédie)* : une présence à la fois plus proche et plus désintéressée, un usage sans effort, un commerce sans accumulation ni appropriation, voilà ce que suggère ce répertoire capricieux dont l'ordre immédiat est celui d'un *parcours*.

Un des effets de cette présentation est de dissimuler à première vue les lacunes du tableau. Effet non recherché, car Binet ne fait aucun mystère de ses choix : « Ils (ses détracteurs) diront que je ne dis pas tout; aussi n'est-ce pas mon dessein, et ce serait chose inutile. Pour instruire un homme qui doit bien parler, c'est assez qu'il sache les choses principales, et les plus nobles; les choses plus menues et roturières demeurent en la boutique.[2] » Cette justification est intéressante à plus d'un titre : d'abord parce qu'elle confirme le propos rhétorique qui préside à l'ouvrage; ensuite, parce qu'elle montre que l'*Essai des Merveilles* est une vitrine choisie qui laisse *en la boutique* ce qui ne mérite pas d'être exhibé : moins un inventaire, en somme, qu'un éventaire; enfin, par

1. *Synecdoque* et *métonymie* désignent ici non des substitutions mais des successions fondées sur les mêmes rapports associatifs : inclusion et contiguïté.

2. *Épître au lecteur*.

cette distinction des matières *nobles* et des *roturières*, qui transpose une hiérarchie sociale dans le monde des objets. Michelet reprochera un jour à Buffon d'avoir « élevé à la Nature un Versailles olympien » et d'en avoir exclu la « populace infime » des invertébrés [1]. Le préjugé monarchique est moins sensible chez Binet [2], mais l'exclusion aristocratique y fonctionne à plein, puisqu'elle ordonne le choix des sujets : la nature ne présente ici que ses *merveilles*, et l'industrie humaine que ses *plus nobles artifices*. Le noble, conformément à l'étymologie, c'est aussi le *notable*, ce qui mérite d'être connu et remarqué. L'*Essai des Merveilles* est donc un répertoire non de connaissances, mais de *curiosités*, au double sens, objectif et subjectif, du mot. D'où sa valeur historique et psychologique; car une « mentalité » se livre évidemment plus par ses intérêts que par son savoir. Interrogée en ce sens, la table des matières de l'*Essai* témoigne de quelques valorisations (et dévalorisations) caractéristiques. Ainsi, parmi les animaux, la plus belle part est faite aux oiseaux, qui occupent, avec les insectes [3], une soixantaine de pages. Les poissons en tiennent onze, les animaux terrestres ne sont représentés que par le cheval, plus le gibier et les chiens de chasse. Les fleurs dominent parmi les végétaux, l'or et les pierreries parmi les minéraux. L'eau fait un chapitre, le feu n'apparaît pas pour lui-même (malgré le titre trompeur du chapitre cinquante-

1. *La Mer*, livre II, ch. 5. Cette critique annonce curieusement une remarque de Bachelard : « Les portraits des animaux, marqués au signe d'une fausse hiérarchie biologique, sont chargés de traits imposés par la rêverie inconsciente du narrateur. Le lion est le roi des animaux parce qu'il convient à un partisan de l'ordre que tous les êtres, fussent les bêtes, aient un roi. » *Formation de l'Esprit scientifique*, p. 45.

2. Il n'est pas tout à fait absent : « Le Soleil est assis au milieu des Planètes comme le Roi du Ciel, auquel toutes les Étoiles font la Cour » (ch. LVIII : *L'Économie des Cieux*). « Le cœur est assis au milieu (du corps) comme le Roi » (ch. LV : *L'Homme*). Ces deux comparaisons assignent au monarque une fonction d'apparat. « Le Roi n'est armé que de majesté et beauté » (ch. IX : *L'Abeille*). On règne non par puissance, mais par éclat et gloire; le roi des oiseaux, plutôt que l'aigle, est le « glorieux » paon.

3. Le moucheron est le « nain des oiseaux ».

neuf : *Raretés de l'Air et du Feu.*) Les beaux-arts sont représentés par l'architecture, la peinture, la sculpture, l'éloquence et la musique, non la danse ni la poésie. La médecine se réduit à quelques remèdes et à l'art de la saignée, le travail de la terre à l'horticulture et à la viticulture. Les industries dignes d'intérêt sont l'orfèvrerie et la joaillerie, la broderie et la teinture, l'imprimerie. Le blason fait un long chapitre, la chasse en fait trois, la guerre et l'escrime en font quatre [1]. Les sciences n'apparaissent qu'à travers quelques curiosités techniques, « merveilles des mathématiques », comme l'orgue, le jet d'eau, le planétarium, l'horloge, le cadran solaire et les machines de théâtre.

Ces choix à eux seuls semblent illustrer le goût de l'époque pour les activités aristocratiques (la guerre, la chasse, l'escrime, l'équitation), pour les objets précieux (métaux, fleurs, pierreries), pour le bestiaire aquatique et aérien, pour les symboles de métamorphose (l'eau, le phénix) et d'ostentation (le paon, les ornements d'éloquence et d'architecture), pour les divers prodiges de la nature et de l'artifice. Mais le détail des chapitres apporte à ce tableau quelques nuances et quelques corrections. Certains sujets sont traités d'une manière sèche et purement didactique, sous la forme de listes de renseignements techniques ou de définitions, largement empruntés par Binet à ses devanciers : ainsi des chapitres sur la fauconnerie, les oiseaux, les poissons, la marine, l'orfèvrerie, le blason, l'architecture; ici, Binet s'acquitte d'une tâche en transcrivant des informations et des locutions qu'il juge utiles à son lecteur, mais il n'y engage aucune passion verbale, si ce n'est parfois quelque griserie dans l'accumulation des termes [2]. Le signe de l'intérêt profond, c'est le passage à un

1. La guerre et l'escrime, comme l'or et la beauté corporelle, ont droit à quelques tirades vertueusement indignées, dont la sincérité paraît sujette à caution.

2. « Oiseaux de jour, de nuit, de marais, de marine, qui étant saouls de voler flottent au son de la mer assis sur les ondes, oiseaux sauvages qui n'aiment la ville ni les gens mais hantent les forêts épaisses, les déserts et les rochers

autre registre, qui est celui de la description enthousiaste et de la célébration. Les matières ainsi valorisées ne sont plus seulement des objets de connaissance, ce sont des thèmes rhétoriques, ou, si l'on veut (car ces deux qualités, en pays baroque, sont indiscernables), poétiques.

Le véritable objet de curiosité, pour Binet, c'est ce qu'il appelle merveille, ou miracle, c'est-à-dire l'*étonnant*. Le style baroque se définit comme une esthétique de la surprise, et l'on voit bien chez Binet comment cette esthétique prolonge, ou transpose, une attitude générale, une disposition de l'esprit à l'égard du monde. Il n'est de remarquable, et à la limite il n'est de perceptible que le miraculeux. On a dit de Binet qu'il était toujours émerveillé [1] — et cette remarque pourrait s'appliquer au Baroque tout entier. Mais il faut ajouter que Binet ne parle — ne parle vraiment, c'est-à-dire

---

inaccessibles, oiseaux qui rasent les étangs et sont bons poissonniers, oiseaux de babil et cajoleurs, de combat et de volerie, de voirie et de gibets, nuitiers et de mauvais augure, de parade et de caquet. Aller à flots, à bonds légers, et bondir; le contraire, aller à glissades, à traînées, à tire d'ailes, à trait, fendant l'air tout d'un effort, à boutades et à plusieurs saillies, d'un beau vol, haut et hardi. » Ou encore : « Chaque oiseau a son ramage à part et ses cris propres, la colombe roucoule, le pigeon caracoule, la perdrix cacabe, le corbeau croaille et coasse. On dit du coq coqueliquer, du coq d'Inde glougloter, des poules clocloquer, craqueter, clousser, du poulet pépier ou piauler, des cailles carcailler, du geai cajoler, du rossignol gringoter, du grillon grésillonner, de l'hirondelle gazouiller, du milan huir, du jars jargonner, des grues craquer ou trompetter, du pinson frigoter, babiller, du hibou huer, de la cigale claqueter, des huppes pupuler, des merles siffler, des perroquets et des pies causer, des tourterelles gémir, du paon on dit qu'il a la tête de serpent, la queue d'un ange, la voix de diable; de l'alouette tirelirer, Adieu Dieu, Dieu Adieu. De façon que les uns crient, les autres chantent ou gémissent, pleurent, caquettent, effayent et en cent mille façons de ramages; le moineau dit : pilleri. » Le meilleur Binet est peut-être dans ces « catalogues d'oiseaux » où le musicien se livre sans retenue.

1. Paul Godefroy, *loc. cit.*

en mobilisant les ressources de son éloquence — que de ce qui l'émerveille, ou de ce qui peut émerveiller son lecteur. L'étonnement, sincère ou factice, est le principe même de son livre, et sa tonalité fondamentale. Mais les rapports entre ce sentiment et le discours qui l'exprime sont plus étroits encore : la rhétorique baroque n'est pas seulement le langage de la surprise, elle en est bien souvent la source, ou le prétexte.

Certains des objets miraculeux de Binet (le rossignol, la rosée, le moucheron, le grain de blé, l'eau, le verre, le papier) ne nous surprennent nullement à première vue, et la plupart de ses merveilles feraient sourire le plus badaud des lecteurs de *Planète*. C'est que les motifs de son étonnement sont d'un ordre très particulier. L'étonnant, pour Binet, ce n'est pas le surnaturel; les frontières du réel et de la légende sont d'ailleurs assez floues dans son livre, et il parle sur le même ton du paon et du phénix, de la manne et de la rosée. Ce n'est pas l'ordre de la nature que transgressent ses miracles, mais plutôt celui de la pensée, c'est-à-dire en fait du langage. Le paradoxe met en œuvre une opposition souvent arbitraire ou purement verbale : la plus petite différence peut être érigée en contradiction, pour peu que l'on décide de faire passer entre ses termes une des frontières du monde. Voici un verre de vin : le verre semble une eau congelée; jouant d'abord sur l'apparence, Binet nous montre donc du vin contenu dans de l'eau, puis, forçant une opposition traditionnelle, il fait de l'eau et du vin deux contraires paradoxalement réunis ici : « Ce beau trésor de glace qui fait que dans l'eau gelée on boit le vin qui rit en se voyant enfermé dans le sein miraculeux de son ennemie mortelle [1]. » Dieu, qui est infiniment grand, a mis toute sa sagesse à créer le corps du moucheron, qui est infiniment petit : miracle. Le remora, poisson minuscule, arrête un gros navire qui transportait l'Empereur Caligula : miracle. Le papier, qui se tait, transmet des paroles : « silence qui dit tout », miracle. Toutes ces merveilles reposent sur un système

1. Ch. XLIV : *le Verre.*

d'antithèses qu'elles surmontent à peu de frais, et dont les grands axes sont le petit et le grand, vite baptisés le Rien et le Tout (le rossignol est un Rien qui chante, le moucheron est un Rien qui vole, ses ailes sont de l'*air tissu*, du *vent collé*, un *rien damassé*), la Vie et la Mort (le phénix, le ver à soie), le feu et la glace (le verre, qui est glace, naît dans la flamme, les étoiles sont des *feux gelés*), la Terre et le Ciel : les fleurs sont les astres de la terre, un jardin est un *Paradis de fleurs*, un *Ciel de Terre*, un *parterre de Dieu*. Réciproquement, les étoiles sont des fleurs du ciel, le ciel est le *pavé du Paradis*, le *parterre des anges fleuri d'étoiles*; même réversibilité pour les pierreries, qui sont des étoiles terrestres, comme les étoiles sont les joyaux du ciel. Autres paradoxes : le cadran solaire, dont le bâton de fer « jamais ne bouge, et suit partout le soleil [1] »; la voix humaine : « est-il bien possible qu'un petit ventelet sortant de la caverne des poumons, ménagé par la langue, brisé par les dents, écrasé au palais, fasse tant de miracles? »; la Lune, *Soleil de la Nuit*; l'eau, qui change de couleur et apparemment de substance suivant les fonds : « parmi les fleurs de lys, ce n'est que du lait courant; parmi les roses, de l'écarlate flottante; parmi les violettes, du cristal azuré gazouillant; parmi les fleurs, un arc-en-ciel liquide... », de consistance selon les températures, de saveur selon les mélanges, de nature même selon les matières et les êtres où Binet se plaît à retrouver sa présence : « Elle se dore au souci, s'argente au lys, s'ensanglante ès œillets, pâlit ès giroflées, reverdit ès herbes, éclate ès tulipes, s'emperle et s'émaille en mille façons. Es pierreries elle se glace en feu, en sang, en or, en lait, en éclat, en ciel dans l'escarboucle, le rubis, le lapis, le diamant, le saphir... » : ces mutations sont autant de paradoxes, car elles semblent concilier l'unité et la pluralité, l'identité et la différence : comment un même être peut-il devenir tant d'êtres divers? L'attrait du Baroque pour les métamorphoses traduit peut-être moins un goût de la mobilité qu'une

1. Ch. L : *Merveilles des Mathématiques.*

sorte de fascination devant cette dialectique du même et de l'autre. L'homme lui-même, s'il est *chef-d'œuvre de Dieu, miracle du monde, merveille des merveilles,* c'est moins comme reflet de la perfection divine que parce qu'il unit les plus hautes qualités aux faiblesses les plus misérables, et que ce *petit ver de terre* s'avise de *rouler dans son esprit les pensées d'un Dieu.* Le thème, déjà rebattu, des « contrariétés » de l'homme, ni ange ni bête, grandeur et misère, est exploité ici non pas comme preuve de la Chute, mais comme exemple saisissant de l'union des contraires. Chez Binet, c'est la théologie qui est au service de la dialectique, et le vrai mérite de la doctrine chrétienne est sa richesse en paradoxes.

Mais le paradoxe par excellence, celui qui occupe dans la thématique de l'*Essai des Merveilles* la place centrale, et autour duquel gravitent tous les autres, c'est celui des rapports entre la Nature et l'Art. Selon le principe d'opposition énoncé plus haut, l'Art et la Nature s'affrontent comme deux contraires. A partir de cette antithèse s'édifie une dialectique vertigineuse dont tout le prodige est que l'Art imite la Nature et que la Nature semble imiter l'Art, — ce qui, encore une fois, n'est paradoxal que pour autant que l'on suppose l'antinomie de ces deux termes. Sitôt admis ce postulat, la terre et le ciel se peuplent de miracles. Voyez l'horloge hydraulique : « Quelle audace, de mesurer nos nuits par le mouvement de ces eaux, et imiter justement le mouvement des étoiles... l'artifice devrait avoir honte de surmonter ainsi la nature. » Le planétarium : « Par ainsi l'Art a enfanté un petit bout de machine enceinte d'un grand monde, un Ciel et Paradis portatif, un grand univers dans un rien de verre, le beau miroir où la nature se mire tout étonnée de voir qu'à ce coup l'Art ait surmonté et quasi enfanté la Nature. » L'orgue : « Les gros tuyaux meuglent comme taureaux, les menus font le rossignol, les moyens font les fredons, et tous les passages de dix mille oisillons qui sont les tuyaux des orgues de nature... » Les peintres et les sculpteurs opèrent des simulacres qui semblent autant de défis à la réalité : « Pour parler des riches peintures, il en faut parler comme si les choses étaient vraies, non pas peintes », dit Binet, qui prêche d'exemple : « Voyez-vous ces poissons-là, si vous versez dessus de l'eau ils nageront, car rien ne leur manque. Et ces oiseaux, s'ils n'étaient attachés ils prendraient l'air et fendraient le ciel tant ils sont bien faits. » Ailleurs, le peintre a dû mettre une bride à son cheval pour l'empêcher de sauter « hors la toile ». « Cela n'est pas peinture, mais nature [1]. » « Dieu a créé mille choses qui n'étonnent guère nos esprits, conclut Binet dans son hérétique enthousiasme, l'artifice fait profession de n'œuvrer que des miracles [2] ». Mais il sait aussi bien célébrer le miracle inverse d'une Nature rivale des inventions humaines. Le rossignol, ce *choriste de nature*, renferme en lui tout un orchestre; la tulipe est « comme une coupe d'or ou un vase d'argent [3] »; la fleur de lys, « vous diriez que c'est du satin blanc cannelé par dehors, brodé d'or par dedans... ces jaunes-là, ne diriez-vous pas que c'est une clochette d'or, et ce rouge un petit panier, ou une boîte de satin rouge, ces autres-là des vases d'émeraude [4]? » Le cliché « chef-d'œuvre de nature » a encore chez Binet toute sa connotation artisanale : la nature a appris son métier, elle a ses ébauches et ses échecs : « Le liseron est un lys bâtard, sans odeur, sans filets, il semble que ce soit le coup d'essai, l'apprentissage et les premiers traits de Nature quand elle se mit à vouloir patronner, et façonner en chef-d'œuvre les vraies fleurs de lys [5]. »

Le chapitre du Rossignol présente une affabulation qui n'est peut-être pas de l'invention de Binet, mais qui pourrait prendre ici une valeur emblématique : le rossignol, si fier de son chant, s'aperçoit avec stupeur et colère que quelqu'un l'imite à la perfection et dans les moindres détails. Il s'épuise en prouesses et en défis inutiles : ce rival insurpassable, ce *doux ennemi*, c'est son propre écho. Comme le reflet, l'écho est un double, et cette situation en miroir, chère à l'esprit

1. Ch. XXXIX : *la Plate Peinture*. — 2. Ch. L. — 3. Ch. XXX : *les Fleurs*.
4. Ch. XXXIII : *Jardinage*. — 5. Ch. XXX (*patronner* : passer maître).

baroque, est aussi chez Binet celle de l'art et de la nature, mondes rivaux qui se défient sans cesse, mais aussi mondes jumeaux dont le jeu favori semble être de se faire passer l'un pour l'autre.

Terminons sur un dernier artifice que Binet cultive avec une visible prédilection : c'est celui qui consiste à jouer sur une équivoque entre l'objet du discours et le discours lui-même, entre le monde et le langage. En préface à son chapitre des *Pierreries*, il écrit : « ce qui rend le style précieux, ce sont les pierreries »; il s'agit évidemment à la fois des pierres dont on parle et de celles dont on use en parlant : joyaux d'éloquence. Au chapitre des *Fleurs*, il met son lecteur en garde (malice ou inconscience?) contre « une éloquence qui n'est qu'une enfilure de fleurettes de rhétorique ». A propos des oiseaux, il parle du « vol de nos plumes », abordant les jardins il se défend de faire « un labyrinthe de paroles », et il dédie son Essai de la *Marine* à ceux qui ne voguent « que sur une mer de paroles ». Il pratique volontiers le calembour et l'à-peu-près : « Ma chasse est plus des livres que des lièvres »; éloquence du Palais : « de l'ord on fait de l'or »; les tuyaux d'orgue deviennent « des Orlandes là-sus »; l'arc-en-ciel : « ne diriez-vous pas que c'est non pas le Pont-au-change de Paris, mais le Pont-aux-anges de Paradis? » Ces jeux de mots sont le plus souvent misérables et tirés par les cheveux. Ils ont toutefois, comme les cryptogrammes de Roussel, le mérite de souligner le caractère essentiellement verbal de son entreprise. En vérité, cette œuvre est rhétorique de bout en bout : non seulement dans son propos, mais dans son objet même, qui si souvent se confond avec le texte qu'il suscite ou qui le suscite, dans son contenu qui est de pure forme. Ce jardin enchanté est bien un *labyrinthe de paroles*. On a vu quelle part d'artifice entre dans sa vision du monde; cet artifice tient à quelques effets de style, hyperboles, antithèses, métaphores, alliances de mots. Les *miracles* du P. Binet sont autant de figures : la seule merveille, c'est le langage.

L'ENVERS DES SIGNES

L'œuvre de Roland Barthes est apparemment fort diverse, aussi bien dans son objet (littérature, costume, cinéma, peinture, publicité, musique, faits-divers, etc.) que dans sa méthode et son idéologie : *Le Degré zéro de l'Écriture*, en 1953, semblait prolonger dans le domaine de la « forme » la réflexion amorcée par Sartre, quelques années plus tôt, sur la situation sociale de la littérature et la responsabilité de l'écrivain devant l'Histoire : réflexion aux confins de l'existentialisme et du marxisme; son *Michelet*, en 1954, bien qu'il se présentât comme une simple lecture « précritique », empruntait à Bachelard l'idée d'une psychanalyse substantielle et montrait tout ce qu'une étude thématique de l'imagination matérielle pouvait apporter à la compréhension d'une œuvre considérée jusque-là comme essentiellement idéologique; sa participation à la revue *Théâtre populaire* et au combat mené autour d'elle pour introduire en France l'œuvre et les théories de Berthold Brecht le faisait passer, dans les années suivantes, pour un marxiste intransigeant, bien que les marxistes officiels n'aient jamais partagé son interprétation du brechtisme; mais dans le même temps, et contradictoirement, deux articles sur *les Gommes* et sur *le Voyeur* faisaient de lui l'interprète officiel de Robbe-Grillet et le théoricien du « Nouveau Roman », considéré comme une offensive formaliste et comme une entreprise de « désengagement » de la littérature; en 1956, *Mythologies* révélaient un observateur sarcastique de l'idéologie petite-bourgeoise embusquée dans les manifestations apparemment les plus anodines de la vie sociale contemporaine : nouvelle « critique de la vie quotidienne », d'inspiration nettement marxiste, et qui marquait une attitude politique sans équivoque; en 1960, nouvelle métamorphose, avec un commentaire de Racine pour le Club français du Livre (repris en 1963 dans *Sur Racine*) qui semble effectuer un retour à la psychanalyse, mais cette fois plus près de Freud que de Bachelard, même s'il s'agit du Freud anthropologue, à sa façon, de *Totem et Tabou* : le théâtre de Racine est interprété en termes de prohibition de l'inceste et de conflit œdipien, « au niveau de cette fable ancienne (celle de la « horde primitive »), située très en arrière de l'histoire ou de la psyché humaine [1] »; enfin, les derniers textes recueillis dans *Essais critiques* semblent traduire une conversion décisive au structuralisme compris dans sa forme la plus stricte, et l'abandon de toute responsabilité à l'égard du sens; la littérature, la vie sociale ne sont plus que des langages, qu'il faut étudier non dans leur contenu, mais dans leur structure, comme de purs systèmes formels.

Cette image multiforme est évidemment superficielle, et même, on le verra, fort infidèle. Non que la réflexion de Barthes ne soit effectivement « disponible », ouverte par principe aux tendances les plus diverses de la pensée moderne. Il admet lui-même [2] qu'il a souvent rêvé « d'une coexistence pacifique des langages critiques, ou, si l'on préfère, d'une critique « paramétrique », qui modifierait son langage en fonction de l'œuvre qui lui est proposée », et, parlant des « principes idéologiques » fondamentaux de la critique contemporaine (existentialisme, marxisme, psychanalyse, structuralisme), il affirme : « Pour ma part, d'une certaine manière, je souscris *en même temps* à chacun d'eux [3] ». Mais cet apparent éclectisme recouvre une constante de pensée

1. *Sur Racine*, p. 21.
2. *Essais critiques*, p. 272.
3. *Ibid.*, p. 254.

qui se cherche déjà dans le *Degré zéro*, et qui n'a pas cessé de s'affirmer d'une façon de plus en plus consciente et systématique. Si la critique peut ainsi se réclamer à la fois de plusieurs idéologies diverses, c'est, ajoute aussitôt Barthes, que « le choix idéologique ne constitue pas l'être de la critique et que la « vérité » n'est pas sa sanction » : elle a pour tâche, non pas de *découvrir* la vérité secrète des œuvres dont elle parle, mais de *couvrir* leur langage, « le plus complètement possible », de son propre langage, d'*ajuster* le plus étroitement possible le langage de notre époque à celui des œuvres passées, « c'est-à-dire au système formel de contraintes logiques élaboré par l'auteur selon sa propre époque [1] ». Ce *frottement* du langage littéraire et du langage critique a pour effet non pas de dégager le « sens » d'une œuvre, mais de « reconstituer les règles et contraintes d'élaboration de ce sens », autrement dit, sa technique de signification. Si l'œuvre est un langage et la critique un métalangage, leur rapport est essentiellement formel, et la critique n'a plus affaire à un message, mais à un code, c'est-à-dire un système dont elle doit retrouver la structure, « tout comme le linguiste n'a pas à déchiffrer le sens d'une phrase, mais à établir la structure formelle qui permet à ce sens d'être transmis [2] ». Moyennant quoi, des langages variés que la critique peut *essayer* sur les œuvres littéraires du passé (ou du présent) « surgirait une forme générale qui serait l'intelligible même que notre époque donne aux choses et que l'activité critique aide à la fois, dialectiquement, à déchiffrer et à constituer [3] ». La valeur exemplaire de l'activité critique tient donc clairement à ce double caractère sémiologique : comme métalangage (discours sur le langage littéraire), elle étudie un système de signification qui est la littérature; comme langage-objet (devenue elle-même discours littéraire), elle forme

1. *Sur Racine*, p. 256.
2. *Essais critiques*, p. 257.
3. *Ibid.*, p. 272.

à son tour un système sémiologique aux yeux de cette méta-critique, ou « critique des critiques », qui n'est rien d'autre que la sémiologie sous sa forme la plus générale. Ainsi la critique contribue bien à la fois « à déchiffrer et à constituer » de l'intelligible, puisqu'elle est en même temps sémantique et sémantème, sujet et objet de l'activité sémiologique.

Ces remarques nous conduisent donc au point central de la pensée de Roland Barthes : le problème de la signification. *Homo significans* : l'homme fabricateur de signes, « la liberté qu'ont les hommes de faire signifier les choses [1] », « le procès proprement humain par lequel les hommes donnent du sens aux choses [2] », tel est l'objet essentiel de sa recherche. Cette orientation est ancienne, et même originaire, puisque déjà le *Degré zéro* étudiait les diverses façons dont l'écrivain, par-delà tous les contenus explicites de son discours, doit en outre — et peut-être essentiellement — *signifier la Littérature*, et que ce livre se proposait d'aider à constituer « une histoire du langage littéraire qui ne (serait) ni l'histoire de la langue, ni celle des styles, mais simplement l'histoire des Signes de la Littérature [3] », c'est-à-dire des signes par lesquels la littérature se notifie elle-même comme littérature, et *désigne son masque du doigt*. Question ancienne, donc, mais qui n'a cessé depuis lors de se creuser et de préciser ses termes.

Comme on le sait, c'est le linguiste Ferdinand de Saussure qui a le premier envisagé l'idée d'une science générale des significations, dont la linguistique ne serait plus qu'un cas particulier, d'une « science qui étudierait la vie des signes au sein de la vie sociale », qui nous apprendrait « en quoi consistent les signes, quelles lois les régissent », et qu'il proposait de nommer la *sémiologie* [4]. La langue étant, de loin, le système de signes le plus élaboré et le mieux connu,

1. *Essais critiques*, p. 260. — 2. *Ibid.*, p. 218. — 3. *Le Degré zéro de l'Écriture*, p. 8. — 4. *Cours de linguistique générale*, p. 33.

la linguistique reste nécessairement le modèle irremplaçable pour toute recherche sémiologique, mais le domaine des signes déborde en tous sens celui du langage articulé. En effet, il existe d'une part des signes extérieurs à la langue, et qui fonctionnent pour ainsi dire à côté d'elle, comme ces emblèmes et signaux de toutes sortes que les hommes ont toujours utilisés, depuis le « totémisme primitif » jusqu'aux divers panonceaux et indicatifs que la civilisation moderne multiplie chaque jour sous nos yeux; certains de ces signes ont déjà constitué des systèmes fort complexes : que l'on songe simplement au degré d'élaboration atteint jadis par l'art du blason et la science, correspondante, de l'héraldique; l'aptitude à constituer un système est précisément le trait caractéristique de tout ensemble de signes, et c'est cette constitution qui marque le passage du pur symbolisme à l'état proprement sémiologique, puisqu'un symbole ne devient signe qu'au moment où il cesse d'évoquer par lui-même et en vertu d'une relation analogique ou historique (le Croissant, emblème de l'Islam, la Croix, symbole du Christianisme) qu'il entretient avec son « référent », pour signifier d'une manière indirecte, médiatisée par le rapport de parenté et d'opposition qu'il entretient avec d'autres symboles concurrents : la Croix et le Croissant, pris isolément, sont deux symboles autonomes, mais l'utilisation d'un Croissant-Rouge arabe face à la Croix-Rouge européenne amorce la formation d'un système paradigmatique où le rouge tient la place d'un radical commun, et l'opposition Croix-Croissant celle d'une flexion distinctive [1].

On a donc là, du moins en apparence, une série de systèmes sémiologiques *extra-linguistiques* ; mais leur importance sociale et surtout leur autonomie par rapport au langage articulé apparaissent très contestables : « La sémiologie n'a eu jusqu'ici à traiter que de codes d'intérêt dérisoire, tel le code routier; dès que l'on passe à des ensembles doués d'une

1. *Essais critiques*, p. 209.

véritable profondeur sociale, on rencontre de nouveau le langage [1] ». C'est que les objets non-linguistiques ne deviennent effectivement signifiants qu'autant qu'ils sont *doublés* ou *relayés* par le langage, comme on le voit bien dans la publicité ou la photographie de presse, qui accompagnent presque toujours l'image visuelle d'un commentaire verbal destiné à confirmer ou à actualiser ses significations virtuelles ou flottantes, ou encore dans la presse de mode, qui donne leur valeur symbolique aux objets (vêtements, aliments, meubles, véhicules, etc.) en les « parlant », c'est-à-dire en analysant les parties signifiantes et en nommant les signifiés : l'image peut représenter un homme en veste de tweed devant une maison de campagne, mais le commentaire précisera : *veste de tweed pour le week-end*, désignant nommément le tweed comme signe et le week-end comme sens. « Il n'y a de sens que nommé, et le monde des signifiés n'est autre que celui du langage ». Le domaine extra-linguistique s'efface donc rapidement devant (ou s'*absorbe* dans) cet autre domaine de la sémiologie, qui est d'ordre translinguistique, ou méta-linguistique, et qui comprend des techniques de signification situées non plus à côté, mais au-dessus ou à l'intérieur du langage. La sémiologie réintègre alors le bercail linguistique, ce qui amène Barthes à renverser la formule saussurienne : la sémiologie ne veut plus être une extension, mais au contraire une spécification de la linguistique. Il ne s'agit cependant pas d'assimiler le fait sémiologique au fait linguistique, car le langage ainsi utilisé n'intéresse le sémiologue qu'en qualité de langage *second*, soit que le texte verbal se charge d'imposer une signification à un objet non-verbal, comme c'est le cas dans les légendes annexées aux photographies de presse ou aux images publicitaires, soit qu'il se dédouble en quelque sorte lui-même

1. *Communications*, 4, p. 2. On voit ici que l'intérêt d'un code se mesure pour Barthes non à son *utilité* sociale, mais à sa « profondeur » c'est-à-dire à sa résonance anthropologique.

pour ajouter à sa propre signification explicite et littérale, ou *dénotation*, un pouvoir supplémentaire de *connotation* qui l'enrichit d'un ou plusieurs sens seconds. Bien des pages de littérature, comme le remarque à peu près Valéry [1], ne veulent rien dire d'autre que cette phrase, qui ne s'y trouve pourtant nulle part : « Je suis une page de littérature », et Sartre souligne à juste titre que le sens ou la qualité propre d'un texte ne sont après tout jamais directement désignés par les mots de ce texte, et que « l'objet littéraire, quoiqu'il se réalise *à travers* le langage, n'est jamais donné *dans* le langage [2] ». Ce langage oblique qui donne à entendre un sens non proféré, c'est le langage de la *connotation*, dont la littérature est le domaine par excellence, et dont l'étude peut se prévaloir d'un précédent illustre, quoique décrié : celui de la Rhétorique. Lorsqu'un rhétoricien de l'époque classique enseignait, par exemple, que l'emploi du mot *voile* pour désigner un navire est une figure appelée synecdoque, et que cette figure est du plus bel effet dans un poème épique, il ne faisait rien d'autre que de dégager, à sa manière, la connotation épique impliquée dans l'emploi de cette figure, et un traité de rhétorique était un code de connotation littéraire, un recueil des moyens par lesquels un poète pouvait signifier, en plus du « contenu » explicite de son poème, sa qualité épique, lyrique, bucolique, etc. On reconnaît là ces « bougre » et ces « foutre » qui émaillent la prose du *Père Duchêne*, non pour signifier quoi que ce soit dans le discours, mais pour signaler, de biais, toute une situation historique : précieuses figures de rhétorique révolutionnaire [3].

Ce sont en effet les phénomènes et les techniques de connotation qui, depuis le *Degré zéro de l'Écriture*, ont retenu spécialement l'attention de Roland Barthes. L'écriture, on s'en souvient, c'est cette *responsabilité de la Forme* qui,

1. *Œuvres* (Pléiade), II, p. 696.
2. *Situations*, II, p. 93.
3. *Le Degré zéro de l'Écriture*, p. 7.

entre la Nature que dessine l'horizon de la langue (imposée par le lieu et l'époque) et cette autre Nature que détermine la poussée verticale du style (dicté par les profondeurs du corps et de la psyché), manifeste le choix par l'écrivain d'une certaine attitude littéraire, et donc notifie une certaine modalité de la littérature; l'écrivain ne choisit ni sa langue ni son style, mais il est responsable des procédés d'écriture qui le signalent comme romancier ou comme poète, comme classique ou naturaliste, bourgeois ou populiste, etc. Tous ces faits d'écriture sont des moyens de connotation, puisqu'en plus de leur sens littéral, parfois faible ou négligeable, ils manifestent une attitude, un choix, une intention. Cet effet de sur-signification peut se représenter par un schéma simple, pour lequel on empruntera de nouveau à la rhétorique son exemple classique : dans la synecdoque *voile* = *navire*, il y a un mot signifiant, *voile*, et un objet (ou concept) signifié, le navire : voilà la dénotation; mais comme le mot *voile* a été substitué au mot propre *navire*, le rapport (signification) qui unit le signifiant au signifié constitue une figure; cette figure à son tour désigne clairement, dans le code rhétorique, un état poétique du discours : elle fonctionne donc comme le signifiant d'un nouveau signifié, la poésie, sur un deuxième plan sémantique qui est celui de la connotation rhétorique; le propre de la connotation est en effet de s'établir au-dessus (ou au-dessous) de la signification première, mais d'une manière décrochée, en utilisant le premier sens comme forme pour désigner un second concept; d'où le schéma suivant (que l'on pourrait à peu près traduire par une formule telle que : *le système sémiologique dans lequel le mot* voile *peut être employé pour désigner un navire est une figure; le système sémiologique au second degré dans lequel une figure, telle que l'emploi du mot* voile *pour désigner un navire, peut être employée pour signifier la poésie, est la Rhétorique* [1]*)* :

1. Ou, plus brutalement : [(*voile* = navire) = poésie] = Rhétorique.

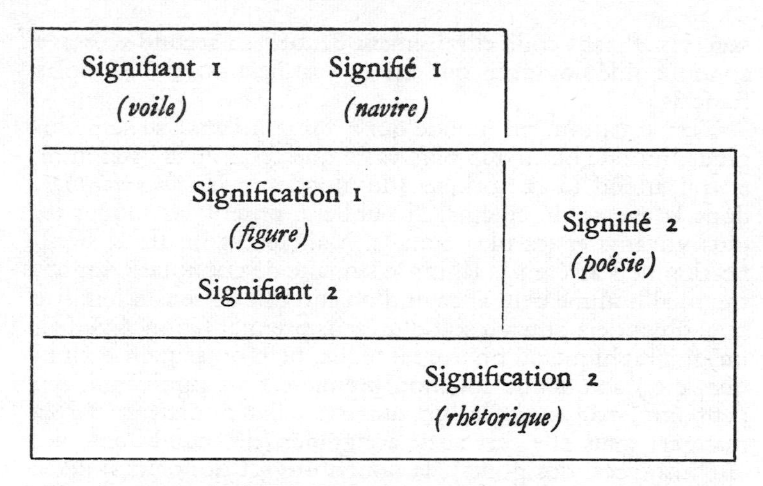

Les lecteurs de *Mythologies* auront reconnu dans ce schéma celui par lequel Barthes figure [1] le déboîtement du mythe par rapport au système sémiologique sur lequel il se greffe. C'est qu'il s'agit d'un effet du même ordre, et Barthes dit justement que le *Degré zéro* « n'était, à tout prendre, qu'une mythologie du langage littéraire » où il définissait l'écriture « comme le signifiant du mythe littéraire, c'est-à-dire comme une forme déjà pleine de sens et qui reçoit du concept de Littérature une signification nouvelle [2] ». Ce qui distingue, du point de vue qui nous occupe ici, les *Mythologies* du *Degré zéro*, c'est, d'une part, le recours explicite à la notion de système sémiologique, et la vision claire de la superposition et du déboîtement des deux systèmes; c'est d'autre part l'application de cette analyse à des objets non-littéraires, et même, pour certains, non-linguistiques, comme cette photographie d'un soldat noir saluant le drapeau français [3], qui ajoute à ce mes-

1. *Mythologies*, p. 222.
2. *Ibid.*, p. 242.
3. *Ibid.*, p. 223.

sage visuel sans code et purement dénoté un second message connoté, idéologique, qui est la justification de l'Empire français.

C'est ainsi tout un monde qui s'ouvre à l'analyse sémiologique, monde beaucoup plus vaste que celui de la littérature, et qui attend sa rhétorique : le monde de la *communication*, dont la presse, le cinéma, la publicité offrent les modes les plus voyants et les plus connus. Mais le champ de la signification ne s'arrête pas là, car le langage de connotation montre que l'homme peut affecter d'un surcroît de sens n'importe quel objet déjà pourvu soit d'un sens premier (énoncé verbal, image graphique ou photographique, plan ou séquence filmique, etc.) soit d'une fonction première non signifiante, qui peut être, par exemple, un usage : « La nourriture sert à manger; mais elle sert aussi à signifier (des conditions, des circonstances, des goûts); la nourriture est donc un système signifiant, et il faudra un jour la décrire comme telle [1] ». De même un costume sert à se vêtir, une maison à se loger, une voiture à se déplacer, mais en outre le costume, la maison, la voiture sont des signes, affiche d'une condition ou d'une personnalité, instruments d'un paraître. La sémiologie devient ainsi coextensive à toute une civilisation, et le monde des objets devient un univers de signes : « Combien, dans une journée, de champs véritablement *insignifiants* parcourons-nous? Bien peu, parfois aucun [2]. » Ce que nous appelons histoire, ou culture, c'est aussi ce « frisson d'une machine immense qui est l'humanité en train de procéder inlassablement à une création de sens, sans laquelle elle ne serait plus humaine [3] ».

Mais il faut bien voir que cette activité signifiante s'exerce toujours, pour Barthes, comme un *surcroît d'usage* imposé aux choses, et donc à la limite comme un détournement ou un

1. *Essais critiques*, p. 155.
2. *Mythologies*, p. 219.
3. *Essais critiques*, p. 219.

abus. Les signes barthésiens ne sont presque jamais, comme ces pavillons de marine, signaux routiers et autres appels de clairon dont s'occupe la sémiologie classique, des signifiants expressément inventés pour des signifiés explicites et bien délimités, bref les éléments d'un code reconnu et déclaré. Les systèmes qui l'intéressent sont toujours, comme il le dit de la critique littéraire, « des sémiologies qui n'osent pas dire leur nom [1] », des codes honteux ou inconscients, toujours marqués d'une certaine mauvaise foi. Décider qu'une lampe rouge ou verte signifiera *passage* ou *arrêt*, rien de moins équivoque : j'ai créé un signe en toute clarté, je n'ai abusé de rien ni de personne. Décider qu'une veste de cuir *fait sport*, et donc faire du cuir un signe de la *sportivité*, c'est autre chose : car le cuir existe en dehors de cette imposition de sens, comme une substance que l'on peut aimer pour des raisons profondes qui tiennent à son toucher, à sa consistance, à sa couleur, à sa patine; en en faisant un signifiant, j'oblitère ces qualités substantielles et je leur substitue un concept social d'authenticité douteuse; mais en retour, je confisque au profit de cette liaison signifiante les propriétés sensibles du cuir, toujours disponibles comme une réserve de justification naturelle : le cuir *est* sportif *parce qu'*il est souple, commode, etc.; je porte du cuir *parce que* je suis sportif : quoi de plus naturel? La liaison sémiologique se dissimule sous une apparente relation causale, et le naturel du signe *innocente* le signifié.

On voit que la réflexion sémiologique est passée ici du plan des faits à celui des valeurs. Il y a chez Barthes une axiologie du signe, et il n'est sans doute pas excessif de voir dans ce système de préférences et de refus le mobile profond de son activité de sémiologue. La sémiologie barthésienne est, dans son origine et dans son principe actif, celle d'un homme fasciné par le signe, d'une fascination qui comporte sans doute, comme chez Flaubert ou Baudelaire, une part de

1. *Sur Racine*, p. 160.

répulsion, et qui a le caractère essentiellement ambigu d'une passion. L'homme fabrique un peu trop de signes, et ces signes ne sont pas toujours très *sains*. L'un des textes recueillis dans *Essais critiques* s'intitule « Les maladies du costume de théâtre ». Il s'ouvre sur cette phrase caractéristique : « Je voudrais esquisser ici, non une histoire ou une esthétique, mais plutôt *une pathologie, ou si l'on préfère, une morale* du costume de théâtre. Je proposerai quelques règles très simples qui nous permettront peut-être de juger si un costume est *bon ou mauvais, sain ou malade* [1]. » Les maladies du costume, qui est évidemment un signe, sont au nombre de trois, et toutes trois se trouvent être des *hypertrophies* : hypertrophie de la fonction historique, le vérisme archéologique; hypertrophie de la beauté formelle, l'esthétisme; hypertrophie de la somptuosité, la richesse. Dans un autre texte sur le théâtre, Barthes reproche à la diction racinienne traditionnelle son « hypertrophie de la signification parcellaire [2] », pléthore de détails qui envahit le texte comme une mauvaise graisse et nuit à la clarté de l'ensemble; le même reproche s'adresse, avec plus de violence, au jeu d'une interprète moderne de l'*Orestie* : « art dramatique de l'intention, du geste et du regard lourds de sens... qui introduit dans la tragédie une *rouerie*, et pour tout dire une *vulgarité*, qui lui sont totalement anachroniques [3] ». Indiscrétion comparable à celle du *rubato* cher aux pianistes romantiques, et que Barthes retrouve dans telle interprétation d'une mélodie de Fauré : « ce pléonasme d'intentions étouffe et le mot et la musique, et principalement leur jonction, qui est l'objet même de l'art vocal [4] ». Toutes ces significations redondantes et *surnourries*, comme les anglaises « lactées et sanguines [5] » de Michelet ou les bourg-

1. *Essais critiques*, p. 53. C'est moi qui souligne.
2. *Sur Racine*, p. 138.
3. *Essais critiques*, p. 74.
4. *Mythologies*, p. 189.
5. *Michelet*, p. 80.

mestres apoplectiques de la peinture hollandaise [1], provoquent une réprobation qui est indissolublement d'ordre logique, moral et esthétique, mais peut-être avant tout physique : c'est l'écœurement, la nausée, ce « jugement immédiat du corps » que Barthes retrouve aisément chez son Michelet, qui juge l'Histoire « au tribunal de la chair [2] ». Le mauvais signe est bouffi parce qu'il est redondant, et il est redondant parce qu'il veut être *vrai*, c'est-à-dire à la fois signe et chose, comme le costume de Chantecler en 1910, fait de plusieurs kilos de vraies plumes « superposées une à une [3] ». Le bon signe est arbitraire : c'est le mot commun, le nom « arbre » ou le verbe « courir », qui ne vaut que par une convention expresse, et ne cherche pas à tricher en ajoutant à cette valeur conventionnelle un pouvoir oblique d'évocation naturelle. C'est le drapeau du théâtre chinois, qui signifie tout un régiment [4], les masques et les costumes de la *Commedia dell Arte*, ou mieux encore, la robe rouge du calife des *Mille et une nuits*, qui signifie : « Je suis en colère [5]. » Le mauvais signe par excellence, c'est le sens-forme qui sert de signifiant au concept mythique, parce qu'il utilise subrepticement le caractère naturel du sens premier pour justifier la signification seconde. La *naturalisation* de la culture, donc de l'Histoire, est aux yeux de Barthes, on le sait, le péché majeur de l'idéologie petite-bourgeoise, et sa dénonciation le thème central de *Mythologies*. Or l'instrument sémiologique de cette naturalisation, c'est la motivation frauduleuse du signe. Lorsqu'une actrice racinienne prononce « Je brûle » sur un ton ostensiblement brûlant, lorsqu'un chanteur interprète « tristesse affreuse » en attristant affreusement les sonorités de ces deux mots, ils commettent à la fois un pléonasme et une imposture : il faut choisir entre la phrase et le cri, « entre le

1. *Essais critiques*, p. 25.
2. *Michelet*, p. 181.
3. *Mythologies*, p. 190. — 4. *Ibid.*, p. 28.
5. *Essais critiques*, p. 58.

signe intellectuel et le signe viscéral [1] », qui à vrai dire n'est plus un signe, mais une manifestation directe du signifié, une *expression*, au sens plein du terme; mais de tels effets sont pratiquement hors de portée de l'art, qui doit s'accepter pleinement comme un langage. Or, « s'il y a une santé du langage, c'est l'arbitraire du signe qui la fonde. L'écœurant dans le mythe, c'est le recours à une fausse nature, c'est le *luxe* des formes significatives, comme dans ces objets qui décorent leur utilité d'une apparence naturelle. La volonté d'alourdir la signification de toute la caution de la nature provoque une sorte de nausée : le mythe est trop riche, et ce qu'il a en trop, c'est précisément sa motivation [2]. » La santé d'un art, sa vertu, son élégance, c'est sa fidélité rigoureuse au système de conventions sur lequel il repose : « l'exercice d'un système signifiant ne connaît qu'une seule exigence, qui sera donc l'exigence esthétique elle-même : la rigueur [3] » : c'est la dramaturgie brechtienne, *décrassée* par l'effet de distanciation, et qui sait que « l'art dramatique a moins à exprimer le monde qu'à le signifier [4] »; c'est le jeu sobre d'Hélène Weigel, les exécutions littérales d'un Panzera ou d'un Lipatti, les photographies d'Agnès Varda, d'une « humilité exemplaire [5] », l'écriture cathartique de Robbe-Grillet, acharnée à *tuer l'adjectif* et à restituer à l'objet sa « maigreur essentielle [6] ».

L'activité sémiologique n'est donc pas ici exclusivement, ni même essentiellement de l'ordre du savoir. Les signes ne sont jamais chez Barthes ces objets neutres d'une connaissance désintéressée auxquels pensait Saussure lorsqu'il envisageait la fondation d'une science sémiologique. Le choix normatif n'est jamais très loin derrière le discours analytique, et cette *origine éthique* qu'il reconnaît dans le travail du mythologue se retrouve aisément dans l'ensemble de son œuvre.

1. *Mythologies*, p. 28. — 2. *Ibid.*, p. 234.
3. *Essais critiques*, p. 142. — 4. *Ibid.*, p. 87.
5. *Mythologies*, p. 25.
6. *Essais critiques*, p. 34.

« La critique brechtienne est une pleine critique de spectateur, de lecteur, de consommateur, et non d'exégète : c'est une critique d'homme *concerné* [1]. » Cette attitude marque toute l'activité critique de Barthes, constamment sous-tendue par cette question : en quoi cette œuvre nous concerne-t-elle? Cette critique est et se veut toujours profondément et agressivement subjective, parce que toute lecture, « si impersonnelle qu'elle s'oblige à être, est un test projectif [2] » dans lequel le critique met « toute sa « profondeur », c'est-à-dire ses choix, ses plaisirs, ses résistances, ses obsessions [3] ». Il ne s'agit pas, on le voit, de cette participation intersubjective qui anime une critique comme celle de Georges Poulet, et qui joue toujours au bénéfice de la « pensée critiquée », devant laquelle la pensée critique s'efface et se tait, n'existant plus que pour lui refaire un espace et un langage. La critique barthésienne n'est pas la reprise d'un sujet par un autre, d'une parole par une autre : elle est un dialogue, et dialogue orienté, « égoïstement tout entier déporté vers le présent ». Aussi, paradoxalement, ce représentant notoire de la critique la plus « nouvelle » est-il le seul à honorer dans son œuvre le sens ancien du mot critique, qui désigne un acte militant d'appréciation et de contestation. Sa critique littéraire est bien une sémiologie de la littérature; mais sa sémiologie, à son tour, n'est pas seulement une étude des significations, mais aussi, au sens le plus vif du terme, une critique des signes.

Relevant dans la postface de *Mythologies* l'imposture que comporte l'ambiguïté du signe mythique, « tourniquet de sens et de forme [4] », Barthes ajoute que l'on ne peut échapper à cette imposture, arrêter ce tourniquet, qu'en « accommodant sur chacun d'eux (la forme et le sens) comme sur un

1. *Essais critiques*, p. 84.
2. *Sur Racine*, p. 161.
3. *Essais critiques*, p. 257.
4. *Mythologies*, p. 231.

objet distinct de l'autre », c'est-à-dire en appliquant à l'objet mythique une *analyse* sémiologique. La sémiologie n'est donc pas seulement un instrument de savoir et de critique : elle est aussi, pour l'homme assiégé par les signes, le seul recours possible, la seule défense. Analyser le signe, distinguer ses éléments constitutifs, mettre d'un côté le signifiant, de l'autre le signifié : cette activité qui, chez Saussure, était une simple technique, une routine méthodologique, devient chez Barthes quelque chose comme l'instrument d'une ascèse et l'amorce d'un salut. La discipline sémiologique arrête le vertige du sens et autorise un choix libérateur : car c'est le privilège du sémiologue de se détourner du signifié pour se vouer à l'étude, et donc au commerce exclusif du signifiant. Il s'est donné pour « fin morale », comme le dit Barthes du critique, « non de déchiffrer le sens, mais de reconstituer les règles et contraintes d'élaboration de ce sens » : ainsi évite-t-il la « bonne conscience » ou la « mauvaise foi [1] ». Son regard s'arrête à la frontière du sens et ne la franchit pas : comme le linguiste, il n'a plus affaire qu'à des formes. Mais ce parti pris des formes n'est pas une simple règle de méthode, c'est un choix existentiel.

Il faut se rappeler que les formes en question ne sont pas ici des phrases, des mots, des phonèmes : ce sont des objets; et lorsque le sémiologue a opéré sur l'objet-forme la réduction sémiologique, l'*épochè* du sens, il reste en présence d'un objet mat, décrassé du vernis de significations douteuses, abusives, dont la parole sociale l'avait recouvert, restitué à sa fraîcheur et à sa solitude essentielles. Ainsi l'entreprise formaliste débouche-t-elle, d'une manière inattendue, sur une adhésion, un accord très profond à la réalité des choses. Le paradoxe et la difficulté d'un tel détour n'ont pas échappé à l'auteur de *Mythologies*, qui leur consacre la dernière page de ce livre : le mythologue veut « protéger le réel » contre l' « évaporation » dont il est menacé par la

1. *Essais critiques*, p. 256.

parole aliénante du mythe, mais il craint d'avoir lui-même contribué à le faire s'évanouir. La « bonté du vin » est un mythe français, mais en même temps le vin est bon, et le mythologue se condamne à ne parler que de sa saveur mythique, et à se taire (jusqu'à paraître la contester) sur sa saveur réelle. Cette abstention est douloureuse, et Barthes reconnaît qu'il n'a pu s'y tenir tout à fait : « Souffrant de travailler sans cesse sur l'évaporation du réel, je me suis mis (parfois) à l'épaissir excessivement, à lui donner une compacité surprenante, savoureuse à moi-même, j'ai donné quelques psychanalyses substantielles d'objets mythiques ». Toute ironie critique désarmée, il s'abandonne par exemple à un éloge des anciens jouets de bois, dont l'accent de nostalgie est caractéristique : « Un signe consternant, c'est la disparition progressive du bois, matière pourtant idéale par sa fermeté et sa tendreur, la chaleur naturelle de son contact... C'est une substance familière et poétique, qui laisse l'enfant dans une continuité de contact avec l'arbre, la table, le plancher... Le bois fait des objets essentiels, des objets de toujours [1]. » C'est que l'intimité matérielle, l'accès à l' « essence des choses » est ici, comme chez Proust, un paradis perdu, qu'il faut tenter de retrouver, mais par une voie indirecte. La sémiologie joue bien chez Barthes le rôle d'une *catharsis* [2], mais cette ascèse, qui congédie le sens ajouté par l'Histoire, est à sa manière un retour, ou une tentative de retour au réel. Sa démarche est à peu près inverse de celle de la Poésie (moderne), ce langage *sans écriture* par lequel l'Homme « affronte le monde objectif sans passer par aucune des figures de l'Histoire ou de la sociabilité [3] » : la procédure sémiologique consisterait au contraire à accepter le détour comme

1. *Mythologies*, p. 64.
2. « Le travail du romancier (il s'agit de Robbe-Grillet) est en quelque sorte cathartique : il purifie les choses du sens *indu* que les hommes sans cesse déposent en elles » (*Essais critiques*, p. 199. C'est moi qui souligne.)
3. *Le Degré zéro de l'Écriture*, p. 76.

inévitable, considérant que l'idéologie et sa rhétorique [1] recouvrent le réel sur toute sa surface, que la seule façon de s'en défaire est de les affronter pour les traverser, et donc que le projet poétique d'une parole immédiate est une sorte d'utopie. Mais l'opposition des moyens ne doit pas dissimuler la parenté des fins : le sémiologue comme l'entend Barthes est lui aussi à la recherche du « sens inaliénable des choses [2] », qu'il retrouve sous leur sens aliéné. Le mouvement qui porte du signifié (idéologique) au signifiant (réel) n'est donc qu'apparemment un abandon du sens. Il vaudrait mieux dire qu'il mène du sens idéologique, qui est une parole (abusive), au sens poétique, qui est une présence silencieuse. « Il faut, demande Curnonsky, que les choses aient le goût de ce qu'elles sont ». Retrouver ce goût profond est peut-être le dessein inavoué du sémiologue.

Ainsi peut se comprendre le privilège accordé, et conservé tout au long de cette œuvre, à la Littérature. Pour Barthes, la littérature fait usage des signes, selon la leçon de Kafka, non pour nommer un sens, mais pour le « décevoir », c'est-à-dire à la fois le proposer et le suspendre. Dans l'œuvre littéraire, le mouvement transitif du message verbal s'arrête et se

1. « A l'idéologie générale correspondent des signifiants de connotation qui se spécifient selon la substance choisie. On appellera ces signifiants des *connotateurs* et l'ensemble des connotateurs une *rhétorique* : la rhétorique apparaît ainsi comme la face signifiante de l'idéologie » (« Rhétorique de l'image », *Communications*, 4, 1964, p. 49). C'est dire que l'objet brut, comme le message dénoté, ne devient signifiant qu'une fois investi, par la rhétorique sociale, d'une valeur de connotation idéologique dont il devient l'*otage*, c'est-à-dire le prisonnier et le garant, et dont seule l'analyse sémiologique peut le libérer, par voie critique. Tandis que la parole « poétique », si l'on veut désigner ainsi celle qui nomme immédiatement le sens profond sans avoir désamorcé le sens idéologique, risque d'être à son tour investie par la parole sociale, et d'aliéner ce qu'elle a pris en charge. Combien de vérités poétiques sont-elles ainsi devenues des mythes publicitaires? C'est que, sous la pression de l'idéologie, la parole la plus innocente est aussi la plus exposée, et donc la plus dangereuse.

2. *Mythologies*, p. 268.

résorbe en un « pur spectacle [1] ». A la prolifération du sens, la littérature oppose une résistance d'autant plus efficace que ses instruments sont d'ordre exclusivement sémantique, et que toutes ses œuvres sont de langage. Loin de se détourner de cette technique un peu écœurante que Barthes appelle la « cuisine du sens », elle s'y engage, elle aussi, tout entière (mais en acte) pour mieux s'en affranchir, conservant les significations mais les détournant de leur fonction signifiante. L'œuvre littéraire tend bien à se constituer en un monument de réticence et d'ambiguïté, mais cet objet silencieux, elle le fabrique, pour ainsi dire, avec des mots, et ce travail d'annulation du sens est un procès typiquement sémiologique, passible comme tel d'une analyse du même ordre : la littérature est une rhétorique du silence [2]. Tout son *art* consiste à faire du langage, véhicule de savoir et d'opinion plutôt expéditif, un lieu d'incertitude et d'interrogation. Elle suggère que le monde signifie, mais « sans dire quoi [3] » : elle décrit des objets, des personnes, rapporte des événements, et au lieu de leur imposer des significations certaines et figées, comme le fait la parole sociale (et aussi, bien sûr, la « mau-

1. *Essais critiques*, p. 151.

2. On sait que sur certains juke-boxes on peut obtenir, pour le même prix que le dernier « tube », une durée de silence égale à celle d'un disque : peut-être, d'ailleurs, s'agit-il effectivement d'un disque en blanc, spécialement fabriqué pour cet usage. Mais quel qu'en soit le moyen, la leçon de cette invention est claire : c'est que dans une civilisation du bruit le silence doit être lui aussi *produit*, qu'il est le fruit d'une technique et l'objet d'un commerce. Il n'est pas question d'arrêter le bastringue, qui doit être amorti au plus vite, mais il est possible, par exception, et en payant le prix, de le faire marcher à vide. De même, dans une civilisation du sens, s'il n'y a pas de place pour des objets « véritablement insignifiants », il reste possible de produire des objets chargés de significations, mais conçus de telle manière que ces significations s'annulent, se dispersent, ou se résorbent, comme les fonctions mécaniques dans l'homéostat d'Ashby. Nul n'est vraiment capable de (ni autorisé à) se taire tout à fait, mais l'écrivain a pour fonction spéciale, indispensable, et d'ailleurs sacrée, de parler « pour ne rien dire », ou pour dire : *quoi ?*

3. *Essais critiques*, p. 264.

vaise » littérature), elle leur laisse, ou plutôt leur restitue, par une echnique très subtile (et qui reste à étudier) d'évasion sémantique, ce sens *tremblé*, ambigu, indéfini, qui est leur vérité. Et c'est ainsi qu'elle *donne du souffle au monde*, qu'elle le libère de la pression du sens social, qui est un sens nommé, donc un sens mort [1], maintenant le plus longtemps possible cette ouverture, cette *incertitude des signes* qui permet de respirer. Aussi la littérature est-elle pour le sémiologue (le critique) une tentation permanente, une vocation sans cesse renvoyée à plus tard, et qui s'accomplit sur ce mode dilatoire : comme le Narrateur proustien, le sémiologue est un « écrivain en sursis [2] »; sans cesse, il projette d'*écrire*, c'est-à-dire de retourner le sens des signes et de renvoyer le langage à sa part de silence; mais le sursis n'est qu'apparent, car ce projet d'écrire, ce *regard moïséen* sur l'œuvre à venir, c'est déjà la Littérature.

1. « Sitôt qu'elle (la littérature) se retourne sur ce qu'elle aime, il ne reste plus entre ses mains qu'un sens nommé, c'est-à-dire un sens mort » (*Essais critiques*, p. 265). Mais « il n'y a de sens que nommé » (*Communications*, 4, p. 2). Toute une angoisse (physique) du sens tient entre ces deux formules. Le poids du sens est, littéralement, un *poids mort*. C'est le corps d'Eurydice, tuée non par un regard, mais par une parole indiscrète.

2. *Essais critiques*, p. 18.

FIGURES

Dans son sonnet à la mémoire du duc d'Osuna, Quevedo écrit :

Su Tumba son de Flandes las Campañas
Y su Epitaphio la sangrienta Luna.

Cette lune sanglante qui sert d'épitaphe au guerrier, voilà ce qui nous retient dans ce distique, voilà ce qu'on appellerait en poésie moderne une admirable *image*. Mieux vaut ignorer, dit Borges [1], qu'il s'agit du Croissant turc ensanglanté par les victoires du terrible duc : l'image, la vision poétique s'effacerait devant une allégorie sans mystère. Il en va de même des *Kenningar* de la poésie scandinave : le *puissant bison de la prairie de la mouette*, ce n'est qu'une laborieuse « équation du second degré » : la prairie de la mouette, c'est la mer, le bison de cette prairie, c'est le navire. Snorri Sturluson, qui établit au XIIIe siècle un glossaire complet de ces métaphores, a commis un acte anti-poétique. « Réduire chaque Kenning au mot qu'elle représente n'est pas dévoiler des mystères : c'est annuler le poème. »

Sur un tel commentaire, l'accord est sans doute, aujourd'hui, à peu près unanime. Il l'est tout autant sur la fameuse réplique furibonde de Breton à propos de je ne sais quelle « périphrase » de Saint-Pol-Roux : « Non, Monsieur, Saint-Pol-Roux n'a pas *voulu dire*. S'il avait voulu dire, il l'aurait

1. *Histoire de l'Éternité*, éd. du Rocher, p. 129.

dit. » La littéralité du langage apparaît aujourd'hui comme l'être même de la poésie, et rien n'est plus antipathique à cette idée que celle d'une traduction possible, d'un espace quelconque entre la lettre et le sens. Breton écrit : *La rosée à tête de chatte se berçait* : il entend par là que la rosée a une tête de chatte, et qu'elle se berçait. Éluard écrit : *Un soleil tournoyant ruisselle sous l'écorce,* et il veut dire qu'un soleil tournoyant ruisselle sous l'écorce.

Ouvrons maintenant un traité de Rhétorique [1]. Voici un vers de La Fontaine :

Sur les ailes du temps la tristesse s'envole.

Ce vers signifie que *le chagrin ne dure pas toujours* (Domairon). Voici un vers de Boileau :

Le chagrin monte en croupe et galope avec lui.

Ce vers signifie qu'*il monte à cheval avec son chagrin et ne l'oublie pas en galopant* (Fontanier). Voici quatre vers de Racine :

1. Les traités de Rhétorique cités ici sont les suivants : René Bary : *la Rhétorique française,* 1653; Bernard Lamy : la *Rhétorique ou l'Art de parler,* 1688; Dumarsais : *des Tropes,* 1730; Crevier : *Rhétorique française,* 1765; Hugh Blair : *Leçons de Rhétorique et de Belles-Lettres,* 1783; Domairon : *Rhétorique française,* 1804; Fontanier : *Commentaire raisonné des Tropes de Dumarsais,* 1818; *Manuel classique pour l'étude des Tropes,* 1821, deuxième édition remaniée en 1822; *Des Figures du Discours autres que les Tropes,* 1827.

Ces Rhétoriques classiques traitent essentiellement (et même, dans le cas de Dumarsais et de Fontanier, exclusivement) de cette partie de l'art de parler et d'écrire que les anciens appelaient *elocutio,* c'est-à-dire le travail du style, dont les figures constituent la principale ressource. C'est cette rhétorique de l'expression, ancêtre de la sémantique et de la stylistique modernes, qui est considéré ici, et nommée par commodité rhétorique tout court. Mais cette restriction ne doit pas faire oublier les deux autres grandes parties de la rhétorique antique, la *dispositio,* qui est l'art de combiner les grandes unités du discours (rhétorique de la composition), et surtout l'*inventio,* qui est l'art de trouver des arguments (rhétorique du contenu, culminant dans la *topique,* ou répertoire des thèmes).

Mon arc, mes javelots, mon char, tout m'importune;
Je ne me souviens plus des leçons de Neptune;
Mes seuls gémissements font retentir les bois,
Et mes coursiers oisifs ont oublié ma voix.

La traduction de ces vers est dans Pradon, qui exprime autrement *ces mêmes pensées et ces mêmes sentiments* (Domairon) :

Depuis que je vous vois j'abandonne la chasse.

« Je ne pense pas mieux que Pradon et Coras, dit Racine, mais j'écris mieux qu'eux. » Il y a une « pensée », c'est-à-dire un sens, qui est commune aux bons et aux mauvais poètes, et qui peut s'exprimer par une petite phrase sèche et plate; et il y a une *manière de la rendre* (Domairon), qui fait toute la différence. On voit qu'ici, entre la lettre et le sens, entre ce que le poète a *écrit* et ce qu'il a *pensé*, se creuse un écart, un espace, et comme tout espace, celui-ci possède une forme. On appelle cette forme une *figure*, et il y aura autant de figures qu'on pourra trouver de formes à l'espace à chaque fois ménagé entre la ligne du signifiant (*la tristesse s'envole*) et celle du signifié (*le chagrin ne dure pas*), qui n'est évidemment qu'un autre signifiant donné comme littéral. « Le discours, qui ne s'adresse qu'à l'intelligence de l'âme, n'est pas, même considéré quant aux mots qui le transmettent à l'âme par les sens, un corps proprement dit : il n'a donc pas de *figure*, à proprement parler. Mais il a pourtant, dans ses différentes manières de signifier et d'exprimer, quelque chose d'analogue aux différences de forme et de traits qui se trouvent dans les vrais corps... Les figures du discours sont les traits, les formes ou les tours... par lesquels le discours... s'éloigne plus ou moins de ce qui en eût été l'expression simple et commune » (Fontanier).

L'esprit de la rhétorique est tout entier dans cette conscience d'un hiatus possible entre le langage réel (celui du poète) et un langage virtuel (celui qu'aurait employé l'*expression simple et commune*) qu'il suffit de rétablir par la pensée pour délimiter un espace de figure. Cet espace n'est pas vide :

il contient à chaque fois un certain mode de l'éloquence ou de la poésie. L'art de l'écrivain tient à la façon dont il dessine les limites de cet espace, qui est le corps visible de la Littérature.

On pourrait objecter que le *style figuré* n'est pas tout le style, ni même toute la poésie, et que la rhétorique connaît aussi ce qu'elle appelle le style *simple*. Mais à vrai dire ce n'est là qu'un style moins orné, ou plutôt, orné plus simplement, et il a lui aussi, comme le lyrisme et l'épopée, ses figures consacrées. Quant à l'absence rigoureuse de figure, elle existe effectivement, mais elle est dans la rhétorique ce qu'on appellerait aujourd'hui un *degré zéro*, c'est-à-dire un signe défini par l'absence de signe, et dont la valeur est parfaitement reconnue. La sobriété absolue de l'expression, c'est la marque d'une extrême élévation dans la pensée : « Les sentiments sublimes sont *toujours* rendus par l'expression la plus simple » (Domairon). Le vieil Horace dit, tout uniment : « Qu'il mourût ! », Médée dit : « Moi ! », la Genèse dit : « La lumière fut ». Rien de plus *marqué* que cette simplicité : c'est la figure même, et parfaitement obligatoire, du sublime. Obligatoire et réservée : l'employer pour exprimer des sentiments ou des situations moins élevés serait une faute de goût. On sait, par l'exemple de la linguistique, que ce phénomène du degré zéro, où une absence de signifiant désigne clairement un signifié connu, est la marque infaillible de l'existence d'un système : il faut un code organisé d'alternances vocaliques pour que l'absence de voyelle ait une fonction distinctive. L'existence d'une figure zéro, valant comme figure du sublime, montre que le langage de la rhétorique est assez saturé de figures pour qu'une case vide y désigne un sens plein : la rhétorique est un *système* des figures.

Le statut de la figure n'a pourtant pas toujours été clair dans l'esprit de la tradition rhétorique. Depuis l'Antiquité, celle-ci définit les figures comme des *manières de parler éloignées de celles qui sont naturelles et ordinaires,* ou encore, (on vient de le voir chez Fontanier), *simples et communes*; mais en même temps elle avoue que rien n'est plus commun et ordinaire que l'usage des figures, et, pour reprendre la formule classique, qu'*il se fait plus de figures un jour de marché à la Halle qu'il ne s'en fait en plusieurs jours d'assemblées académiques.* La figure est un écart par rapport à l'usage, lequel écart est pourtant dans l'usage : voilà le paradoxe de la rhétorique. Dumarsais, qui a eu plus qu'aucun autre le sentiment de cette difficulté, ne s'obstine pas là-contre, et se rabat pour finir sur une définition qui est un aveu de défaite : « (Les figures) ont d'abord cette propriété générale qui convient à toutes les phrases et à tous les assemblages de mots, et qui consiste à signifier quelque chose en vertu de la construction grammaticale; mais de plus les expressions figurées ont encore une modification particulière qui leur est propre, et c'est en vertu de cette modification particulière que l'on fait une espèce à part de chaque sorte de figure. » Ou encore : « Les figures sont des manières de parler distinctement des autres par une modification particulière qui fait qu'on les réduit chacune à une espèce à part, et qui les rend, ou plus vives, ou plus nobles, ou plus agréables que les manières de parler qui expriment le même fond de pensée sans avoir de modification particulière. » Autrement dit : l'*effet* des figures (vivacité, noblesse, agrément) est aisé à qualifier, mais leur *être* ne peut se désigner que par ceci, que chaque figure est une figure à part, et que les figures en général se distinguent des expressions non-figurées par le fait qu'elles ont une *modification particulière*, qu'on appelle figure. Définition presque tautologique, mais non pas tout à fait, puisqu'elle met l'être de la figure dans le fait d'*avoir* une figure, c'est-à-dire une forme. L'expression simple et commune n'a pas de forme, la figure en a une : nous voici ramenés à la définition de la figure comme écart entre le signe et le sens, comme espace intérieur du langage.

En effet, toute phrase, même la plus simple et la plus commune, tout mot, même le plus ordinaire, possèdent une forme : les sons se succèdent d'une certaine manière (dans un certain ordre) pour former ce mot, les mots pour former cette phrase. Mais cette forme est purement grammaticale, elle intéresse la morphologie, la syntaxe, non la rhétorique. Aux yeux de la rhétorique, le mot *navire*, la proposition *je t'aime* n'ont pas de forme, ne comportent aucune modification particulière. Le fait rhétorique commence là où je puis comparer la forme de ce mot ou de cette phrase à celle d'un autre mot ou d'une autre phrase qui auraient pu être employés à leur place, et dont on peut considérer qu'ils tiennent lieu. Non plus que *navire*, ou *je t'aime*, *voile* ou *je ne te hais point* n'ont en eux-mêmes de forme rhétorique. La forme rhétorique — la figure — est dans l'emploi de *voile* pour désigner un navire (synecdoque), ou de *je ne te hais point* pour signifier l'amour (litote). Ainsi, l'existence et le caractère de la figure sont absolument déterminés par l'existence et le caractère des signes virtuels auxquels je compare les signes réels en posant leur équivalence sémantique. Bally dira [1] que l'expressivité trouble la linéarité du langage en faisant percevoir à la fois la présence d'un signifiant *(voile)* et l'absence d'un autre signifiant *(navire)*. Pascal l'avait déjà dit : « Figure porte absence et présence. » Un signe ou une suite de signes linguistiques ne forment qu'une ligne, et cette forme linéaire est l'affaire des grammairiens. La forme rhétorique est une *surface*, celle que délimitent les deux lignes du signifiant présent et du signifiant absent. Ainsi seulement peut s'interpréter la définition piétinante de Dumarsais : seule l'expression figurée est pourvue d'une forme, parce que seule elle renferme un espace.

On voit donc que la définition de la figure comme déviation par rapport à l'*usage* repose sur une confusion entre l'usage et la littéralité, confusion qui se montre bien dans le faux

1. *Le Langage et la Vie.*

doublet : « façons de parler *simples et communes* ». Le simple n'est pas nécessairement commun, et réciproquement; la figure peut être commune, elle ne peut être simple, puisqu'elle porte *à la fois* présence et absence. Elle peut fort bien entrer dans l'usage sans perdre son caractère figuré (c'est-à-dire que la langue vulgaire a elle aussi sa rhétorique, mais la rhétorique elle-même définit un *usage littéraire* qui ressemble plus à une langue qu'à une parole); elle ne disparaît que lorsque le signifiant présent est littéralisé par une conscience antirhétorique, ou *terroriste*, comme dans la poésie moderne (« Quand j'écris *voile*, je veux dire voile; si j'avais voulu dire navire, j'aurais écrit *navire* »), ou lorsque le signifiant absent reste introuvable. Voilà pourquoi les traités de rhétorique sont des collections d'exemples de figures suivis de leur traduction en langage littéral : « l'auteur veut dire... l'auteur aurait pu dire... » Toute figure est traduisible, et porte sa traduction, visible en transparence, comme un filigrane, ou un palimpseste, sous son texte apparent. La rhétorique est liée à cette duplicité du langage [1].

Le dernier grand rhétoricien français, Fontanier, a bien éclairé cette liaison en soulevant contre Dumarsais la querelle de la *catachrèse*, et il dit bien lui-même que « (ses) principes sur la catachrèse servent de fondement à tout (son) système tropologique ». Après Lamy et quelques autres, l'auteur du traité *Des Tropes* avait admis au nombre des

1. C'est dire que si la figure doit être *traduisible*, elle ne peut être *traduite* sans perdre sa qualité de figure. La rhétorique sait que le mot *voile* désigne un navire, mais elle sait aussi qu'il le désigne autrement que ne le ferait le mot *navire* : le sens est le même, mais la signification, c'est-à-dire le rapport du signe au sens, est différente, et la poésie dépend des significations, non des sens. Si bien que la rhétorique respecte à sa manière le principe valéryen de la *liaison indissoluble du son et du sens*. En poésie moderne, le mot est irremplaçable *parce que littéral*, en poésie classique il l'est *parce que figuré*.

figures de mots la catachrèse, qu'il définissait comme un abus ou une extension de sens (une *feuille* de papier, un *pied* de table). Fontanier s'oppose violemment à cette admission, qui lui paraît contraire au principe même de la théorie des figures : la catachrèse est un trope *forcé*, imposé par la nécessité [1], c'est-à-dire par le manque de mot propre. L'idée que les figures sont filles de la disette et de la nécessité remonte à Cicéron et Quintilien; au XVIIe siècle encore, René Bary expliquait leur existence par le fait que « la nature est plus fertile en choses que nous ne sommes fertiles en termes ». Mais Dumarsais répudiait lui-même cette explication en invoquant le grand nombre des tropes qui *doublent* le mot propre au lieu de le suppléer. « D'ailleurs, ajoutait-il, ce n'est point là, ce me semble, la marche, pour ainsi dire, de la nature; l'imagination a trop de part dans le langage et la conduite des hommes pour avoir été précédée en ce point par la nécessité. » Il la réintroduit pourtant en faisant de la catachrèse une figure, sans percevoir, semble-t-il, la contradiction. Fontanier, pour sa part, traite avec assez de dédain la question de l'origine, qui passionnait tous ses devanciers; ou plus exactement — et en cela on pourrait assez bien le considérer comme le Saussure de la rhétorique — il distingue soigneusement la recherche des causes et l'analyse des fonctions. Quelle que soit l'origine d'un trope, il faut considérer quel est son emploi actuel, et le classer selon cet emploi. Or la catachrèse n'est jamais que « l'emploi, *sinon toujours primitivement, du moins actuellement forcé* de telle ou telle des trois grandes espèces que nous avons reconnues (métaphore, synecdoque, métonymie) ». Lorsque nous disons *feuille de papier* ou *pied de table*, nous usons d'une métaphore obligée, puisque le mot propre n'existe pas, ou plus, ou pas encore. Or « les

1. Bary et Crevier appellent catachrèse une métaphore forcée, non au sens de *contrainte*, mais d'*excessive*; exemple classique, Théophile : « La charrue *écorche* la plaine. » Métaphore trop hardie (selon le goût classique), tirée de trop loin. Rien de commun, si ce n'est le nom, avec la catachrèse de Dumarsais et Fontanier.

figures, quelque communes qu'elles soient et quelque familières que les ait rendues l'habitude, ne peuvent mériter et conserver leur titre de *figure* qu'autant qu'elles sont d'un usage libre et qu'elles ne sont pas en quelque sorte imposées par la langue. Et comment pourraient se concilier avec un usage forcé ce choix, cette combinaison de mots, ou ce tour de pensée qui leur donne l'existence? » Plus qu'il y ait choix, combinaison de mots, tour de pensée, il faut qu'il y ait au moins deux termes à comparer, deux mots à combiner, un espace où la pensée puisse tourner. Il faut donc que le lecteur puisse traduire implicitement l'expression par une autre, et évaluer leur écart, leur angle, leur distance. La catachrèse *pied de table* est bien un trope, puisqu'elle emploie à propos d'une table un mot primitivement réservé au corps humain, et qu'elle détourne ce mot de sa signification initiale; et à ce titre elle intéresse l'histoire (diachronique) de la langue. Mais elle n'est pas un trope-figure, puisque je ne puis proposer aucune traduction du mot pied, faute d'un autre mot : elle n'intéresse donc pas le code (synchronique) de la rhétorique.

L'application, consciente ou non, de ce critère fonctionnel (toute figure est traduisible) peut nous expliquer certaines annexions, apparemment abusives, et certains refus, apparemment timides, de la rhétorique. Ainsi, la *description* est tenue, à l'époque classique, pour une figure : « figure par laquelle nous présentons l'image d'un objet » (Domairon). Le P. Lamy en fait une variante atténuée de l'*hypotypose* : elle parle des choses absentes comme absentes (alors que l'hypotypose feint de les mettre sous nos yeux), mais « d'une manière qui fait une vive impression sur l'esprit ». Domairon en fait un genre dont les quatre espèces sont l'hypotypose, l'éthopée, la posographie et la topographie. Pourquoi figure? Lorsque Théramène, au Ve acte de Phèdre, rapporte les circonstances de la mort d'Hippolyte, il décrit le « monstre furieux » envoyé par Neptune :

Son front large est orné de cornes menaçantes;
Tout son corps est couvert d'écailles jaunissantes;
Indomptable taureau, dragon impérieux,
Sa croupe se recourbe en replis tortueux.

Nous ne voyons là aucune figure; c'est que nous ne songeons pas que Théramène eût pu se contenter de dire : *monstre furieux*, et se dispenser de ce développement. Il dit en quatre vers ce qu'il eût pu dire en deux mots, et donc la description remplace (c'est-à-dire : pourrait être remplacée par) une simple désignation : voilà la figure. Dans la fable *Le Loup et le Chasseur*, la Fontaine nous donne ce dialogue :

Jouis. — Je le ferai. — Mais quand donc ? — Dès demain.

Figure, dit Fontanier : car le poète a « ôté les transitions qui sont d'usage entre les parties d'un dialogue... afin d'en rendre l'exposition plus animée et plus intéressante ». Et de nommer cette figure : *abruption*. On saisit facilement sur ces deux exemples le procédé par lequel la rhétorique fabrique des figures : elle constate dans le texte une *qualité* qui aurait pu ne pas y être : le poète décrit (au lieu de désigner d'un mot), le dialogue est abrupt (au lieu d'être lié); puis elle substantialise cette qualité en la nommant : le texte n'est plus descriptif ou abrupt, il *contient* une description ou une abruption. Vieille habitude scolastique : l'opium ne fait pas dormir, il possède une vertu dormitive. Il y a dans la rhétorique une *rage de nommer* qui est façon de s'étendre et de se justifier en multipliant les objets de son savoir. Le même résultat pourrait être atteint tout aussi bien par la démarche inverse : le poète désigne au lieu de décrire : c'est une *désignation*; le dialogue est lié au lieu d'être abrupt : c'est une *liaison*. Les promotions rhétoriques sont arbitraires : l'essentiel est de promouvoir, et de fonder ainsi un Ordre de la dignité littéraire.

Mais cette liberté d'instauration a ses limites, qui sont celles qu'impose le critère implicite (la traduisibilité). Ainsi, certains rhétoriciens avaient classé parmi les figures de pensée ce qu'ils appelaient la *commination*, et qui est le fait de proférer des menaces. Halte-là, dit Fontanier. Il examine trois exemples, et remarque qu'il n'y trouve aucun tour de langage particulier. Est-ce donc le sentiment qui fait ici la figure? « Mais alors, autant de nouvelles figures que de sentiments ou de passions diverses, ou que de diverses manières dont les sentiments, les passions peuvent éclater. Alors, dis-je, l'injure, le reproche, le blâme, la louange, la flatterie, le conseil, le compliment, l'exhortation, l'offre, la demande, le remerciement, la plainte, et que sais-je encore, seront autant de figures qu'il faudra classer sans doute d'après leurs caractères distinctifs de malignité et de violence, ou de douceur et d'aménité. » La menace, l'injure, le reproche sont des contenus et non des modes d'expression, ils ne sont donc pas traduisibles. On traduit des mots, non des sens. La *commination* n'est donc qu'une « prétendue figure ». De même, s'il accepte comme figure la *délibération* de Didon au chant IV de l'Énéide, parce que Didon y *feint* de s'interroger sur son sort alors qu'elle a déjà décidé de mourir, Fontanier refuse ce titre à la *dubitation* d'Hermione au Ve acte d'Andromaque, qui exprime une irrésolution sincère. Une *figure de pensée* (catégorie marginale et contestée, car en toute rigueur il n'est de figure que d'expression) n'est telle que si elle est feinte ou affectée (fausse concession, fausse naïveté, fausse interrogation, etc.). La nuance subtile entre délibération et dubitation repose sur une distinction très simple : la dubitation d'Hermione ne veut dire rien d'autre que ce qu'elle dit, la délibération de Didon dit *Que faire?* pour exprimer *Je veux mourir*. Dans la première, le signe et le sens sont contigus, ils se touchent sans laisser de vide : il n'y a pas figure. La seconde renferme tout l'espace qui s'étend entre la ligne droite du signifié, ou signifiant virtuel, et la courbe tracée par la série des fausses questions qui constituent le signifiant réel : cet espace fait la figure.

La figure n'est donc rien d'autre qu'un sentiment de figure, et son existence dépend totalement de la conscience que le lecteur prend, ou ne prend pas, de l'ambiguïté du discours qu'on lui propose. Sartre observera que le sens d'un objet littéraire n'est pas contenu dans les mots, « puisque c'est lui au contraire qui permet de comprendre la signification de chacun d'eux [1] ». Ce cercle herméneutique existe aussi en rhétorique : la valeur d'une figure n'est pas donnée dans les mots qui la composent, puisqu'elle dépend d'un écart entre ces mots et ceux que le lecteur, mentalement, perçoit au-delà d'eux, « dans un perpétuel dépassement de la chose écrite ». On comprend que ce statut essentiellement subjectif ne puisse satisfaire l'exigence de certitude et d'universalité qui habite l'esprit classique. D'où le besoin de fixer les esprits en établissant un consensus général. L'instrument de ce consensus sera le code de la rhétorique, qui consiste d'abord en une liste, sans cesse remaniée mais toujours tenue pour exhaustive, des figures admises, ensuite en une classification de ces figures selon leur forme et selon leur valeur, elle aussi sujette à d'incessantes modifications, mais qu'on s'efforcera toujours davantage d'organiser en un système cohérent et fonctionnel.

Il n'est pas question de suivre ici, de traité de Rhétorique en traité de Rhétorique, l'évolution de ce système. Son étude mériterait pourtant d'être entreprise un jour, car elle nous apprendrait beaucoup sur l'histoire des représentations du monde et de l'esprit pendant toute l'époque classique, d'Aristote à La Harpe. Le classement le plus apparent porte sur les formes affectées : figures de mots pris dans leur signification, ou *tropes*, figures de mots pris dans leur forme ou figures de *diction*, figures portant sur l'ordre et le nombre des mots dans la phrase, ou figures de *construction*, figures portant sur « le choix et l'assortiment des mots » (Fontanier) ou figures d'*élocution*, figures portant sur toute une phrase ou figures de

1. *Situations*, II. p. 94.

style, figures portant sur tout un énoncé ou figures de *pensée*; on peut ensuite introduire des subdivisions dans ces différents groupes : ainsi Fontanier divise les figures d'élocution en figures par *extension*, comme l'épithète, par *déduction*, comme la synonymie, par *liaison*, comme l'abruption, qui est une liaison-zéro, par *consonance*, comme l'allitération ; le même Fontanier divise encore les métonymies, ou tropes par *correspondance* (Jakobson dira : par contiguïté) en métonymies de la cause (*Bacchus* pour le vin), de l'instrument (*une bonne plume* pour un bon écrivain), de l'effet (la *vengeance* à la main), du contenant (le *Ciel* pour Dieu), du lieu d'origine (le *Portique* pour la philosophie stoïcienne), du signe (le *Trône* pour la monarchie), du physique (le *cœur* pour l'amour), du patron (les *Pénates* pour la maison), de la chose (*perruque*, pour l'homme qui la porte). Ce type de classement est d'ordre purement logique, il n'indique rien sur la valeur signifiante des figures ou groupes de figures considérés. Un autre type, qui nous importe ici davantage, est d'ordre sémiologique : il consiste à distinguer les figures les unes des autres en fixant à chacune d'elles une valeur psychologique précise, selon le caractère du détour imposé à l'expression. Cette valeur est donnée (pour anticiper sur le vocabulaire de la stylistique moderne) soit comme *impressive* (telle figure est destinée à provoquer tel sentiment), soit comme *expressive* (telle figure est dictée par tel sentiment), soit, de préférence, comme les deux à la fois, puisqu'on aime à postuler l'accord entre l'état d'esprit de l'auteur, ou du personnage, et celui du lecteur : « Puisque nous ne parlons presque jamais que pour communiquer nos affections aussi bien que nos idées, il est évident que pour rendre notre discours efficace il faut le figurer, c'est-à-dire qu'il faut lui donner les caractères de nos affections » (Lamy). Il s'agit donc d'une sémiologie inconsciente ou masquée, puisqu'elle traduit les significations en termes de déterminisme, présentant les sens comme des causes et/ou comme des effets. Le cartésien Lamy est sans doute celui des rhétoriciens français qui a poussé le plus loin l'interprétation psychologique (affective) des figures, jusqu'à chercher dans chacune d'elles le « caractère », c'est-à-dire la marque d'une passion particulière : autant de figures, autant de symptômes. *Ellipse* : une passion violente parle plus vite que les mots ne peuvent la suivre. *Répétition* : l'homme passionné aime à se répéter, comme l'homme en colère à porter plusieurs coups. *Hypotypose* : présence obsédante de l'objet aimé. *Epanorthose* : l'homme passionné corrige sans cesse son discours pour en augmenter la force. *Hyperbate* (inversion) : l'émotion bouleverse l'ordre des choses, donc l'ordre des mots. *Distribution* : on dénombre les parties de l'objet de sa passion. *Apostrophe* : l'homme ému se tourne de tous côtés, cherchant partout du secours, etc. D'autres auteurs accordent moins à l'affectivité, davantage au goût, à l'esprit, à l'imagination. L'Écossais Hugh Blair, qui tient beaucoup pour l'origine naturelle des figures (« Elles font partie du langage que la Nature inspire à tous les hommes », dit-il, et il en veut pour preuve l'abondance des tropes dans les langues « primitives » : « Lorsqu'un chef indien faisait à sa tribu une harangue, il y prodiguait des métaphores plus hardies qu'il ne s'en trouve dans aucun des poèmes épiques publiés en Europe ») propose une division en figures d'imagination et figures de passion. Dumarsais voit le principe de tous les sens figurés dans le goût qui porte l'imagination vers les détails : « Le nom de l'idée accessoire est souvent plus présent à l'imagination que celui de l'idée principale, et l'idée accessoire, désignant l'objet avec plus de circonstances, le peint avec plus d'agrément et d'énergie. » Ici encore, chaque variante du système implique tout un découpage du monde et engage toute une philosophie.

Reste une question essentielle : pourquoi la figure signifie-t-elle davantage que l'expression littérale? D'où lui vient son surplus de sens, et, par exemple, qu'elle puisse désigner non seulement un objet, un fait, une pensée, mais aussi leur valeur affective ou leur dignite littéraire? La technique de ces impositions de sens peut se ramener à ce que la sémiologie moderne appelle une *connotation*. Lorsque j'emploie le mot *voile* pour désigner une voile, cette signification est arbitraire (aucun rapport naturel entre le mot et la chose, liés par une pure convention sociale), abstraite (le mot désigne non une chose mais un concept) et univoque (ce concept est désigné sans ambiguïté) : on a là une simple dénotation. Mais si j'emploie le même mot *voile* pour désigner, par synecdoque (la partie pour le tout), un navire, cette signification est beaucoup plus riche et plus complexe : elles est ambiguë puisqu'elle vise à la fois, littéralement, la voile, et par figure, le navire, et donc le tout *à travers* la partie; elle est concrète et motivée, puisqu'elle choisit de désigner le navire par un détail matériel, une « idée accessoire », et non par l'idée principale, et puisqu'elle choisit encore tel détail (la voile) plutôt que tel autre (la coque ou le mât). Cette motivation, différente dans chaque type de figure (par un détail dans la synecdoque, par une ressemblance dans la métaphore, par une atténuation dans la litote, par une exagération dans l'hyperbole, etc.) est l'âme même de la figure, et sa présence est une signification seconde imposée par l'emploi de cette figure. En disant *voile* pour navire, je dénote le navire, mais en même temps je connote la motivation par le détail, le détour sensible imprimé à la signification, et donc une certaine modalité de vision ou d'intention. Cette modalité sensible est pour la rhétorique le propre de l'expression poétique. « Les poètes, dit Lamy, n'emploient que les expressions qui forment dans l'imagination une peinture sensible, et c'est pour cette même raison que les Métaphores, qui rendent toutes choses sensibles, sont si fréquentes dans leur style. » Et même lorsqu'une figure poétique a passé dans l'usage littéraire au point d'avoir perdu tout pouvoir d'évocation concrète, ce qui est évidemment le cas pour la plupart des tropes de la poésie classique (*voile* pour navire, *fer* pour épée, *flamme* pour amour, etc.), sa valeur connotative ne s'évanouit pas pour autant, car elle garde pour tâche, par sa seule présence et par une vertu devenue toute conventionnelle, de signifier la Poésie.

C'est ici qu'intervient le code de la rhétorique, chargé d'inventorier le répertoire des figures et d'assigner à chacune sa valeur de connotation. Une fois sortie de la parole vivante de l'invention personnelle et entrée dans le code de la tradition, chaque figure n'a plus pour fonction que d'intimer, à sa façon particulière, la qualité poétique du discours qui la porte. La *voile* du vaisseau classique n'est plus depuis longtemps la marque d'une vision concrète, elle est devenue, comme la *lune sanglante* de Quevedo, un pur emblème : un étendard, au-dessus de la troupe des mots et des phrases, sur lequel on peut lire à la fois : *ici, navire* et : *ici, poésie*.

La rhétorique des figures a donc pour ambition d'établir un code des connotations littéraires, ou de ce que Barthes a appelé les *Signes de la Littérature*. A chaque fois qu'il emploie une figure reconnue par le code, l'écrivain charge son langage non seulement d'« exprimer sa pensée », mais aussi de notifier une qualité épique, lyrique, didactique, oratoire, etc., de se désigner soi-même comme langage littéraire, et de signifier la littérature. Aussi la rhétorique se soucie-t-elle peu de l'originalité ou de la nouveauté des figures, qui sont des qualités de parole individuelle, et qui, à ce titre, ne la concernent pas. Ce qui lui importe, c'est la clarté et l'universalité des signes poétiques, c'est de retrouver au second niveau du système (la littérature) la transparence et la rigueur qui caractérisent déjà le premier (la langue). Son idéal, à la limite, serait d'organiser le langage littéraire comme une deuxième langue à l'intérieur de la première, où l'évidence des signes s'imposerait avec autant d'éclat que dans le système dialectal de la poésie grecque, où l'emploi du dorien signifiait absolument *lyrisme*, celui de l'attique, *drame*, et celui de l'ionien-éolien, *épopée*.

Pour nous, aujourd'hui, l'œuvre de la rhétorique n'a plus, dans son contenu, qu'un intérêt historique (d'ailleurs sous-estimé). L'idée de ressusciter son code pour l'appliquer à notre littérature serait un anachronisme stérile. Non qu'on ne puisse retrouver dans des textes modernes toutes les figures de l'ancienne rhétorique : mais c'est le système qui s'est désaccordé, et la fonction signifiante des figures a disparu avec le réseau de relations qui les articulait dans ce système. La fonction auto-signifiante de la Littérature ne passe plus par le code des figures, et la littérature moderne a sa propre rhétorique, qui est précisément (pour l'instant du moins) le refus de la rhétorique, et que Paulhan a nommé la Terreur. Ce qu'on peut retenir de la vieille rhétorique, ce n'est donc pas son contenu, c'est son exemple, sa forme, son idée paradoxale de la Littérature comme un ordre fondé sur l'ambiguïté des signes, sur l'espace exigu, mais vertigineux, qui s'ouvre entre deux mots de même sens, deux sens du même mot : deux langages du même langage.

SILENCES DE FLAUBERT

« Au galop de quatre chevaux, elle était emportée depuis huit jours vers un pays nouveau, d'où ils ne reviendraient plus. Ils allaient, ils allaient, les bras enlacés, *sans parler*. Souvent, du haut d'une montagne, ils apercevaient tout à coup quelque cité splendide avec des dômes, des ponts, des navires, des forêts de citronniers et des cathédrales de marbre blanc, dont les clochers aigus portaient des nids de cigognes. On marchait au pas à cause des grandes dalles, et il y avait par terre des bouquets de fleurs que vous offraient des femmes habillées en corset rouge. On entendait sonner des cloches, hennir des mulets, avec les murmures des guitares et le bruit des fontaines, dont la vapeur s'envolant rafraîchissait des tas de fruits, disposés en pyramides au pied des statues pâles, qui souriaient sous les jets d'eau. Et puis ils arrivaient, un soir, dans un village de pêcheurs, où des filets bruns séchaient au vent, le long de la falaise et des cabanes. C'est là qu'ils s'arrêtaient pour vivre : ils habiteraient une maison basse à toit plat, ombragée d'un palmier, au fond d'un golfe, au bord de la mer. Ils se promèneraient en gondole, ils se balanceraient en hamac... »

On a reconnu, sans doute, la célèbre page de *Madame Bovary* [1] où Flaubert nous rapporte les rêveries d'Emma lorsque, devenue la maîtresse de Rodolphe et se croyant près de quitter Yonville avec lui, elle imagine, la nuit, dans sa

1. *Œuvres complètes*, Éd. du Seuil, coll. « l'Intégrale », 1964, tome I, p. 640. Sauf indication contraire, les notes suivantes renverront à cette édition.

chambre, à côté de Charles endormi, leur future vie de voyages et d'amours romantiques. Thibaudet fait observer [1] qu'à l'exception de quelques conditionnels (dont il ne semble pas voir, d'ailleurs, qu'ils n'ont aucune valeur modale et qu'ils expriment simplement, comme dans *il m'a dit qu'il viendrait*, le futur dans un discours indirect au passé), toutes les phrases de cette page ont leurs verbes à l'imparfait — imparfait, ici, de style indirect, qui équivaut à un indicatif présent et qui marque l'intensité d'une imagination pour qui « tout est donné comme réalisé ». Dans la suite du texte, le retour à la réalité n'est marqué par aucune rupture temporelle, ce qui est, dit justement Thibaudet, une façon de faire ce rêve aussi présent que les bruits de la chambre : « ... cela se balançait à l'horizon infini, harmonieux, bleuâtre et couvert de soleil. Mais l'enfant se mettait à tousser dans son berceau, ou bien Bovary ronflait plus fort, et Emma ne s'endormait que le matin, quand l'aube blanchissait les carreaux et que déjà, etc. »

La remarque de Thibaudet sur l'emploi des temps peut être complétée et corroborée par une autre, qui portera sur le contenu et le caractère de la description par laquelle Flaubert veut restituer — ou constituer — la rêverie d'Emma. Il s'agit bien, précisons-le, non pas d'un songe, mais d'une rêverie éveillée; Flaubert dit curieusement que, tandis que Charles, à côté d'elle, s'assoupissait, Emma « se réveillait en d'autres rêves ». Dans cette circonstance, on ne peut qu'être surpris de la netteté et de la précision de certains détails, comme les nids de cigognes sur les clochers aigus, les grandes dalles qui obligent à marcher au pas, les corsets rouges, la vapeur des fontaines, les pyramides de fruits, les filets bruns, etc. La version antérieure retenue par l'édition Pommier-Leleu [2] donne encore quelques effets de ce genre supprimés par Flaubert dans sa rédaction définitive :

1. *Gustave Flaubert,* Gallimard, p. 252.

2. *Madame Bovary,* nouvelle version établie sur les manuscrits de Rouen par Jean Pommier et Gabrielle Leleu, Corti, 1949, p. 431.

les femmes ont des tresses noires, au bruit des cloches, des mulets et des fontaines s'ajoute le frôlement de la robe des moines, et surtout, cette phrase si caractéristique : « Le soleil frappait sur les cuirs de la capote et la poussière, qui tourbillonnait comme de la fumée, leur craquait dans les gencives ». Qu'un personnage puisse, dans le vague de la rêverie, percevoir de ces détails avec une pareille acuité, cela dépasse évidemment la vraisemblance générale. Le commentaire de Thibaudet, qui rappelle *Perrette et le pot au lait* (« Quand je l'eus » !) et voit dans cette puissance d'illusion un trait spécifiquement féminin, est d'une justesse contestable. On peut aussi, avec plus de mesure, prêter à Flaubert une intention d'ordre psychologique, visant la personnalité particulière d'Emma : il voudrait montrer, par ce luxe étrange de détails, le caractère hallucinatoire de ses rêveries, qui serait un des aspects de la pathologie bovaryste. Il y a sans doute une part de vérité dans cette interprétation, mais elle n'est pas entièrement satisfaisante. Un peu plus loin, lorsqu'Emma, devenue vraiment malade après la trahison de Rodolphe, sombre dans une crise de dévotion mystique, Flaubert présentera ses *visions* d'une manière beaucoup plus objective — et plus traditionnelle — en écrivant : « Alors elle laissa retomber sa tête, croyant entendre dans les espaces le chant des harpes séraphiques et apercevoir en un ciel d'azur, sur un trône d'or, au milieu des saints tenant des palmes vertes, Dieu le Père tout éclatant de majesté, et qui d'un signe faisait descendre vers la terre des anges aux ailes de flamme pour l'emporter dans leurs bras ». Par le vague des détails, leur caractère tout conventionnel, et ce *croyant entendre* (comparer au *elle était emportée* de tout à l'heure) qui les place sans équivoque dans le plan de l'irréel, on voit bien que l'hallucination, ou l'*apparition*, nous est donnée ici [1] avec une force d'illusion très inférieure à celle que Flaubert accordait à une simple rêverie. L'interprétation psychologique apparaît donc

1. I, p. 646.

quelque peu boiteuse. On trouve d'ailleurs dans *l'Éducation sentimentale* des effets du même ordre chez Frédéric, qui, s'il est proche d'Emma par sa tendance à la rêverie, est loin de partager sa capacité d'illusion : Frédéric n'est pas bovaryste, c'est un rêvasseur velléitaire mais, au fond, lucide. C'est pourtant de lui que Flaubert écrit : « Quand il allait au Jardin des Plantes, la vue d'un palmier l'entraînait vers des pays lointains. Ils voyageaient ensemble, au dos des dromadaires, sous le tendelet des éléphants, dans la cabine d'un yacht parmi des archipels bleus, ou côte à côte sur deux mulets à clochettes, qui trébuchaient dans les herbes contre des colonnes brisées [1] ». Ici encore, la précision des détails — du dernier, en particulier — excède la vraisemblance du prétexte. La suite du passage nous montre l'imagination de Frédéric soutenue, cette fois, par la présence d'une représentation extérieure : « Quelquefois, il s'arrêtait au Louvre devant de vieux tableaux; et son amour l'embrassant jusque dans les siècles disparus, il la substituait aux personnages des peintures. Coiffée d'un hennin, elle priait à deux genoux derrière un vitrage de plomb. Seigneuresse des Castilles ou des Flandres, elle se tenait assise, avec une fraise empesée et un corps de baleines à gros bouillons. Puis elle descendait quelque grand escalier de porphyre, au milieu des sénateurs, sous un dais de plumes d'autruche, dans une robe de brocart. » Les détails visuels — fraises, baleines, porphyre, plumes d'autruche, brocart — sont donnés ici par le tableau, Frédéric n'ayant à opérer que la substitution de Mme Arnoux aux personnages représentés; mais le ton de la description n'a pas changé, et dans la dernière phrase : « D'autres fois, il la rêvait en pantalon de soie jaune, sur les coussins d'un harem », rien n'indique si la rêverie a repris son autonomie, ou si elle continue de paraphraser une toile de musée : la vision est la même. Que Frédéric regarde un tableau ou qu'il imagine une scène fantasmatique, le mode et le degré de présence sont

1. II, p. 33.

identiques. De même, dans la scène de *Madame Bovary* citée au début, le passage du rêve à la réalité se faisait sans changement de registre narratif et sans discontinuité substantielle. La version Pommier-Leleu disait : « Mais l'enfant *tout à coup* se mettait à tousser dans son berceau, ou Bovary ronflait plus fort, *ou la lampe s'éteignant pétillait quelques minutes dans son godet d'huile...* » La suppression du *tout à coup* a évidemment renforcé l'effet de continuité (et elle prouve sans doute que cet effet est recherché), mais on peut regretter le détail de la lampe : il s'accordait précieusement au murmure des guitares et au bruit des fontaines imaginaires. Accord dissonant, si l'on considère les significations affectives, entre les perceptions du voyage romanesque (irréel) et celles de la vie prosaïque (réelle); mais l'important est que la dissonance puisse *avoir lieu*, c'est-à-dire que les deux séries de perceptions vibrent ici de la même manière, dans le même espace; et si l'on ne veut considérer que l'intensité de sa présence sensible, cette lampe qui grésille dans son godet d'huile ne déparerait nullement le décor de la rêverie d'Emma.

Cet excès de présence matérielle dans des tableaux en principe tout subjectifs où la vraisemblance appellerait au contraire des évocations vagues, diffuses, insaisissables, est un des aspects les plus marqués de l'écriture de Flaubert, et on le retrouve en mainte autre page de *Bovary* ou de l'*Éducation*. Voici un souvenir de Frédéric dont Flaubert souligne d'avance — et par là même excuse — la précision paradoxale : « Tout son voyage lui revint à la mémoire, d'une façon si nette qu'il distinguait maintenant des détails nouveaux, des particularités plus intimes; sous le dernier volant de sa robe (il s'agit de Mme Arnoux), son pied passait dans une mince bottine en soie, de couleur marron; la tente de coutil formait un large dais sur sa tête, et les petits glands rouges de la bordure tremblaient à la brise, perpétuellement [1] ». Mais on s'aperçoit bien ici que la motivation

1. II, p. 11.

psychologique ne diminue en rien, pour le lecteur, l'étrangeté d'un tel tableau — ou plutôt le sentiment irrépressible de réalité objective qu'il éprouve devant une vision dont l'auteur vient pourtant d'affirmer le caractère purement subjectif.

Au cinéma, une séquence de souvenir n'est jamais (sauf si des artifices d'écriture, d'ailleurs abandonnés aujourd'hui, comme le flou, l'accéléré ou le ralenti, etc. viennent lui en imprimer lourdement la marque) ressentie comme telle par le spectateur pendant toute sa durée : l'idée que « le personnage se souvient » fonctionne comme une liaison avec ce qui précède, puis la séquence-souvenir est reçue comme un retour en arrière, sans diminution du sentiment de réalité, c'est-à-dire comme une simple manipulation de la chronologie, comme lorsque Balzac ou Dumas nous disent : « Quelques années auparavant, notre héros, etc. » C'est que l'irrécusable présence de l'image s'oppose à toute interprétation subjectivante : cet arbre que je vois sur l'écran, c'est un arbre, ce ne peut être un souvenir — et encore moins un fantasme — d'arbre. Le style de Flaubert semble souvent aussi réfractaire à l'intériorisation que l'image cinématographique. Davantage, peut-être; car le cinéma n'a pour lui que l'image visuelle et le son, mais l'écriture flaubertienne joue, à travers l'écran de la représentation verbale, sur tous les modes sensibles (tactile, en particulier) de la présence matérielle. Cette bottine de soie marron, ces petits glands rouges tremblant à la brise, *perpétuellement*, nous avons beau être prévenus et sollicités par Flaubert, nous ne pouvons pas, comme Frédéric, les recevoir comme des faits de mémoire : ce sont pour nous des objets présents et actuels — et c'est pourquoi ce passage, à la lecture, ne joue pas comme un souvenir, mais comme un véritable *flash-back*. Ainsi les voyages imaginaires d'Emma ne nous sont ni plus ni moins imaginaires que sa vie réelle à Yonville l'Abbaye : Emma descend de sa gondole ou de son hamac et se retrouve dans sa chambre, où la lampe grésille dans son godet d'huile.

Et si cela est possible, c'est évidemment parce que Flaubert a perçu, ou imaginé, les uns et les autres de la même manière et au même degré; c'est aussi, sans doute, parce qu'en un sens la gondole, le hamac, la chambre, la lampe, le godet, Emma Bovary ne sont, de la même manière et au même degré, que des mots imprimés sur du papier.

Mais laissons ces évocations de souvenirs ou de fantasmes pour considérer un ordre de représentation plus ambigu, où la part du personnage apparaît moins grande, et, par conséquent, plus grande celle de l'auteur. Voici deux brèves descriptions qui n'appartiennent tout à fait ni à l'ordre du subjectif ni à celui de l'objectif, mais plutôt à une sorte d'objectivité hypothétique. La première se trouve dans la version Pommier-Leleu de *Madame Bovary*. Emma est avec Charles au théâtre de Rouen, elle vient de s'asseoir dans sa loge et s'y installe « avec une aisance de marquise, de femme à châteaux, et comme si elle eût eu dans la rue son équipage et derrière elle un valet galonné portant sur le bras une peau d'hermine [1] ». L'évocation — brève, mais ici encore d'une netteté surprenante — des accessoires de la marquise est introduite par une locution comparative-conditionnelle de nuance franchement irréelle : *comme si elle eût eu*; mais le valet galonné et la peau d'hermine apparaissent avec autant de précision que si la loge d'Emma était occupée par une marquise réelle. L'hypothèse est-elle dans l'esprit d'Emma? Sans doute: elle se rengorge dans le plaisir et la vanité de sa première sortie au théâtre, et visiblement elle joue à la marquise; les détails appartiennent à l'idée qu'elle se fait de la vie d'une femme à châteaux. Mais on voit bien que l'évocation n'est pas purement subjective : le *comme si* traduit le mimétisme d'Emma non sans en marquer ironiquement la nuance d'affectation puérile, et la version définitive conservera cette indication dans une forme concentrée : « Elle se cambra la taille avec une désinvolture de

1. P. 467.

duchesse [1] ». Ainsi, Flaubert n'est pas entièrement absent de cette phrase, et la vision du laquais à peau d'hermine lui revient autant qu'à Emma. Dans l'autre exemple, la motivation subjective s'est encore sensiblement affaiblie : au cours de la fête chez Rosanette, une fille crache le sang devant Frédéric, et, malgré les instances de celui-ci, elle refuse de rentrer chez elle pour se soigner : « — Bah, à quoi bon? autant ça qu'autre chose! la vie n'est pas si drôle!

Alors, il frissonna, pris d'une tristesse glaciale, comme s'il avait aperçu des mondes entiers de misère et de désespoir, un réchaud de charbon près d'un lit de sangle, et les cadavres de la Morgue en tablier de cuir, avec le robinet d'eau froide qui coule sur leurs cheveux [2] ». On retrouve ici le *comme si* qui introduit une vision hypothétique, mais cette fois rien n'induit à penser que le terme de comparaison ou la vision elle-même se trouve dans l'esprit du personnage : *comme s'il avait aperçu*, mais il n'aperçoit probablement rien; c'est Flaubert qui compare son frisson à celui de quelqu'un qui aurait aperçu un réchaud de charbon près d'un lit de sangle, des cadavres en tablier de cuir, et ce robinet d'eau froide qui *coule* — à l'indicatif présent, dans une phrase au conditionnel passé! — sur leurs cheveux. Ce macabre gros-plan n'appartient évidemment qu'à Flaubert. L'impression de misère glaciale éprouvée par Frédéric l'a entraîné lui-même loin de son héros, loin de son roman, dans une vision de Morgue qui, pour un instant, va l'absorber tout entier dans une sorte de fascination horrifiée, d'extase morbide; et la comparaison n'a ici d'autre effet — d'autre but, peut-être — que de briser et de *suspendre*, pendant cet instant, le cours du récit.

1. I, p. 649. — 2. II, p. 53.

« Souvent, à propos de n'importe quoi, d'une goutte d'eau, d'une coquille, d'un cheveu, tu t'es arrêté, immobile, la prunelle fixe, le cœur ouvert.

L'objet que tu contemplais semblait empiéter sur toi, à mesure que tu t'inclinais vers lui, et des liens s'établissaient; vous vous serriez l'un contre l'autre, vous vous touchiez par des adhérences subtiles, innombrables... vous vous pénétriez à profondeur égale, et un courant subtil passait de toi dans la matière, tandis que la vie des éléments te gagnait lentement, comme une sève qui monte; un degré de plus et tu devenais nature, ou bien la nature devenait toi. »

Ainsi parle le Diable, s'adressant à saint Antoine, dans l'épisode spinoziste de la première *Tentation* [1], et l'ermite reconnaît aussitôt la vérité de cette analyse : « Il est vrai, souvent j'ai senti que quelque chose de plus large que moi se mêlait à mon être; petit à petit je m'en allais dans la verdure des prés et dans le courant des fleuves, que je regardais passer; et je ne savais plus où se trouvait mon âme, tant elle était diffuse, universelle, épandue ! » Tous les flaubertistes s'accordent pour trouver dans ce passage un écho des dispositions propres de Flaubert. Il s'attribue lui-même une « faculté de perception particulière [2] ». Il éprouve « presque des sensations voluptueuses rien qu'à voir, mais quand (il voit) bien ». A Louise Colet, il recommande une *vue profonde*, une *pénétration de l'objectif*, « car il faut que la réalité extérieure entre en nous, à nous en faire presque crier... », et, dans une phrase très proche de celle qu'il prête au Diable dans la *Tentation*, il écrit : « A force quelquefois de regarder un caillou, un animal, un tableau, je me suis senti y entrer. Les communications entr'humaines ne sont pas plus intenses [3] ». Les œuvres de jeunesse témoignent abondamment de ces

1. I, p. 444.
2. *Correspondance*, éd. Conard, t. III, p. 270.
3. *Extraits de la Correspondance* par Geneviève Bollème, Seuil, 1963, p. 33, 134, 121.

moments d'extase éprouvés par Flaubert devant le spectacle de la nature, et particulièrement de la mer à la lumière du soleil ou du clair de lune. Témoignages directs dans le *Voyage en Corse* de 1840 : « Tout en vous palpite de joie et bat des ailes avec les éléments, on s'y attache, on respire avec eux, l'essence de la nature animée semble passée en vous dans un hymen exquis... », dans *Par les Champs et par les Grèves* : « Nous nous roulions l'esprit dans la profusion de ces splendeurs, nous nous en repaissions les yeux, nous en écartions les narines, nous en ouvrions les oreilles... A force de nous en pénétrer, d'y entrer, nous devenions nature aussi, nous nous diffusions en elle, elle nous reprenait, nous sentions qu'elle gagnait sur nous et nous en avions une joie démesurée; nous aurions voulu nous y perdre, être pris par elle ou l'emporter en nous [1] »; témoignages transposés, dans *Smarh* : « Tout ce qui chantait, volait, palpitait, rayonnait, les oiseaux dans les bois, les feuilles qui tremblent au vent, les fleuves qui coulent dans les prairies émaillées, rochers arides, tempêtes, orages, vagues écumeuses, sable embaumant, feuilles d'automne qui tombent, neiges sur les tombeaux, rayons de soleil, clairs de lune, tous les chants, toutes les voix, tous les parfums, toutes ces choses qui forment la vaste harmonie qu'on nomme nature, poésie, Dieu, résonnaient dans son âme, y vibraient en longs chants intérieurs qui s'exhalaient par des mots épars, arrachés [2] », dans *Novembre* : « J'aurais voulu m'absorber dans la lumière du soleil et me perdre dans cette immensité d'azur, avec l'odeur qui s'élevait de la surface des flots; et je fus pris alors d'une joie insensée, et je me mis à marcher comme si tout le bonheur des cieux m'était entré dans l'âme... La nature m'apparut belle comme une harmonie complète, que l'extase seule doit entendre... Je m'y sentis vivre heureux et grand, comme l'aigle qui regarde le soleil et monte dans ses rayons [3] ».

Cette contemplation extatique, qui revêt tantôt la forme

1. II, p. 443, 502. — 2. I, p. 215. — 3. I, p. 256-257.

d'une extrême concentration (« A force de regarder un caillou, je me suis senti y entrer »), tantôt celle d'une expansion infinie (« Je ne savais plus où était mon âme, tant elle était diffuse, universelle, épandue! »), Flaubert l'interprète généralement, comme le Diable de *Saint Antoine*, dans un sens « panthéiste », comme le signe d'une harmonie et d'une liaison universelles : « Ne sommes-nous pas faits avec les émanations de l'Univers? La lumière qui brille dans mon œil a peut-être été prise au foyer de quelque planète encore inconnue... [1] ». Mais il lui arrive aussi d'y trouver, à la manière proustienne, la trace d'un souvenir perdu : « Pour qui voit les choses avec quelque attention, on *retrouve* bien plus qu'on ne trouve. Mille notions que l'on avait en soi à l'état de germe, s'agrandissent et se précisent, comme un souvenir renouvelé [2]. » Mais que dire lorsque cette impression de réminiscence vous saisit devant un spectacle absolument nouveau, qui vous apporte, selon le *Voyage en Corse*, « comme un souvenir de choses que je n'avais pas vues [3] »? Peut-être l'origine de ce souvenir est-elle à chercher alors non pas dans le passé vécu, mais dans cette sourde réserve d'expériences insituables que constitue le passé onirique. « On rêve avant de contempler, dira Bachelard. Avant d'être un spectacle conscient, tout paysage est une expérience onirique. On ne regarde avec une passion esthétique que les paysages qu'on a d'abord vus en rêve [4]. » Flaubert a connu puissamment cette précession du spectacle réel par la vision onirique, et le voyage en Orient, par exemple, n'a été souvent pour lui qu'un retour sur des lieux qu'il avait longuement rêvés pendant son adolescence, comme le héros de *Novembre* ou celui de la première *Éducation sentimentale*. « C'est souvent, écrit-il d'Égypte à sa mère, comme

1. *Extraits* Bollème, p. 121.
2. *Corr.*, Conard, t. II, p. 149.
3. *Œuvres complètes*, II, p. 452.
4. *L'Eau et les Rêves*, p. 6.

si je retrouvais tout à coup de vieux rêves oubliés [1]. » Mais bien d'autres lieux, sur lesquels ce travail préliminaire de l'imagination n'avait pas porté d'une manière aussi consciente, semblent avoir pris d'emblée, dans la vision de Flaubert, une profondeur et une résonance qui suggèrent tout un arrière-plan de contemplation intérieure : que l'on considère, par exemple, l'intensité fantastique qu'il donne au site de Quimperlé [2]. Toute la ville apparaît comme baignée, recouverte, vue par transparence à travers la *nappe unie* de ses deux rivières, *où se courbent ensemble de grandes herbes minces*. Flaubert n'a pas oublié ces détails, qu'on retrouvera dans un passage de *Madame Bovary* [3].

L'abondance des descriptions ne répond donc pas seulement chez lui, comme chez Balzac par exemple, à des nécessités d'ordre dramatique, mais d'abord à ce qu'il nomme lui-même *l'amour de la contemplation* [4]. On trouve bien dans son œuvre quelques tableaux descriptifs, comme celui d'Yonville au début de la deuxième partie de *Madame Bovary*, dont la présence est justifiée par le besoin de donner à l'action et aux sentiments une sorte de cadre explicatif : il faut connaître le décor d'Yonville pour comprendre ce qu'y sera la vie d'Emma. Mais plus souvent la description se développe pour elle-même, aux dépens de l'action qu'elle éclaire bien moins qu'elle ne cherche, dirait-on, à la suspendre et à l'éloigner. *Salammbô* tout entière est l'exemple bien connu d'un récit comme écrasé par la prolifération somptueuse de son propre décor. Mais, pour être moins massif, cet effet d'immobilisation est peut-être plus sensible dans une œuvre comme *Bovary*, où une tension dramatique pourtant très puissante est sans cesse contrariée par des points d'orgue descriptifs d'une admirable gratuité.

1. *Corr.*, Conard, t. II, p. 147.
2. *Œuvres complètes*, II, p. 507.
3. I, p. 606.
4. *Extraits* Bollème, p. 190.

Maxime du Camp raconte [1] comment Louis Bouilhet (déjà responsable de l'enterrement du premier *Saint Antoine* en 1849) obtint de Flaubert le sacrifice de « beaucoup de phrases parasites » et de « hors-d'œuvre qui ralentissaient l'action »; il cite l'exemple du jouet offert par Charles aux enfants Homais, et dont la description n'aurait pas occupé, selon lui, moins d'une dizaine de pages. Dans la version Pommier-Leleu, elle en tient à peine une seule [2], et l'on voit mal en quoi la suppression de ce morceau satirico-pittoresque, que Thibaudet (sans le connaître) rapprochait justement des descriptions de la casquette de Charles et de la pièce montée de la noce aux Bertaux, a pu rendre à Flaubert, comme le dit du Camp, un « inappréciable service ». Il est vrai que nous n'avons peut-être là qu'une version déjà réduite de ce « hors-d'œuvre », mais comment ne pas regretter ces dix pages dont parle du Camp, et qu'il aurait fallu « pour faire comprendre cette machine compliquée, qui figurait, je crois, la cour du roi de Siam »? La docilité avec laquelle Flaubert, tout en protestant, s'inclinait devant les censures de Bouilhet a quelque chose de singulier, et les effets de cette influence castratrice nous sont aujourd'hui impossibles à évaluer totalement. Du moins la comparaison des versions de *Madame Bovary* permet-elle d'imaginer ce qu'aurait été ce roman si Flaubert avait osé s'y abandonner à ses tendances profondes. Il serait fastidieux de recenser tous les moments d'extase (au double sens de ravissement contemplatif et de suspension du mouvement narratif) supprimés dans la rédaction définitive et que la publication des brouillons nous a restitués, mais il faut au moins relever une page dont Flaubert lui-même, fait assez rare, avait

1. *Souvenirs littéraires,* cf. Flaubert, *Œuvres complètes,* t. I, p. 29.
2. P. 458.

d'abord manifesté quelque satisfaction. Elle n'en était pas indigne. Elle se situe pendant la visite au château de la Vaubyessard, au matin qui suit le bal. Emma se promène dans le parc et entre dans un pavillon dont une fenêtre est en verres de plusieurs couleurs. Elle regarde la campagne par ces verres : le bleu, puis le jaune, puis le vert, puis le rouge, puis le blanc. Ces paysages versicolores lui donnent successivement des émotions variées, et enfin la plongent dans une rêverie profonde d'où elle sera tirée en sursaut par le passage d'une volée de corneilles. Charles, pendant ce temps, visitait les cultures et s'informait du revenu [1]. Cette dernière note réintègre l'épisode à l'ensemble du roman en lui faisant manifester l'opposition des deux caractères; mais ici encore le développement dépasse sa fonction diégétique et s'épanouit pour lui-même, dans une fascination immobile à laquelle Flaubert participe peut-être davantage que son héroïne. « Sais-tu à quoi j'ai passé tout mon après-midi d'avant-hier? A regarder la campagne par des verres de couleur; j'en avais besoin pour une page de ma *Bovary*, qui, je crois, ne sera pas une des plus mauvaises [2]. »

L'une des marques de ces moments où le récit semble se taire et se figer sous ce que Sartre appellera *le grand regard pétrifiant des choses*, c'est justement l'arrêt de toute conversation, la suspension de toute parole humaine. On a déjà remarqué le « ils allaient *sans parler* » du texte de *Madame Bovary* cité au début de cette étude. Même des êtres légers ou grossiers comme Léon, Rodolphe, Charles lui-même, se prêtent à ces silences émerveillés. Voici une scène entre Emma et Charles, avant leur mariage : « On s'était dit adieu, *on ne parlait plus*... L'ombrelle, de soie gorge-de-pigeon, que traversait le soleil, éclairait de reflets mobiles la peau blanche de sa figure. Elle souriait là-dessous à la chaleur tiède; et on entendait les gouttes d'eau, une à une,

1. *Ibid.*, p. 215-217.
2. *Extraits* Bollème, p. 74.

tomber sur la moire tendue [1]. » Une autre, avec Rodolphe, pendant une de leurs nuits d'amour, au clair de lune : « *Ils ne se parlaient pas*, trop perdus qu'ils étaient dans l'envahissement de leur rêverie... on entendait par moments une pêche mûre qui tombait toute seule de l'espalier [2]. » Une troisième, à Rouen, avec Léon : « Ils entendirent huit heures sonner aux différentes horloges du quartier Beauvoisine, qui est plein de pensionnats, d'églises et de grands hôtels abandonnés. *Ils ne se parlaient plus*; mais ils sentaient, en se regardant, un bruissement dans leurs têtes, comme si quelque chose de sonore se fût réciproquement échappé de leurs prunelles fixes. Ils venaient de se joindre les mains; et le passé, l'avenir, les réminiscences et les rêves, tout se trouvait confondu dans la douceur de cette extase [3]. » Et dans *l'Éducation sentimentale*, entre Louise et Frédéric : « Puis, *il y eut un silence*. Ils n'entendaient que le craquement du sable sous leurs pieds avec le murmure de la chute d'eau [4]. » Entre Frédéric et Rosanette : « Le sérieux de la forêt les gagnait; *et ils avaient des heures de silence* où, se laissant aller au bercement des ressorts, ils demeuraient comme engourdis dans une ivresse tranquille [5]. » Et encore : « Couchés sur le ventre au milieu de l'herbe, ils restaient l'un en face de l'autre, à se regarder, plongeant dans leurs prunelles, altérés d'eux-mêmes, s'en assouvissant toujours, puis, les paupières entre-fermées, *ne parlant plus* [6]. »

Moments, on le voit, doublement silencieux : parce que les personnages ont cessé de parler pour se mettre à l'écoute du monde et de leur rêve; parce que cette interruption du dialogue et de l'action suspend la parole même du roman et l'absorbe, pour un temps, dans une sorte d'interrogation sans voix. Proust mettait au-dessus de tout le reste, dans *l'Éducation*, le « changement de vitesse sans préparation »

1. I, p. 580. — 2. I, p. 641. — 3. I, p. 654. — 4. II, p. 99. — 5. II, p. 127.
6. *Ibid.* (C'est moi qui souligne les indications de silence.)

qui ouvre l'avant-dernier chapitre : non pour le procédé, mais pour la façon dont Flaubert, à la différence de Balzac, délivre ces moyens narratifs de leur *caractère actif ou documentaire*, « les débarrasse du parasitisme des anecdotes et des scories de l'histoire. Le premier, il les met en musique [1] ». On peut ainsi préférer à tout, dans *Madame Bovary* comme dans *l'Éducation sentimentale*, ces instants musicaux où le récit se perd et s'oublie dans l'extase d'une contemplation infinie.

Le caractère extratemporel de telles interruptions est fréquemment souligné par un brusque passage au présent. On en avait un exemple dans la vision macabre de Frédéric chez Rosanette. Proust en cite un autre : « C'était une maison basse, à un seul étage, avec un jardin rempli de buis énormes et une double avenue de châtaigniers montant jusqu'au haut de la colline d'où l'on *découvre* la mer [2]. » Le présent est évidemment justifié ici, comme le dit Proust, par le caractère plus « durable », et aussi plus universel, du spectacle de la mer : le passage au présent est en quelque sorte entraîné par le passage à l'indéfini, comme dans cet autre passage de *l'Éducation* : « Ils traversaient des clairières monotones... (Les roches) se multipliaient de plus en plus, et finissaient par emplir tout le paysage... telles que les ruines méconnaissables et monstrueuses de quelque cité disparue. Mais la furie même de leur chaos *fait* plutôt rêver à des volcans, à des déluges, aux grands cataclysmes ignorés [3]. » Mais on voit bien que ces justifications grammaticales n'épuisent pas l'effet de tels changements de temps, qui sont aussi des changements de registre. Un seul mot suffit à nous projeter de l'espace de l'« action » (retraite de Mme Arnoux en Bretagne, promenade de Frédéric et Rosanette en forêt) dans celui de la fascination ou de la rêverie. Citons pour

1. *Chroniques*, p. 205-206.
2. II, p. 160. Cité par Proust, *Chroniques*, p. 199.
3. II, p. 127.

finir cet effet microscopique, mais, si l'on veut bien le considérer de près, capable à lui seul, comme un grain de sable bien placé, d'arrêter tout un mouvement romanesque. Il se trouve au chapitre I de la troisième partie de *Madame Bovary,* dans le célèbre épisode du fiacre, un des morceaux de bravoure les moins défendables de toute la littérature réaliste. La voiture, occupée comme on sait, parcourt la ville en tous sens et à toute allure. Au milieu de cette « fureur de la locomotion », Flaubert a placé la phrase suivante : « Et aussitôt, reprenant sa course, elle passa par Saint-Sever, par le quai des Curandiers, par le quai aux Meules, encore une fois par le pont, par la place du Champ-de-Mars et derrière les jardins de l'hôpital, où des vieillards en veste noire *se promènent au soleil, le long d'une terrasse toute verdie par des lierres.* Elle remonta le boulevard Bouvreuil, etc. [1]. » On se doute que ni Emma ni Léon, à cette vitesse, et dans cette circonstance, n'ont le loisir de contempler une terrasse verdie par le lierre, et d'ailleurs les stores sont baissés. Leur malheureux cocher, surmené et mourant de soif, a bien d'autres soucis. Ainsi, du point de vue des règles de la narration réaliste, cette description, si brève soit-elle, mais ici encore indéfiniment prolongée par son verbe au présent, est aussi peu « en situation », aussi mal justifiée, dramatiquement et psychologiquement, qu'il est possible. Ce gros plan immobile au milieu d'une course effrénée, c'est la maladresse même. En réalité, une telle inadvertance ne peut guère signifier que ceci : cette « baisade » ambulatoire n'intéresse pas beaucoup Flaubert, et soudain, passant par les jardins de l'hôpital, il pense à autre chose. Des souvenirs de son enfance lui reviennent en mémoire. Il revoit ces « vieillards en veste noire et tout tremblants sur leurs béquilles, qui se chauffent au soleil, le long d'une terrasse lézardée, bâtie sur les vieux murs de la ville [2] », et il ne peut s'empêcher de leur consacrer

1. I, p. 657 (c'est moi qui souligne).
2. Variante donnée par Pommier-Leleu p. 499.

une ligne ou deux. Le reste attendra. Pour nous — faut-il le dire? — cette seconde d'inattention rachète toute la scène, parce que nous y voyons l'auteur oublier la courbe de son récit, et la quitter en *prenant la tangente*.

Valéry trouvait Flaubert (dans *la Tentation de saint Antoine*) « comme enivré par l'accessoire aux dépens du principal [1]. » Si le « principal », dans un roman, consiste en l'action, les personnages) la psychologie, les mœurs, l'histoire, on voit bien comment cette appréciation peut s'appliquer à ses romans, comment son goût pour le détail, et non pas seulement pour le détail utile, significatif, comme chez Balzac, mais pour le détail gratuit et insignifiant, peut compromettre chez lui l'efficacité du récit. Roland Barthes observe qu'il suffit de quelques descriptions immotivées pour oblitérer toute la signification d'un roman comme *les Gommes* : « Tout roman est un organisme intelligible d'une infinie sensibilité : le moindre point d'opacité, la moindre résistance (muette) au désir qui anime et emporte toute lecture, constitue un *étonnement* qui se reverse sur l'ensemble de l'œuvre. Les objets de Robbe-Grillet engagent véritablement l'anecdote elle-même et les personnages qu'elle rassemble dans une sorte de silence de la signification [2]. » Bien que le style descriptif de Flaubert, si profondément substantiel, pétri de matérialité rayonnante, soit aussi éloigné que possible de celui de Robbe-Grillet, ces remarques peuvent atteindre certains aspects de son œuvre. On connaît cette phrase finale d'*Hérodiade* (« Comme elle était très lourde, ils la portaient alternativement ») où toute l'histoire de l'exécution de saint Jean-Baptiste vient buter et s'écraser sur cet adverbe impénétrable, clausule si puissamment insignifiante qu'elle suffit à figer

1. *Œuvres,* Pléiade, t. I, p. 618.
2. *Essais critiques,* p. 200.

tout le sens du récit. Proust a bien perçu ce rythme si particulier de la diction flaubertienne, alourdie plutôt qu'aérée par ses coupes symétriques, cette scansion monotone qui, à chaque pas, laisse tomber et retomber la phrase, de tout son poids, sur l'opaque consistante de quelque détail inutile, arbitraire, imprévisible : « Les Celtes regrettaient trois pierres brutes, sous un ciel pluvieux, au fond d'un golfe plein d'îlots [1] » ; et il a su, admirablement, la retrouver dans quelques phrases de son pastiche, les plus belles, peut-être, qu'ils aient écrites l'un et l'autre — ou plutôt, en cette exceptionnelle rencontre, l'un *par* l'autre : « Ils se voyaient avec elle, à la campagne, jusqu'à la fin de leurs jours, dans une maison toute en bois blanc, sur le bord triste d'un grand fleuve. Ils auraient connu le cri du pétrel, la venue des brouillards, l'oscillation des navires, le développement des nuées, et seraient restés des heures avec son corps sur leurs genoux, à regarder monter la marée et s'entre-choquer les amarres, de leur terrasse, dans un fauteuil d'osier, sous une tente rayée de bleu, entre des boules de métal. Et ils finissaient par ne plus voir que deux grappes de fleurs violettes, descendant jusqu'à l'eau rapide qu'elles touchent presque, dans la lumière crue d'un après-midi sans soleil, le long d'un mur rougeâtre qui s'effritait [2]... »

Valéry ne pouvait admettre la part d'*accessoire*, donc d'arbitraire, qu'il y a dans cette marquise qui sortit à cinq heures, et c'est pourquoi l'art du romancier lui était « presque inconcevable ». Flaubert, lui, s'absorbe (et avec lui, son roman) dans l'accessoire. Il oublie la marquise, sa promenade, ses amours, et se fascine à quelque circonstance matérielle : une porte, derrière elle, qui claque en se refermant et vibre, *interminablement*. Et cette vibration qui s'interpose entre un réseau de signes et un univers de sens, défait un langage et instaure un silence.

Cette transcendance frustrée, cette *évasion* du sens dans le

1. I, p. 763. — 2. *Pastiches et Mélanges*, p. 22.

tremblement indéfini des choses, c'est l'écriture de Flaubert dans ce qu'elle a de plus spécifique, et c'est peut-être cela qu'il a dû conquérir si difficilement sur la facilité verbeuse de ses premières œuvres. La *Correspondance* et les œuvres de jeunesse le montrent à l'évidence : Flaubert étouffait de choses à dire : enthousiasmes, rancœurs, amours, haines, mépris, rêves, souvenirs... Mais il a formé un jour, comme par surcroît, ce projet de *ne rien dire,* ce refus de l'expression qui inaugure l'expérience littéraire moderne. Jean Prévost voyait dans le style de Flaubert « la plus singulière fontaine pétrifiante de notre littérature » ; Malraux parle de ses « beaux romans paralysés » : ces images traduisent bien ce qui reste l'effet le plus saisissant de son écriture et de sa vision. Le « livre sur rien », le « livre sans sujet », il ne l'a pas écrit (et personne ne l'écrira), mais il a jeté sur tous les sujets dont foisonnait son génie cette lourde épaisseur de langage pétrifié, ce « trottoir roulant », comme dit Proust, d'imparfaits et d'adverbes qui pouvait seul les *réduire au silence.* Son projet — il l'a dit plus d'une fois — était de mourir au monde pour entrer en littérature. Mais le langage même ne se fait littérature qu'au prix de sa propre mort, puisqu'il lui faut perdre son sens pour accéder au silence de l'œuvre. Ce retournement, ce renvoi du discours à son envers silencieux, qui est, pour nous, aujourd'hui, la littérature même, Flaubert a été, bien évidemment, le premier à l'entreprendre — mais cette entreprise fut, de sa part, presque toujours inconsciente ou honteuse. Sa conscience littéraire n'était pas, et ne pouvait pas être au niveau de son œuvre et de son expérience. La *Correspondance* est une irremplaçable document par le jour qu'elle ouvre sur un des cas les plus aigus de la *passion* d'écrire (au double sens du mot passion), sur la littérature vécue à la fois comme une nécessité et une impossibilité, c'est-à-dire comme une sorte de *vocation interdite* : on ne peut à cet égard lui comparer que le *Journal* de Kafka. Mais Flaubert n'y donne pas une véritable théorie de sa pratique, qui lui reste, dans ce qu'elle a d'audacieux, tout à fait obscure. Lui-même trouvait *l'Éducation sentimentale* esthétiquement manquée, par défaut d'action, de perspective, de construction. Il ne voyait pas que ce livre était le premier à opérer cette *dédramatisation*, on voudrait presque dire *déromanisation* du roman [1] par où commencerait toute la littérature moderne, ou plutôt il ressentait comme un défaut ce qui en est pour nous la qualité majeure. De *Bovary* à *Pécuchet*, Flaubert n'a cessé d'écrire des romans tout en *refusant* — sans le savoir [2], mais de tout son être — les exigences du discours romanesque. C'est ce refus qui nous importe, et la trace involontaire, presque imperceptible, d'ennui, d'indifférence, d'inattention, d'oubli, qu'il laisse sur une œuvre apparemment tendue vers une inutile perfection, et qui nous reste admirablement imparfaite, et comme absente d'elle-même.

1. « Il devait, dans *l'Education sentimentale,* montrer par avance ce qui n'existera que dans bien longtemps, le roman non romancé, triste, indécis, mystérieux comme la vie elle-même, et se contentant de dénouements d'autant plus terribles qu'ils ne sont pas matériellement dramatiques » (Banville, 17 mai 1880, repris dans *Critiques,* Fasquelle, 1917).

« Le plus beau dans son roman, c'est ce qui ne ressemble pas à la littérature romanesque usuelle, ce sont ces grands espaces vacants; ce n'est pas l'événement, qui se contracte sous la main de Flaubert, mais ce qu'il y a entre les événements, ces étendues stagnantes où tout mouvement s'immobilise... Flaubert est le grand romancier de l'inaction, de l'ennui, de l'immobile » (Jean Rousset, « Madame Bovary ou le Livre sur rien », *Forme et Signification,* p. 133).

2. Encore écrit-il à Louise Colet, à propos de la scène du bal dans *Madame Bovary* : « J'ai à faire une narration; or le récit est une chose qui m'est très fastidieuse » (*Extraits* Bollème, p. 72). Tout un aspect capital de la modernité littéraire apparaît avec ce dégoût du récit. Flaubert est le premier à contester profondément, quoique sourdement, la *fonction narrative,* jusqu'alors essentielle au roman. Secousse presque imperceptible, mais décisive.

HYPERBOLES

Le sujet des *Sonnets d'Amour* [1] de Sponde est un thème simple et unique : c'est l'amour constant, ou plus précisément la fidélité dans l'absence. Le poète est séparé de celle qu'il aime, et proteste inlassablement de sa constance, qui s'oppose à la fois aux vicissitudes des maux qu'il endure du fait de cette séparation, à la multitude des tentations qu'il repousse, et à la légèreté des amants ordinaires auxquels il se compare. La mise en œuvre de ce thème repose presque exclusivement sur le procédé de variation qui consiste à comparer implicitement ou explicitement son amour à des objets, des phénomènes, des actions, empruntés soit à la réalité cosmique soit à l'histoire ou à la mythologie. Sur vingt-six sonnets, onze contiennent une comparaison cosmique, huit une comparaison historique, et toute l'invention poétique de ce cycle tient à l'espèce de violence dans le jeu métaphorique avec laquelle Sponde *rapporte* à son amour, comme un monomaniaque, des objets qui a priori semblent en être aussi éloignés que possible, et que rien apparemment ne destinait à entrer avec lui dans quelque consonance que ce soit.

1. Sponde, *Poésies*, éditées par Alan Boase et François Ruchon, Genève 1949, p. 173-198. Il faut adjoindre à ce cycle de vingt-six sonnets une *Élégie* en vers plats qui leur fait manifestement écho. Ces poèmes d'amour, qui sans doute ne valent pas les *Stances* et les *Sonnets de la Mort*, paraissent un peu sous-estimés par la critique. Il est vrai que leur texte est souvent difficile et probablement fautif.

Voici quelques exemples de ce procédé. L'argument du *Sonnet I* est à peu près le suivant : la Terre repose nécessairement sur quelque chose, qui ne peut être que de l'air ou de l'eau; dans les deux cas, comment peut-elle être aussi solide, ayant pour fondement des éléments aussi instables ? De même, mon amour, entouré de maux qui s'agitent, trouve

> *Sa constance au milieu de ces légèretés.*

Sonnet XIII : Archimède disait qu'il pourrait soulever le monde avec un simple levier, si on lui donnait un point d'appui solide. Ce point d'appui, il l'aurait trouvé s'il avait aimé *aussi ferme que j'aime.*
Sonnet XVIII : Mon esprit (mon cœur) est semblable au Ciel : il se meut toujours sans jamais changer [1],

> *Il tournoie à l'entour du point de la constance*
> *Comme le Ciel tournoie à l'entour de son point.*

Sonnet XXII : Toutes choses sur terre sont agitées d'un mouvement que commande celui des astres; seul mon amour est exempt de ces fluctuations :

> *En somme il est (s'il faut par le ciel le comprendre)*
> *Ferme ni plus ni moins que l'étoile du Nord.*

Élégie, second dizain : Plus on plonge l'or dans le feu, plus il résiste et plus il en ressort pur et brillant.

> *Mon amour est de même, et tous les maux qu'il treuve*
> *Ne lui servent de rien que d'une vive épreuve*
> *Dont le brasier, encor qu'il se sente cuisant,*
> *Lui fait l'âme plus nette et le front plus luisant.*

1. L'édition Boase-Ruchon, qui suit ici le texte du Recueil de 1699, donne aux vers 11-12 :

> *Mais voulez-vous avoir plus claire cognoissance*
> *Que mon espoir se meurt et ne se change point ?*

Il faut évidemment lire : *Que mon esprit se meut.* Le premier quatrain dit déjà : *mon esprit... Tout agile qu'il est ne change point de place.* L'*esprit* du poète, agité mais immuable comme le Ciel, est d'un bout à l'autre le sujet de ce sonnet.

Élégie, cinquième dizain : La neige qui tombe sur le volcan avive son feu au lieu de l'éteindre.

> *Mon cœur, brûlant de même en même violence,*
> *Brandons dessus brandons devers le Ciel élance,*
> *Et quoique le feu meure en la glace autrement*
> *Mes yeux tout au rebours y trouvent aliment.*

Ce sont là les principales métaphores cosmiques; voici maintenant quelques-unes des comparaisons empruntées à l'histoire. *Sonnet II* : Alexandre et César se sont rendus célèbres par leurs conquêtes; ma gloire sera plus haute, parce qu'inverse :

> *Ces tyrans-là faisaient leur triomphe de prendre,*
> *Et je triompherai de ce que tu m'as pris.*

Sonnet V :

> *Je suis cet Actéon de ses chiens déchiré !*
> *... Deux déesses nous ont tramé tout notre sort,*
> *Mais pour divers sujets nous trouvons même mort,*
> *Moi de ne la voir point et lui de l'avoir vue.*

Sonnet XV : On plaint Carthage d'avoir brûlé pendant vingt jours,

> *Hélas ! que dirais-tu si tu voyais qu'un feu*
> *Me brûle si longtemps sans qu'il se puisse éteindre ?*

Sonnet XVI :

> *Je prends exemple en toi, courageuse Numance,*

tu as soutenu un siège de quatorze années, et rien n'a pu te vaincre que la mort :

> *J'aime mieux comme toi mourir que de me rendre.*

Sonnet XX : Horatius Coclès arrête les Étrusques à l'entrée du Pont Sublicius et, une fois le pont coupé derrière lui, se jette dans le Tibre et rejoint les siens à la nage.

Mon amour n'est pas moindre, et quoiqu'il soit surpris
De la foule d'ennuis qui troublent mes esprits,
Il fait ferme et se bat avec tant de constance

Que près des coups il est éloigné du danger.
Et s'il se doit enfin dans ses larmes plonger,
Le dernier désespoir sera son espérance.

Comme ces quelques exemples l'auront peut-être fait sentir, la comparaison, banale en son principe *(mon amour est aussi fort que...)*, est utilisée ici d'une manière qui déroute quelque peu nos habitudes. Dans les poèmes à référence historique, la surprise est provoquée par une sorte de disharmonie qualitative entre le comparant variable (Carthage, Numance, Horatius) et le comparé unique (mon amour). Faire appel à l'histoire romaine pour décrire et exalter sa passion constitue, même au XVIe siècle, un procédé peu courant. Numance et Carthage appartiennent à un domaine absolument hétérogène à celui des sentiments amoureux, et leur intrusion dans ce cycle élégiaque a de quoi choquer, en bien ou en mal, la sensibilité poétique commune. C'est que le trajet « normal » de la métaphore est d'aller toujours de la culture à la nature, du monde humain au monde cosmique : tes yeux sont comme des étoiles, notre amour est comme le ciel bleu. Comparer un sentiment humain « naturel » à un événement historique, c'est évidemment le mouvement contraire. La référence aux étoiles ou au ciel bleu naturalise le sentiment, tandis que l'évocation de Carthage ou de Numance le culturalise, ou si l'on préfère, le *dénature* d'une manière très sensible. Ce dernier mouvement est si paradoxal qu'il semble violer les lois profondes du langage et de l'imagination poétique. Les poèmes à références cosmique devraient donc en principe produire un effet plus facilement acceptable. Il n'en est rien ici, simplement parce que le cosmos évoqué par Sponde n'est pas la Nature définie par ses qualités sensibles, c'est l'Univers de la physique et de l'astronomie, le monde d'Archimède et de Ptolémée, c'est-à-dire un cosmos lui aussi médiatisé, intellectualisé par la connaissance et la théorie scientifiques. Dans ces poèmes d'amour, l'intervention d'Archimède est aussi *déplacée* que celle d'Alexandre ou d'Horatius Coclès.

L'art de Sponde est donc ici un art de la métaphore ou de la comparaison « forcée », c'est-à-dire à peu près de ce que certains rhétoriciens, aux XVIIe et XVIIIe siècles, appelleront la *catachrèse*. Cette notion normative mérite qu'on la considère avec quelque attention. Le goût classique, fondé sur le respect de la sensibilité commune, exige qu'une métaphore soit toujours *naturelle*, c'est-à-dire (l'équivalence est donnée par les rhétoriciens eux-mêmes) qu'elle ne soit jamais *tirée de trop loin* : le terme comparatif doit appartenir à un domaine aussi proche que possible de celui auquel appartient le terme comparé. La meilleure métaphore, la plus naturelle, sera donc, à cet égard, celle où le rapport de similarité sera en quelque sorte doublé et favorisé par un rapport de contiguïté : ce sera ce que Jakobson appellerait aujourd'hui une métaphore à « teinte métonymique [1] ». Après plus d'un siècle de poétique inspirée par le « démon de l'analogie », nous avons généralement tendance à regarder le rapport analogique comme le plus « naturel » qui soit, parce que fondé sur le sentiment profond, intime, de la ressemblance, et la motivation symbolique nous apparaît toujours comme la motivation par excellence; au contraire, la relation de contiguïté qui opère dans la métonymie ou la synecdoque nous semble toujours plus arbitraire, parce que plus superficielle. Dans la conscience classique, les choses se passent d'une manière inverse : le naturel est dans le rapport de *connexion*, de liaison (spatiale ou temporelle) ou d'enveloppement qui unit les êtres, les objets ou les éléments dans l'ordre de fait de leur existence empirique. Le *fer* pour l'*épée*, la *voile* pour le *navire*, voilà des associations (et partant des substitutions) pleinement acceptables, qui ne provoquent aucune gêne, aucun malaise de

1. *Essais de linguistique générale*, p. 238.

l'expression : il n'existe pas de Rhétorique, semble-t-il, qui mette en garde contre tel ou tel emploi *abusif* de la métonymie. Au contraire, l'usage de la métaphore y semble toujours délicat, il s'entoure de conseils et de précautions restrictives, et tout se passe comme s'il était toujours suspect : la conscience classique se méfie de l'analogie, elle la juge volontiers *fausse*, c'est-à-dire artificielle. On pourrait assez précisément définir le passage de la poétique classique à la poétique « romantique » (au sens large du terme, qui engloberait aussi le symbolisme) par le passage d'une rhétorique métonymique à une rhétorique métaphorique. Mais cette observation somme toute assez facile ne devrait pas dissimuler le fait, beaucoup moins évident, que l'une et l'autre de ces rhétoriques reposent sur une certaine idée de la Nature; simplement, la Nature classique est ressentie comme une surface sans profondeur, comme un enchaînement de contiguïtés, elle est horizontale et sans en-dessous; la nature romantique est au contraire verticale : c'est la *forêt de symboles* dont parle Baudelaire, où la résonance analogique se propage de bas en haut et de haut en bas, tout au long des fûts et des *vivants piliers* qui joignent le monde et l'arrière-monde, l'apparence et la profondeur. En somme, la métaphore romantique et la métonymie classique se veulent toutes deux et au même degré l'expression de rapports naturels, à ceci près qu'elles n'engagent pas la même conception de la Nature.

Cette identité de valeur entre deux figures considérées généralement comme opposées par leurs fonctions respectives dans la structure du langage [1] nous permettra, par contraste, de qualifier plus précisément la comparaison telle que la pratique Sponde dans ses *Amours*. Structuralement, il faut évidemment la situer du côté de ce que Jakobson appelle le *pôle métaphorique* du langage, puisqu'elle se fonde sur un rapport de similarité. Mais, par la violence qu'elle fait à l'ordre des relations naturelles, on voit bien qu'elle

1. Jakobson, *op. cit.*, p. 61-67.

s'oppose également à la proximité d'analogie qui anime la métaphore romantique-symboliste et à la proximité de connexion qui motive la métonymie classique. Elle joue en fait, tout au contraire des deux autres, sur une distance et une opposition — ici, entre l'ordre de la connaissance, cosmologique ou historique, et celui de la passion humaine. Elle *rapproche*, puisqu'elle compare, mais précisément elle rapproche *par force* des réalités choisies, dirait-on, pour leur éloignement réciproque, et l'impression dominante qui se dégage de ce rapprochement forcé est encore celle de la distance infranchissable qu'elle nous invite à franchir : l'identité qu'elle prétend établir est reçue comme une victoire paradoxale sur la discontinuité et la séparation des ordres. Son « de même », implicitement mais puissamment, *contient*, au sens fort, c'est-à-dire comprime, comme pour décupler sa force explosive, un « tout autrement » qu'aucune dialectique ne peut effacer ni réduire.

Il y a bien évidemment dans cet usage paradoxal de la comparaison, qu'on retrouverait aussi bien chez d'autres poètes de la même époque, Donne, en particulier, un des traits caractéristiques de la poétique de l'âge baroque, et, à travers elle, de sa métaphysique. Mais on pourrait imaginer, en préalable à toute spécification historique de ce genre, une dichotomie des figures qui engloberait celle de Jakobson, et qui distinguerait entre les figures de proximité (par similarité ou contiguïté), c'est-à-dire essentiellement les comparaisons et métaphores traditionnelles, les synecdoques et les diverses variétés de métonymies, et d'autre part les figures de disjonction et d'opposition, dont la plus caractéristique est évidemment l'antithèse, avec sa synthèse forcée ou alliance de mots *(glorieuses bassesses, obscure clarté)*, mais où l'on pourrait aussi ranger la métaphore « abusive » des poètes baroques. Sans trop d'infidélité à l'usage et à l'étymologie, on pourrait appeler *paraboles* les figures qui respectent et épousent les liaisons naturelles des choses, et qui ne disposent dans une proximité de langage que les réalités qu'elles trouvent déjà disposées d'elles-mêmes dans une proximité d'être; on appellerait *hyperboles* les effets par lesquels le langage, au contraire, rapproche comme par effraction des réalités naturellement éloignées dans le contraste et la discontinuité. Cette opposition sommaire n'a évidemment qu'une valeur indicative et transitoire. Elle nous permet cependant, peut-être, de mieux sentir une des affinités qui unissent la poétique du baroque et celle de la poésie moderne : toutes deux sont fondées sur ce que les maristes nommaient la *surprise*, et qu'on définirait plus volontiers aujourd'hui par la distance ou l'*écart* que le langage fait franchir à la pensée. L'image surréaliste, qui vaut explicitement par l'ampleur de l'écart et l'*improbabilité* du rapprochement, c'est-à-dire sa teneur en information, est le type même de la figure hyperbolique. Sponde dit : *mon amour est comme Numance*, Breton dit : *la rosée à tête de chatte*; que la comparaison baroque soit ici le fait d'une imagination fortement intellectualisée et nourrie de culture humaniste, et l'image surréaliste un effet d'écriture automatique, un pur produit de l'inconscient, cette différence importe moins sans doute que l'égale capacité de dilatation et de contraction manifestée ici et là par le langage poétique. L'espace qui s'ouvre et se referme entre *amour* et *Numance*, entre *rosée* et *tête de chatte*, mesure en quelque sorte le pouvoir hyperbolique du langage, qui est d'*envoyer* (ou d'aller chercher) aussi loin que possible quelque chose qu'il faut bien appeler la pensée. Ce *mode hyperbolique* de l'esprit n'a-t-il pas ses raisons — que le bon sens ignore, et que la raison veut connaître?

LA LITTÉRATURE COMME TELLE

On lit dans *Tel Quel* : « La littérature est pleine de gens qui ne savent au juste que dire, mais qui sont forts de leur besoin d'écrire [1]. »

Phrase d'une assez rude vérité, mais non exclusivement négative, car le *besoin d'écrire sans savoir quoi* y est donné pour ce qu'il est : une force. Force vide, mais qui, paradoxalement, contribue, et peut-être suffit à *remplir* la littérature. Et de quelques-uns des plus beaux vers, Valéry dira qu'ils agissent sur nous sans nous apprendre grand chose, ou qu'ils nous apprennent peut-être qu'ils n'ont « rien à nous apprendre [2] ». Telle est la Littérature, *réduite à l'essentiel de son principe actif*.

Ce besoin d'écrire, n'est pas chez Valéry. Écrire ne lui inspire qu'un sentiment, maintes fois exprimé par lui, et qui lui tient lieu, dirait-on, d'incitation et de récompense : l'ennui. Sentiment profond, profondément lié à l'exercice et à la vérité de la littérature, encore qu'un tabou de bienséance interdise ordinairement de le reconnaître. Valéry eut cette force (car cela aussi est une force) de l'éprouver plus intensément qu'un autre, et d'en faire comme le point de départ de sa réflexion sur les Lettres. Cet *à quoi bon*, ce dégoût

1. *Œuvres* (coll. Pléiade), tome II, p. 575.
2. I, p. 1334.

d'écrire qui saisit Rimbaud après son œuvre, intervient chez Valéry pour ainsi dire avant elle, et ne cessera plus de l'accompagner et en un certain sens de l'inspirer. Si toute œuvre moderne est de quelque façon hantée par la possibilité de son propre silence, Valéry fut, et reste apparemment le seul écrivain qui n'ait pas vécu cette possibilité comme une menace, une tentation portant sur l'avenir, mais comme une expérience antérieure, préliminaire, peut-être propitiatoire. A l'exception des *Vers anciens*, de l'*Introduction à Léonard* et de *M. Teste*, la majeure partie de son œuvre fait suite, comme par dérogation perpétuelle, à une très sérieuse et définitive décision de *ne plus écrire*. C'est littéralement un *post-scriptum*, un long codicille, entièrement édifié sur le sentiment de sa parfaite inutilité, et même de sa totale inexistence en tant qu'autre chose qu'un pur exercice. Valéry soupçonnait bien des pages de littérature d'avoir pour toute signification : « Je suis une page de littérature »; on trouve souvent chez lui, implicite mais insistante, cette affirmation inverse : « Je n'ai plus rien à voir avec la littérature : en voici encore une preuve. »

Son destin littéraire fut donc cette expérience assez rare, et peut-être riche de son apparente stérilité : vivre dans la littérature comme en une terre étrangère, habiter l'écriture comme en visite ou en exil, et porter sur elle un regard à la fois intérieur et distant. Il est facile d'exalter la littérature, plus facile encore de l'accabler; chacun de ces propos comporte un versant de justesse. La vérité qui est à leur étroite et difficile jointure, il est arrivé à Valéry de l'éprouver comme le lieu précis de son séjour, quitte à s'aménager un confort, et une carrière, dans cette difficulté, comme d'autres dans la révolte ou le désespoir.

« Il ne s'agit pas de maltraiter la littérature, écrit Blanchot, mais de chercher à la comprendre, et de voir pourquoi on ne la comprend qu'en la dépréciant [1]. » Cette dépréciation,

1. *La Part du feu*, p 306.

ou *dévaluation* salutaire fut un des propos constants de Valéry, et l'on a peine à mesurer tout ce que la conscience et la pratique modernes de la littérature doivent à cet effort réducteur.

Ce qui le rebute dans la littérature, c'est, comme il l'a souvent expliqué, le sentiment de l'*arbitraire* : « Ce que je puis changer facilement m'offense chez moi, et m'ennuie chez les autres. D'où bien des conséquences anti-littéraires, et singulièrement anti-historiques [1]. » Ou encore : « Quant aux contes et à l'histoire, il m'arrive de m'y laisser prendre et de les admirer, comme excitants, passe-temps et ouvrages d'art; mais s'ils prétendent à la « vérité », et se flattent d'être pris au sérieux, l'arbitraire aussitôt et les conventions inconscientes se manifestent; et la manie perverse des substitutions possibles me saisit [2]. » C'est évidemment cette manie, qu'il qualifie encore de *pratique détestable* et dont il avoue qu'elle *ruine des plaisirs*, qui lui rend tout à fait inconcevable l'art du récit, et le genre romanesque. Un énoncé comme « La marquise sortit à cinq heures » lui apparaît *aussitôt* comme une agrégation contingente d'unités toutes substituables : *La marquise (ou tout autre sujet) sortit (ou tout autre verbe) à cinq heures (ou tout autre complément)*. Le narrateur ne peut arrêter ce vertige de possibles que par une décision arbitraire, c'est-à-dire par une convention. Mais cette convention est inconsciente, ou pour le moins inavouée : toute l'imposture littéraire est dans cette dissimulation. Et Valéry rêve d'un livre qui, exemplairement, dénoncerait la convention en exposant à chaque articulation la liste des virtualités sacrifiées : « Peut-être serait-il intéressant de faire *une fois* une œuvre qui montrerait à chacun de ses *nœuds*, la diversité qui peut s'y présenter à l'esprit,

1. II, p. 1502. — 2. I, p. 1467.

et parmi laquelle il *choisit* la suite unique qui sera donnée dans le texte. Ce serait là substituer à l'illusion d'une détermination unique et imitatrice du réel, celle du *possible-à-chaque-instant*, qui me semble plus véritable. Il m'est arrivé de publier des textes différents de mêmes poèmes : il en fut même de contradictoires, et l'on n'a pas manqué de me critiquer à ce sujet. Mais personne ne m'a dit pourquoi j'aurais dû m'abstenir de ces variations. » Il n'est peut-être pas excessif de trouver ici le programme d'une certaine littérature moderne. Ce que Valéry réservait encore au poème a été, depuis, appliqué au récit, et qu'est-ce, d'une certaine manière, qu'un roman comme *le Voyeur* ou *le Parc*, sinon une suite de variations, parfois contradictoires, construites sur un petit nombre de cellules narratives qui leur servent de thème, un récit montrant à chacun de ses nœuds une diversité de possibles parmi lesquels il ne se soucie plus de choisir? L'arbitraire « honteux » que Valéry dénonce dans le roman traditionnel, tout se passe comme si la littérature moderne en avait pris — en grande partie grâce à lui — une conscience définitive, et qu'elle eût décidé de l'assumer totalement, jusqu'à en faire parfois l'unique objet de son discours.

Par cette décision, elle répond assez bien, semble-t-il, à l'idée positive que Valéry se faisait de la littérature. Car si rien ne l'offusque autant qu'une convention inconsciente, rien non plus ne le satisfait davantage qu'un décret explicite. Là se trouve pour lui tout le mérite de la versification : « La rime a ce grand succès de mettre en fureur les gens simples qui croient naïvement qu'il y a quelque chose sous le soleil de plus important qu'une convention [1]. » Là aussi toute la vertu du classicisme : « Comme on le voit par les sciences, nous ne pouvons faire œuvre rationnelle et construire par ordre que moyennant un ensemble de *conventions*.

1. II, p. 551.

L'art classique se reconnaît à l'existence, à la netteté, à l'absolutisme de ces conventions [1]. »

On s'étonne parfois de ce que Valéry ait jugé Pascal *coupable* de cette intervention volontaire du style, de ce souci de l'*effet* dont l'analyse et l'application systématique font à ses yeux la grandeur d'Edgar Poe; mais c'est que les *Pensées* omettent de se reconnaître ou de s'avouer comme entreprise de littérature, et se veulent une recherche sincère et douloureuse de la vérité, tandis que l'œuvre de Poe s'affiche d'abord comme littéraire. Si je vois trop la main de Pascal, c'est qu'elle se cache. Celle de Poe se montre, et je ne la vois plus. La « littérature », au mauvais sens du mot, se dénonce en qui l'ignore ou la camoufle : elle disparaît chez qui l'affiche. Pascal est condamné pour avoir usé de ses artifices sans le dire, Poe exalté pour les avoir démontés et exposés en pleine lumière.

Le mérite exemplaire de la mathématique, « qui n'est après tout qu'un discours à règles exactes [2] », c'est d'avoir su poser *a priori* le système de ses postulats, axiomes et définitions. Et son utilité lui vient de s'être d'abord acceptée comme un jeu gratuit, dans une pleine conscience des rapports qu'elle noue entre l'arbitraire et le nécessaire. Le physicien, le chimiste font œuvre de science dans l'exacte mesure où ils s'avouent des créateurs. Le philosophe et l'historien sont « des créateurs qui s'ignorent, et qui croient qu'ils ne font que substituer une idée plus exacte ou plus complète du réel à une idée grossière ou superficielle, *quand, au contraire, ils inventent* [3] ».

Le procès fait à l'Histoire consiste pour l'essentiel en une critique de cette illusion. Histoire, Philosophie, « ce sont des genres littéraires, honteux de l'être. Je ne leur reproche que cela... Mon plan d'opérations consiste dans l'essai de mettre en évidence *toutes les conventions* implicites que l'idée d'Histoire exige et introduit dans la pensée de ceux qu'elle

1. I, p. 605. — 2. I, p. 1258. — 3. I, p. 1246.

intéresse [1] ». Lucien Febvre pouvait reprocher à Valéry ses mauvaises lectures en histoire, et de n'avoir rien connu de Pirenne, de Jullian, de Marc Bloch. Il ne pouvait lui en vouloir d'avoir si rudement attaqué l'histoire « historisante », son positivisme, sa religion naïve du Fait, puisque cette critique coïncidait presque mot pour mot avec la sienne propre. On pourrait assez bien définir cette « autre histoire » que réclamait et fondait l'école des *Annales* comme celle qui échappe aux reproches de Valéry pour en avoir, précisément, admis le bien fondé, et tiré la leçon. Mais n'en va-t-il pas d'une manière analogue en littérature? Ici et là, le rôle de Valéry aura été de réclamer, et, pour une part, d'établir quelque chose comme une *axiomatique*. La littérature — comme toute autre activité de l'esprit — repose sur des conventions que, sauf exceptions, elle ignore. Il ne s'agit que de les *mettre en évidence*.

Devant ce projet d'une théorie générale de la littérature, Valéry voit se dresser deux obstacles : deux illusions, d'ailleurs jumelles, où se résument et se cristallisent toutes les *idolâtries* littéraires, et auxquelles le XIXe siècle a donné la force redoutable d'une fausse nature. La première est ce qu'il nomme l'*illusion réaliste*. Cette erreur, qu'il retrouve chez le Flaubert de *Bovary* et de *Salammbô* et dont il dénonce plus généralement les effets dans l'œuvre du naturalisme, consiste à croire que la littérature peut reproduire le réel, et s'édifier sur des « documents historiques » ou sur « l'observation du présent toute crue [2] ». Ce réalisme repose sur une mauvaise entente des conditions de l'observation scientifique elle-même. Le physicien sait que « le vrai à l'état brut est plus faux que le faux [3] », et que la connaissance consiste à « changer les choses en nombres et les

1. II, p. 1548. — 2. I, p. 613. — 3. I, p. 1203.

nombres en lois [1] ». L'écrivain réaliste se refuse à cette abstraction, mais, voulant restituer dans son œuvre une réalité brute sans renoncer à ce souci du style par lequel il satisfait cette « ambition essentielle de l'écrivain » qui est « nécessairement de se distinguer », il transpose cette réalité commune « dans le système étudié d'un langage rare, rythmé, pesé mot par mot, et qui sentait ce respect de lui-même et ce souci d'être remarqué » : le *style artiste*. C'est ainsi que le réalisme aboutit « à donner l'impression de l'artifice le plus voulu ». Cet échec du naturalisme n'est pas, pour Valéry, un accident historique ou l'effet d'une absence particulière de talent : il est l'aboutissement inévitable d'une méconnaissance des rapports entre l'art et la réalité. « Le seul réel, dans l'art, c'est l'art. » C'est pour s'être voulu totalement exempt de conventions, image transparente de la vie, que le naturalisme est tombé dans l'écriture la plus fausse et la plus opaque. Il manifeste par sa chute cette impossibilité du « vrai dans les Lettres », dont le Symbolisme a eu le mérite de prendre acte, et dont toute pensée de la Littérature doit d'abord se pénétrer.

Le second obstacle est une autre illusion chère au XIXe siècle romantique et psychologiste : celle qui veut qu'une œuvre exprime, comme un effet sa cause, la personnalité de son auteur. Le mépris bien connu de Valéry pour la biographie — et pour l'histoire littéraire comprise comme une accumulation de documents biographiques — tient à cette idée simple que « toute œuvre est l'œuvre de bien d'autres choses qu'un *auteur* [2] ». « Le véritable ouvrier d'un bel ouvrage... n'est positivement personne [3]. » Non que l'écrivain soit proprement absent de son œuvre; mais l'œuvre n'existe comme telle qu'en tant qu'elle se délivre de cette présence, et l'auteur ne devient auteur que lorsqu'il cesse d'être homme pour devenir cette *machine* littéraire, cet instrument d'opérations et de transformations qui seul inté-

1. I, p. 613. — 2. II, p. 629. — 3. I. p. 483.

resse Valéry. « Il ne faut jamais conclure de l'œuvre à un homme, — mais de l'œuvre à un masque, et du masque à la machine [1]. » Les vraies conditions du travail littéraire tiennent à un système de forces et de contraintes dont l'esprit créateur n'est que le lieu de rencontre, somme toute accidentel et d'influence négligeable, ou accessoire. Leur champ véritable est le *réel du discours*, c'est-à-dire non son contenu, mais « les mots seulement, et les formes [2] ». C'est pourquoi les biographes et les historiens se méprennent lorsqu'ils croient expliquer une œuvre par ses rapports avec son auteur et la réalité qu'il a voulu « traduire ». Ces considérations ne devraient intervenir qu'une fois définis avec précision les modes d'existence et les conditions de fonctionnement de l'objet littéraire, — une fois élucidées les questions, impersonnelles et transhistoriques, que pose la littérature dans son ordre spécifique, comme « extension et application de certaines propriétés du langage [3] ». Mais ces questions — auxquelles Valéry se propose de consacrer son enseignement de la Poétique au Collège de France —, il les trouve devant lui, presque intactes.

1. II, p. 581. — 2. I, p. 1456.

3. I, p. 1440. Cette attention aux traits spécifiques qui définissent la littérature *comme telle,* ou la « littérarité » de la littérature, est un des aspects par lesquels Valéry se rapproche des Formalistes russes. Ainsi, Jakobson et Tynianov rappellent que chaque *série* culturelle « comporte un faisceau complexe de lois structurales qui lui est propre. Il est impossible d'établir entre la série littéraire et les autres séries une corrélation rigoureuse sans avoir préalablement étudié ces lois. » (*Théorie de la Littérature,* p. 138). L'analyse *morphologique* (comme dit Propp), ou structurale, doit *précéder* toute recherche génétique. C'est bien le préalable posé par Valéry, pour qui la Poétique donne à l'Histoire littéraire « une introduction, un sens et un but » (I, p. 1443).

Presque seulement : d'abord, parce que les efforts de l'*ancienne rhétorique* — et, à sa suite, de la linguistique naissante [1] ne lui sont pas inconnus, et qu'il indique nettement la filiation, ou l'analogie, entre cette démarche et la sienne : la Poétique ne sera, en un sens, qu'une nouvelle Rhétorique; ensuite, parce qu'il se reconnaît, sur cette voie, un précurseur (et même davantage) en la personne d'Edgar Poe. L'auteur du *Poetic Principle* est le premier à avoir entrevu cette axiomatique de la littérature dont la constitution serait la tâche la plus urgente de la réflexion critique. « Jamais le problème de la littérature n'avait été, jusqu'à Edgar Poe, examiné dans ses prémisses, réduit à un problème de psychologie [2], abordé au moyen d'une analyse où la logique et la mécanique des effets étaient délibérément employées. Pour la première fois, les rapports de l'œuvre et du lecteur étaient élucidés et donnés comme les fondements positifs de l'art [3] ». Ce qui fait la valeur incomparable de cette analyse, c'est son très haut degré de généralité : Poe a su dégager des lois et des principes qui « s'adaptent également aux ouvrages destinés à agir puissamment et brutalement sur la sensibilité, à conquérir le public amateur d'émotions fortes ou d'aventures étranges, comme (ils) régissent les genres les plus raffinés et l'organisation délicate des créatures du poète ». La conséquence la plus précieuse d'une visée aussi large (puisqu'elle englobe à la fois ce que Valéry appellera « des œuvres *qui sont comme créées par leur public*, dont elles remplissent l'attente et sont

1. On sait, entre autres, qu'il a rendu compte, dans le *Mercure de France* de janvier 1898, de *la Sémantique* de Bréal, où il trouve le langage « proposé comme difficulté; privé de l'accoutumance où il se cache; forcé de parler de lui-même, de se nommer; pourvu, à cette fin, de nouveaux signes » et qui lui fait souhaiter une généralisation des études sémantiques « sur tous les sytèmes symboliques, en masse » (II, p. 1453).

2. Il s'agit ici, contrairement aux prémisses de la critique « biographique », et comme le montre la suite de ce texte, d'une psychologie du lecteur plutôt que de l'auteur : psychologie de l'*effet*, et non de la cause.

3. I, p. 606.

ainsi presque déterminées par la connaissance de celle-ci, et des œuvres qui, au contraire, *tendent à créer leur public* [1] » : ce qu'on nommerait aujourd'hui œuvres de masses et œuvres d'avant-garde), c'est sa fécondité : « Le propre de ce qui est vraiment général est d'être fécond ». Découvrir les lois les plus universelles de l'*effet* littéraire, c'est effectivement dominer à la fois la littérature réelle, déjà écrite, et toutes les littératures possibles et non encore réalisées : « des domaines inexplorés, des chemins à tracer, des terres à exploiter, des cités à édifier, des relations à établir, des procédés à étendre ». D'où la prodigieuse inventivité de Poe, qui a inauguré plusieurs genres modernes, comme le conte scientifique ou le roman policier: ayant établi une fois pour toutes le tableau général des formes de l'imagination littéraire, comme Mendéléiev établira celui des éléments chimiques, il ne lui reste qu'à remplir lui-même, par transformations, les cases laissées vides par les hasards de l'histoire.

Cette description quelque peu fantastique du rôle d'Edgar Poe illustre à merveille l'idée que Valéry se fait de l'invention littéraire. La création personnelle, au sens fort, n'existe pas, d'abord parce que l'exercice littéraire se réduit à un vaste jeu *combinatoire* à l'intérieur d'un système préexistant qui n'est autre que le langage : « D'ailleurs, en considérant les choses d'un peu haut, ne peut-on pas considérer le Langage lui-même comme le chef-d'œuvre des chefs-d'œuvre littéraires, puisque toute création dans cet ordre se réduit à une combinaison des puissances d'un vocabulaire donné, selon des formes instituées une fois pour toutes [2]? » Ensuite, parce que « toute fantaisie pure... trouve sa voie dans les dispositions cachées des diverses sensibilités qui nous composent. On n'invente que ce qui s'invente et veut être inventé [3] ».

1. I, p. 1442. La double prédilection pour (et le rapprochement entre) littérature populaire et littérature d'avant-garde, comme formes où le « procédé » se trouve (quoique pour des raisons inverses) plus clairement « dénudé », est un autre trait caractéristique du formalisme russe, où l'influence directe de Poe est d'ailleurs sensible.

2. I, p. 1441. — 3. I. p. 614.

Une création neuve n'est ordinairement que la rencontre fortuite d'une case vide (s'il en reste) dans le tableau des formes, et par conséquent le désir constant d'innover en se démarquant de ses prédécesseurs, cet avant-gardisme, ce *réflexe de contre-imitation* [1] que Valéry perçoit comme une des faiblesses de la modernité littéraire, repose sur une illusion naïve. Ce qui paraît nouveau n'est le plus souvent qu'un retour à une forme délaissée depuis longtemps, à la limite depuis toujours, mais dont la virtualité, pour le moins, est inscrite dans le système intemporel du langage. Autrement dit, la succession des formes n'est pas une histoire (cumulative et progressive), mais simplement une série de modifications hasardeuses, une rotation semblable à celle de la Mode : « Tout revient comme les jupes et les chapeaux [2] ». Cette récurrence ne tient pas à une disposition cyclique du Temps, mais simplement au nombre limité des possibilités d'expression : « Les combinaisons ne sont pas en nombre infini; et si l'on se divertissait à faire l'histoire des surprises qui furent imaginées depuis un siècle... on formerait assez facilement le tableau de ces écarts, absolus ou relatifs, où paraîtrait quelque distribution curieusement symétrique des moyens d'être original [3] ». Cette appréciation n'est d'ailleurs nullement péjorative, car pour Valéry comme pour Borges, le vrai créateur n'est pas celui qui invente, mais celui qui découvre (c'est-à-dire invente ce qui *veut être inventé*), et le critère de valeur d'une création n'est pas dans sa nouveauté, mais à l'inverse, dans son ancienneté profonde : « ce qui est le meilleur dans le *nouveau* est ce qui répond à un désir *ancien* [4] ». La vraie surprise, la *surprise infinie* qui est l'objet de l'art ne naît pas d'une rencontre avec l'inattendu; elle tient à « une disposition toujours renaissante, et contre laquelle toute l'attente du monde ne peut prévaloir [5] ».

1. I, p. 1487. — 2. II, p. 560. — 3. I, p. 1488. — 4. II, p. 561.
5. II, p. 560.

Il y a donc chez Valery une *idée* de la littérature qui est, elle aussi, à la fois très moderne et très ancienne, et qui le rapproche non seulement du formalisme contemporain (celui de la Nouvelle Critique américaine et plus encore, on l'a vu, celui de l'école russe des années vingt, dont le maître-mot pourrait être cette phrase de *Tel Quel* : « Les belles œuvres sont filles de leur forme, *qui naît avant elles* [1] », ou cette autre, de *Variété* : « Ce qu'ils appellent le fond n'est qu'une forme impure [2] »), mais aussi des recherches actuelles du structuralisme. On sait qu'il a dénoncé lui-même, et non sans ironie, son parti pris structuraliste en écrivant : « Il y eut un temps où je voyais. Je voyais ou voulais voir les figures de relations entre les choses, et non les choses [3]. Les *choses* me faisaient sourire de pitié. Ceux qui s'y arrêtaient ne m'étaient que des idolâtres. Je *savais* que l'essentiel était *figure* [4] ». On lui reprochait, comme aujourd'hui à Lévi-Strauss en anthropologie, de vouloir mathématiser la littérature [5], et l'on ne peut manquer de percevoir quelque analogie entre la méthode qu'il prête à Edgar Poe et celle des *Structures élémentaires de la parenté*. Il propose d'appeller — hypothétiquement — poésie pure une œuvre-limite « *où la transformation des pensées les unes dans les autres paraîtrait plus importante que toute pensée*, où le jeu des figures contiendrait la réalité

1. II, p. 477.

2. I, p. 657. Cf. Chklovski, *le Voyage sentimental* : « Le formalisme considère le soi-disant contenu comme un des aspects de la forme ». Plus précisément, les formalistes distinguent la *fable*, qui est le matériau brut du récit (*substance du contenu*, dans le vocabulaire de Hjelmslev), et le *sujet*, ou *intrigue*, qui en est la mise en œuvre (*forme du contenu*) : c'est lui que Chklovski annexe à la « forme », un peu comme la linguistique moderne sépare le *signifié* du *référent* pour le maintenir dans l'ordre de la langue.

3. Braque, cité par Jakobson (*Selected Writings*, I, p. 632) : « Je ne crois pas aux choses, mais aux relations entre les choses ». C'est le credo structuraliste.

4. II, p. 1532.

5. « Il ramène tout aux mathématiques. Il voudrait faire une table de logarithmes pour les littérateurs » (Jules Renard).

du sujet [1] » (ce qui peut encore passer pour une anticipation — en 1927 — de certaines tendances de la littérature actuelle), et confesse que « la Littérature ne (l') intéresse *profondément* que dans la mesure où elle exerce l'esprit à certaines transformations, — celles dans lesquelles les propriétés excitantes du langage jouent un rôle capital [2] ». Les recherches modernes sur les figures de transformations à l'œuvre dans le mythe, le conte populaire, les formes générales du récit, sont évidemment dans le droit fil du programme valéryen. Cette grande Histoire anonyme de la Littérature, cette « Histoire de l'esprit en tant qu'il produit ou consomme de la littérature », qu'il prévoyait en ouvrant son cours de Poétique, cette histoire reste à faire, et peu de tâches, en ce domaine, paraissent mieux répondre aux besoins et aux moyens actuels de notre intelligence critique. Dans l'ordre de la recherche comme dans l'ordre de la création, l'heure est peut-être à cette exploration, souhaitée par Valéry, « de tout ce domaine de la sensibilité qui est gouverné par le langage. Cette exploration, ajoutait-il, peut être faite à tâtons. C'est ainsi qu'elle est généralement pratiquée. Mais il n'est pas impossible qu'elle soit un jour systématiquement conduite [3] ».

1. I, p. 1463. — 2. I, p. 1500. — 3. I, p. 1458.

TABLE

REPRINT/AUBIN, À LIGUGÉ (10-80)
D.L. 2e TR. 1966 No 1843-7 (L 12874).

COLLECTION « TEL QUEL »

Roland Barthes, *Essais critiques*
Critique et Vérité
S/Z
Sade, Fourier, Loyola
Le Plaisir du texte
Fragments d'un discours amoureux
Jean-Louis Baudry, *Les Images*
Personnes
La « Création »
Pierre Boulez, *Relevés d'apprenti*
Par volonté et par hasard
Entretien avec Célestin Deliège
Pierre Daix, *Nouvelle Critique et Art moderne*
Jacques Derrida, *L'Écriture et la Différence*
La Dissémination
Jean Pierre Faye, *Analogues*
Le Récit hunique
Viviane Forrester, *Vestiges*
Gérard Genette, *Figures I*
Figures II
Allen Ginsberg, *OM...*
Entretiens et témoignages (1963-1978)
rassemblés par Alain Jaubert et Susan Sacks
Jacques Henric, *Archées*
Chasses
Carrousels
Julia Kristeva, *Recherches pour une sémanalyse*
La Révolution du langage poétique
Polylogue
Maria-Antonietta Macciocchi, *Pour Gramsci*
Après Marx, Avril
Marcelin Pleynet, *Paysages en deux*
suivi de *Les Lignes de la prose*
Comme
Stanze
L'Enseignement de la peinture
Art et Littérature
Jean Ricardou, *Problèmes du nouveau roman*
Pour une théorie du nouveau roman

Jacqueline Risset, *Jeu*
Denis Roche, *Récits complets*
Les Idées centésimales de Miss Elanize
Éros Énergumène
Le Mécrit
Maurice Roche, *Compact*
Circus
Codex
Opéra Bouffe
Macabré
Maladie mélodie
Pierre Rottenberg, *Le Livre partagé*
Edoardo Sanguineti, *Capriccio italiano*
Le Noble Jeu de l'oye
(traduits par Jean Thibaudeau)
Guy Scarpetta, *Scène*
Jean Louis Schefer, *Scénographie d'un tableau*
Daniel Sibony, *Le Nom et le Corps*
Philippe Sollers, *L'Intermédiaire*
Drame
Logiques
Nombres
Lois
H
Sur le matérialisme
Tel Quel, *Théorie d'ensemble*
Jean Thibaudeau, *Ouverture*
Imaginez la nuit
Mai 1968 en France précédé de
Printemps rouge par Philippe Sollers
La Traversée des signes, ouvrage collectif
Théorie de la littérature
Textes des formalistes russes
(traduits par T. Todorov)
Giuseppe Ungaretti, *A partir du désert*
(traduit par P. Jaccottet)